UNIVERSALE
ECONOMICA
FELTRINELLI / ORIENTE

Alan W. Watts (1915-1973), inglese di origine trapiantatosi in America nel 1938, uno dei massimi esperti di teologia e problemi religiosi, è conosciuto soprattutto per i suoi studi di filosofia orientale, in particolare dello zen buddhista, e di religioni comparate. Ha insegnato nelle università di Cambridge, Cornell e delle Hawaii. Ha scritto diversi libri di filosofia e di psicologia della religione, tra cui *La gaia cosmologia*, *La saggezza del dubbio*, *Il libro sui tabù che ci vietano la conoscenza di ciò che veramente siamo*, *La suprema identità*. È bizzarra la leggenda che aleggia sulla sua morte alla precoce età di cinquantotto anni, nel 1973. Alcune voci sostengono che sia morto d'infarto, stremato da una lunga tournée di conferenze, altre che la causa sia stata la sua dichiarata passione per i piaceri alcolici. Altre ancora che sia trapassato placidamente nel suo letto. Quella che è certa è invece la sua scrittura, limpida e carezzevole, che per circa quindici anni ispirò tutta la Beat generation, ma anche John Cage e le avanguardie degli anni cinquanta, sul significato profondo della cultura zen e del suo placido incrociarsi con il pacifismo. Spirito profondamente libertario, Watts rifiutò sempre con grande sdegno di associarsi a qualche scuola già esistente. Il *satori*, l'atto del risveglio, può essere ugualmente raggiunto anche da coloro che non si sottopongono alle mortificanti pratiche delle scuole monacali. Nel suo pensiero la consapevolezza della vera struttura dell'universo resta quindi alla portata di chiunque. Esperto soprattutto di filosofia cinese, ebbe un percorso formativo decisamente eterodosso: prete della chiesa anglicana, è stato seguace di un guru "rascal" come Mitrinovic, ma anche di Suzuki. Gli ultimi anni della sua vita li ha passati in una casa galleggiante molto "zen", ancorata nei pressi di Sausalito, in California, sull'Oceano Pacifico. La sua voce e la sua saggezza sono ancora ascoltabili in rete.

ALAN W. WATTS

La via dello zen

Traduzione di Lucio Marco Antonicelli

Titolo dell'opera originale
THE WAY OF ZEN

Traduzione dall'americano di
LUCIO MARCO ANTONICELLI

Prima edizione italiana "I fatti e le idee" marzo 1960
Prima edizione nell'"Universale Economica" luglio 1971
Dodicesima edizione nell'"Universale Economica" – ORIENTE
aprile 2006
Diciassettesima edizione settembre 2013

Stampa Nuovo Istituto Italiano d'Arti Grafiche - BG

ISBN 978-88-07-88276-0

Premessa

Nel corso degli ultimi vent'anni s'è avuto un aumento straordinario d'interesse per il buddismo zen. Dalla seconda guerra mondiale in poi questo interesse è aumentato al punto che pare stia diventando una forza considerevole nel mondo intellettuale e artistico d'Occidente. È collegato, senza dubbio, con l'entusiasmo prevalente per la cultura giapponese, che è uno dei risultati costruttivi dell'ultima guerra, ma che può semplicemente risolversi in una moda passeggera. L'intima ragione di tale interesse è che il punto di vista dello zen si trova molto vicino alla linea di sviluppo del pensiero occidentale.

Gli aspetti più inquietanti e distruttivi della civiltà occidentale non ci dovrebbero rendere insensibili al fatto che essa sta vivendo proprio oggi uno dei suoi periodi più creativi. Idee e intuizioni geniali stanno comparendo in alcuni dei settori più nuovi della scienza occidentale, nella psicologia e psicoterapia, nella logica e nella filosofia della scienza, nella semantica e nella teoria delle comunicazioni. Taluni di questi processi potrebbero essere dovuti a suggestivi influssi della filosofia asiatica, ma in ultima analisi io sono incline a intendervi più un parallelismo che una diretta influenza. Nondimeno noi stiamo diventando consapevoli di tale parallelismo, e ciò promette uno scambio di vedute che dovrebbe essere stimolante al massimo grado.

Il pensiero occidentale è così rapidamente mutato, in questo secolo, che ci troviamo in uno stato di notevole confusione. Non soltanto esistono serie difficoltà di comunicazione fra gli intellettuali e il vasto pubblico, ma il corso del no-

stro pensiero e perfino della nostra storia ha gravemente minato gli assunti del senso comune che stanno alle radici delle nostre convenzioni e istituzioni sociali. I concetti familiari di spazio, tempo e moto, di natura e legge naturale, di storia e mutamento sociale, e della stessa personalità umana si sono dissolti; e ci troviamo alla deriva, senza punti di riferimento, in un universo che sempre più assomiglia al principio buddista del "Grande Vuoto". La varia sapienza dell'Occidente (religiosa, filosofica e scientifica) non offre molta guida all'arte del vivere in un simile universo; e ci troviamo a dover affrontare il nostro cammino in un oceano di relatività così burrascoso da mettere paura. Difatti l'uomo è avvezzo ad assoluti, a principi e leggi cui potersi aggrappare per ragioni di sicurezza spirituale e psicologica.

Questo – io ritengo – è il motivo per cui v'è tanto interesse nei riguardi di una pratica di vita che per un migliaio e mezzo d'anni s'è sentita perfettamente a suo agio nel "Vuoto", e che non solo non ne prova terrore ma piuttosto un positivo diletto. Per usare le sue stesse parole, la posizione dello zen è sempre stata:

> *Al di sopra, senza una tegola per coprire il capo;*
> *Al di sotto, senza un palmo di terra per il piede.*

Siffatto linguaggio non ci suonerebbe ora così strano, se fossimo veramente preparati ad accogliere il significato di "le volpi hanno tane, e gli uccelli dell'aria hanno nidi; ma il Figlio dell'Uomo non ha dove posare la testa".

Non sono favorevole a "importare" lo zen dall'Estremo Oriente, poiché esso è profondamente collegato a istituzioni culturali che ci sono estranee del tutto. Ma non c'è dubbio che nello zen vi sono cose che possiamo imparare, o disimparare, e applicare alla nostra pratica. Esso ha il merito particolare di un modo di esprimersi che è tanto comprensibile – o forse tanto ambiguo – per l'intellettuale quanto per l'illetterato, offrendo possibilità comunicative che noi non abbiamo esplorato. Possiede un'immediatezza, un brio, e un senso di bellezza come di assurdità, esasperante e insieme delizioso.

Ma soprattutto possiede la facoltà di stravolgere la mente e di risolvere i problemi umani apparentemente più angosciosi in quesiti come "Perché un topo è un topo quando gira in tondo?". Nel suo intimo v'è una compassione forte ma niente affatto sentimentale per gli esseri umani che soffrono e periscono proprio a cagione dei loro tentativi di salvarsi.

Vi sono molti libri eccellenti sullo zen, sebbene alcuni dei migliori siano esauriti o difficili da procurare. Ma finora nessuno – nemmeno il prof. Suzuki – ci ha dato una comprensiva esposizione dell'argomento, che ne includa lo sfondo storico e i rapporti con i modi di pensiero cinesi e indiani. I tre volumi degli Essays in Zen Buddhism *di Suzuki sono una raccolta non sistematica di erudite dissertazioni su vari aspetti della materia, di enorme utilità per lo studioso più progredito, ma del tutto elusive per il comune lettore sprovvisto di una conoscenza dei principi generali. La sua deliziosa* Introduction to Zen Buddhism *è alquanto limitata e specializzata: trascura l'informazione essenziale sui rapporti dello zen col taoismo cinese e il buddismo indiano, ed è sotto certi riguardi un po' più astrusa del necessario. Gli altri suoi lavori sono studi di particolari aspetti dello zen, che necessitano tutti di uno sfondo e di una prospettiva storica.*

Zen in English Literature and Oriental Classics *di R.H. Blyth è una delle migliori introduzioni disponibili, ma è stata pubblicata solo in Giappone e manca anch'essa di una documentazione di sfondo. Come una serie di osservazioni vagabonde e meravigliosamente percettive, tale opera non tenta neppure di offrire una presentazione ordinata della materia. Il mio* Spirit of Zen *è una divulgazione dei lavori iniziali di Suzuki, e inoltre, non essendo un lavoro erudito, è sotto molti riguardi antiquato e ingannatore, quale ne sia il merito nei termini di lucidità e semplicità. Anche* Zen Buddhism *di Christmas Humphreys, pubblicato solo in Inghilterra, è una divulgazione di Suzuki e neppure questo libro riesce a intraprendere uno studio dello zen nel suo contesto culturale. È scritto in uno stile limpido e vivace, ma l'autore scopre identità fra buddismo e teosofia che mi paiono assai dubbie. Altri studi sullo zen, di autori sia occidentali sia asiatici, sono di un carattere più specializzato, o sono disamine dello zen* à propos *di qualcosa d'altro (psicologia, arte o storia della cultura).*

Così, in mancanza di una esposizione fondamentale, ordinata e comprensiva dell'argomento, nessuna meraviglia che le opinioni dell'Occidente sullo zen siano molto confuse, malgrado tutto l'entusiasmo e l'interesse che lo zen ha ridestati. Il problema, dunque, è di scrivere un tale libro e così ho cercato di fare, dal momento che nessuno che s'intenda della materia meglio di me sembra disposto o capace di farlo. Idealmente, presumo, una tale opera la dovrebbe scrivere un compiuto e riconosciuto maestro zen. Ma oggigiorno nessuna personalità del genere ha sufficiente padronanza dell'inglese. Per di più, quando uno parla da dentro una tradizione, e specialmente dall'interno di una sua gerarchia istituzionale, vi è sempre tendenza a un certo difetto di prospettiva e di comprensione del punto di vista del profano. Ancora, uno degli ostacoli più rilevanti a una partecipazione fra i maestri zen giapponesi e gli occidentali è la mancanza di chiarezza riguardo alla differenza delle rispettive premesse culturali. Ambedue le parti sono così "fisse nei loro modi" che non sono consapevoli dei limiti dei loro mezzi di comunicazione.

Forse, allora, l'autore più idoneo a scrivere un'opera siffatta potrebbe essere un occidentale che avesse trascorso alcuni anni sotto un maestro giapponese, compiendo l'intero corso di ammaestramento zen. Però, dal punto di vista della "dottrina scientifica" occidentale, un tale individuo non farebbe al caso, poiché sarebbe divenuto un "entusiasta" e un "partigiano" incapace di visione obiettiva e imparziale. Ma, per fortuna o sfortuna, lo zen è soprattutto un'esperienza, di carattere non verbale, semplicemente inaccessibile all'approccio puramente letterario ed erudito. Per conoscere che cosa sia lo zen, e specialmente che cosa non sia, non v'è alternativa se non di praticarlo, di fare con esso esperienze concrete, e al contempo di svelare il significato che si cela sotto le parole. Tuttavia, quegli occidentali che hanno sperimentato qualcosa del tipo speciale di ammaestramento praticato nello zen Rinzai, tendono a farsi sospettosi e riservati sul principio che:

Coloro che sanno non parlano;
Coloro che parlano non sanno.

Tuttavia, sebbene non facciano i banditori, nemmeno si chiudono in un rigido mutismo. Da un lato amerebbero condividere con altri il loro sapere. Ma dall'altro, sono convinti che, in definitiva, le parole sono vane; e, per di più, si trovano sottomessi a un accordo di non discutere certi aspetti del loro noviziato. Essi cominciano perciò ad assumere il tipico atteggiamento asiatico del "Venite a scoprire da voi stessi". Ma l'occidentale scientificamente addestrato è, non senza ragione, un cauto e scettico individuo cui piace sapere che cosa egli "visiterà". È profondamente consapevole dell'attitudine della mente a illudersi, a penetrare in luoghi dove l'entrata è impossibile senza lasciare alla porta i propri criteri personali. Gli asiatici sono così propensi a disprezzare tale atteggiamento, e ancora di più i loro devoti d'Occidente, che trascurano di dire all'indagatore scientifico molte cose che rientrano sempre nei limiti di un umano discorso e di una possibile comprensione intellettuale.

Scrivere sullo zen è, quindi, altrettanto problematico per l'osservatore "oggettivo" esterno, quanto per il seguace "soggettivo" interno. In varie circostanze io mi sono trovato sia sull'uno sia sull'altro lato della medaglia. Mi sono accompagnato e ho studiato con gli "osservatori oggettivi", e sono convinto che, con tutte le loro virtù, essi invariabilmente falliscono il segno e consumano la lista delle vivande in luogo del pranzo. Sono stato anche all'interno di una gerarchia tradizionale (non zen), e sono egualmente convinto che da questa posizione si ignora quale pasto si stia consumando. In tale situazione si diviene tecnicamente "idioti", vale a dire, incapaci di comunicare coi non appartenenti alla medesima congregazione.

È pericoloso e al tempo stesso ridicolo che il nostro mondo sia un gruppo di comunità reciprocamente scomunicate. Ciò è particolarmente vero per le grandi culture d'Oriente e d'Occidente, dove le possibilità di partecipazione sono le più ricche, e più gravi i rischi di una loro incomunicabilità. Aven-

do speso più di vent'anni nel tentativo di spiegare l'Oriente all'Occidente, io sono diventato sempre più sicuro che per interpretare un fenomeno come lo zen v'è un chiaro principio da seguire. Da un lato, è necessario "simpatizzare" e compiere personali esperienze con quel modo di vita sino al limite delle proprie possibilità. Dall'altro, si deve resistere a ogni lusinga di "associarsi all'organizzazione", di venire coinvolti con i suoi assunti istituzionali. In questa amichevole posizione neutrale si tende a essere rifiutati da entrambe le parti. Ma, alla peggio, le proprie inesatte interpretazioni incitano le parti a esprimersi con maggiore chiarezza. Difatti il rapporto fra due posizioni si fa di gran lunga più chiaro quando ve n'è una terza con cui porle a confronto. Così, anche se questo studio dello zen si limita a esprimere un punto di vista che non è né zen né alcunché di occidentale, fornirà almeno questo terzo punto di riferimento.

In ogni caso, non vi può essere dubbio che il pensiero essenziale dello zen rifiuta di venire "organizzato", o di diventare l'esclusivo possesso di qualche istituzione. Se v'è qualcosa in questo mondo che trascenda le relatività del condizionamento culturale, questo è lo zen, qualunque sia il nome che gli viene attribuito. È questa una ragione eccellente che spiega perché lo zen non sia "socializzato", e perché molti suoi antichi esponenti siano stati "individualisti universali", che non parteciparono mai a un'organizzazione zen, né mai pretesero il riconoscimento di un'autorità formale.

Tale è dunque la mia posizione nei riguardi dello zen – e sento di dover essere franco con il lettore in un tempo in cui v'è tanta sete d'altrui credenziali o "qualifiche". Io non posso presentarmi come uno zenista, e neppure come un buddista, poiché mi parrebbe con ciò di tentar di avvolgere il cielo e applicarvi un'etichetta. Non posso presentarmi come un accademico scientificamente oggettivo, poiché – riguardo allo zen – questo mi avrebbe l'aria di chi si accinge a studiare il canto degli uccelli in una collezione di usignoli impagliati. Non reclamo alcun diritto a parlare dello zen. Io proclamo soltanto il piacere di aver studiato la sua letteratura e osservato le sue forme d'arte fin da quando ero poco più che ragazzo, e di aver provato il piacere di accompagnarmi familiarmente con un vasto numero di viaggiatori, giapponesi e cinesi, lungo una stessa strada priva di pietre miliari.

Il presente libro è destinato sia al lettore comune sia al più serio studioso; e confido che il primo voglia tollerare l'uso di una certa terminologia tecnica, di un'appendice in caratteri cinesi, e di altro materiale per lo studio critico, utilissimo per chi desideri esplorare a fondo l'argomento. Il libro è diviso in due parti: la prima tratta lo sfondo e la storia dello zen, la seconda i suoi principi e la sua pratica. Le fonti d'informazione sono di tre tipi. In primo luogo, mi sono servito di quasi tutti gli studi sullo zen in lingue europee e innanzitutto mi sono valso largamente dei lavori del prof. D.T. Suzuki, ma al tempo stesso ho cercato di non confidarvi troppo, non a motivo di qualche loro difetto, ma perché ritengo che i lettori abbiano diritto a qualcosa di più, a un punto di vista più fresco, che un semplice compendio delle sue vedute.

In secondo luogo, la visione essenziale dello zen tratteggiata in questo libro l'ho basata su uno studio accurato dei suoi originali documenti cinesi, con riferimento particolare al Hsin-hsin Ming, *al* T'an ching *o* Sutra del Sesto Patriarca, *al* Lin-chi Lu, *e al* Ku-tsun-hsü Yü-lu.

La mia conoscenza personale del cinese della dinastia T'ang non è certo sufficiente per trattare taluni dei punti più sottili di questa letteratura, ma sufficiente – presumo – a conseguire quanto desideravo, ossia una visione chiara della dottrina essenziale. Per tutto questo, sono stato validamente assistito nei miei sforzi da colleghi e compagni di ricerche presso la American Academy of Asian Studies, e desidero esprimere in particolare i miei ringraziamenti ai professori Sabro Hasegawa e Gi-ming Shien, al dr. Paul e al dr. George Fung, al dr. Frederick Hong, al sig. Charles Vick e al sig. Kazumitsu Kato, ministro della scuola zen Soto.

In terzo luogo, la mia documentazione si è fondata su un largo numero di incontri personali, avvenuti nel corso di oltre vent'anni, con docenti e studiosi dello zen. Le traduzioni dai testi originali che compariranno nel corso del libro sono di mia mano, a meno che non portino un'indicazione diver-

sa. Per comodità di chi legge il cinese ho fornito – a seguito della bibliografia – un'appendice delle forme originali cinesi delle citazioni e dei termini tecnici più importanti. Essa mi è parsa pressoché indispensabile allo studioso, poiché persino fra gli eruditi più qualificati sussiste molta incertezza riguardo alla traduzione appropriata dei testi zen della dinastia T'ang. I richiami a questa appendice sono espressi in lettere alfabetiche, stampate in esponente.

Riferimenti ad altre opere sono fatti mediante nome dell'autore e numero indirizzando il lettore alla bibliografia per i particolari completi. I lettori dotti mi dovranno scusare di non aver usato gli assurdi segni diacritici nelle parole sanscrite trascritte in caratteri latini, giacché sono atti solo a confondere il lettore comune e non sono necessari al sanscritista che potrà richiamare subito alla mente la scrittura devanagiri. Quanto ai nomi propri dei maestri zen e ai titoli dei testi zen, questi sono dati nelle trascrizioni latine del mandarino o del giapponese, secondo il paese d'origine, e i termini tecnici sono dati in mandarino a meno che non siano usati nella trattazione dello zen specificamente giapponese.

Per il mandarino si è generalmente costretti dalla consuetudine ad adottare la trascrizione latina Wade-Giles, per la quale ho aggiunto una tavola di pronunzia che segue questa prefazione.

Sono molto riconoscente al sig. R.H. Blyth per avermi gentilmente permesso di citare un buon numero delle sue traduzioni di poesie haiku *tratte dalla sua magnifica antologia in quattro volumi,* Haiku, *pubblicata dalla Hokuseido Press di Tokyo.*

Infine sono lieto di esprimere i miei ringraziamenti alla fondazione Bollingen per l'aiuto finanziario concessomi per i tre anni, durante i quali fu compiuto molto dello studio preliminare alla stesura di questo libro.

Mill Valley, California
Luglio 1956

Alan W. Watts

Tavola di pronunzia delle parole cinesi trascritte

p' come *p*
t' come *t*
k' come *c dura*
ch' come *c dolce*
ts' come *z aspra*
p come un suono intermedio fra *p* e *b*
t come un suono intermedio fra *t* e *d*
k come un suono intermedio fra *c* e *g dure*
ch come un suono intermedio fra *c* e *g dolci*
ts come *z dolce*
hs come in *sc*iame
sh come un suono intermedio fra *sc*iame e *s*
j come un suono intermedio fra *l* e *r*
eh come nella parola inglese *ea*rl
ih come nella parola inglese sh*i*rt
ü come la *u* francese
en come il francese *un* o l'inglese wood*en*

Parte prima

Sfondo e storia

Capitolo primo

La filosofia del Tao

Il buddismo zen è una pratica e una visione della vita che non appartengono a nessuna categoria formale del moderno pensiero occidentale. Non è religione o filosofia; non è una psicologia o un tipo di scienza. È un esempio di ciò che è noto in India e in Cina come una "via di liberazione", ed è analogo sotto questo riguardo al taoismo, al vedanta e allo yoga. Come sarà presto evidente, una via di liberazione non può avere nessuna definizione positiva. Dev'essere suggerita dicendo ciò che essa non è, un po' come uno scultore rivela una figura rimuovendo le schegge da un blocco.

Storicamente, lo zen può considerarsi come il compimento di lunghe tradizioni di cultura indiane e cinesi, sebbene sia in realtà molto più cinese che indiano e, dal dodicesimo secolo, si sia profondamente radicato (e molto costruttivamente) nella cultura del Giappone. Come fruizione di queste grandi culture, e come esempio unico e particolarmente istruttivo di via di liberazione, lo zen è uno dei più preziosi doni dell'Asia al mondo.

Le origini dello zen sono sia taoiste sia buddiste e, poiché il suo profumo è così tipicamente cinese, è forse meglio iniziare indagando sui suoi antecedenti cinesi, e illustrando al tempo stesso mediante l'esempio del taoismo ciò che s'intende per via di liberazione.

Gran parte della difficoltà e delle mistificazioni che lo zen presenta allo studioso occidentale è il risultato della sua scarsa familiarità con i modi di pensiero cinesi; modi che differiscono sostanzialmente dai nostri e che sono, proprio per questa ragione, di particolare valore per noi nella ricerca di una prospettiva critica delle nostre idee. Il problema non è qui semplicemente di padroneggiare idee diverse, che differiscono dalle nostre come, diciamo, le teorie di Kant differiscono da quelle di Descartes, o quelle dei calvinisti da quelle dei cattolici. Il problema è di tenere in dovuto conto le differenze nelle premesse fondamentali del pensiero e nei veri e propri metodi del pensare; differenze così facilmente trascurate, che le nostre interpretazioni della filosofia cinese tendono a essere una proiezione, nella terminologia cinese, di idee tipicamente occidentali. Questo è l'inevitabile svantaggio di chi studia la filosofia asiatica coi metodi puramente letterari della cultura occidentale, poiché le parole possono essere comunicative soltanto fra coloro che dividono esperienze analoghe.

Ciò non significa che una lingua così ricca e articolata come l'inglese sia semplicemente inetta a esprimere idee cinesi. Al contrario, essa è in condizione di esprimere assai più di quanto abbiano creduto possibile taluni studiosi cinesi e giapponesi dello zen e del taoismo, la cui dimestichezza con l'inglese lascia alquanto a desiderare. La difficoltà risiede non tanto nel linguaggio quanto nei modelli di pensiero, che sono finora sembrati inseparabili dal modo accademico e scientifico di affrontare un argomento. L'inadeguatezza di questi modelli per argomenti come il taoismo e lo zen è largamente responsabile dell'impressione che lo "spirito orientale" sia misterioso, irrazionale e imperscrutabile. Inoltre, non bisogna credere che questi soggetti siano così tipicamente cinesi e giapponesi da mancare di qualsiasi punto di contatto con la nostra cultura. Mentre è vero che nessuna delle suddivisioni *formali* della scienza e del pensiero occidentali corrisponde a una via di liberazione, il mirabile studio di R.H. Blyth sullo *Zen in English Literature* ha mostrato molto chiaramente che le intuizioni essenziali dello zen sono universali.

La ragione per cui a prima vista il taoismo e lo zen rappresentano un tale enigma per la mente occidentale sta nel fatto che noi abbiamo una visione ristretta del sapere umano. Per noi quasi tutto il sapere consiste in ciò che un taoista chiamerebbe conoscenza *convenzionale*, poiché noi non sentiamo di sapere veramente qualcosa se non possiamo rappresentarcela con parole, o con qualche sistema di segni convenzionali come le notazioni della matematica e della musica. Tale conoscenza è detta convenzionale perché è un fatto di convenzione sociale né più né meno che i codici del linguaggio. Proprio come la gente che parla il medesimo linguaggio ha taciti accordi riguardo le parole da usare per indicare determinate cose, così i membri di ogni società e di ogni cultura sono tenuti uniti da vincoli di comunicazione che poggiano su ogni specie di accordo riguardo la classificazione e la valutazione di azioni e di cose.

Così, il compito dell'educazione consiste nel rendere i fanciulli adatti a vivere in una società, persuadendoli a imparare e ad accettare i suoi codici, ossia le norme e le convenzioni dei rapporti mediante le quali la società si mantiene unita. V'è dapprima la lingua parlata. Al bambino si insegna ad accettare "albero" e non "brum-brum" come segno convenuto per *quella* cosa (indicando la cosa). Non abbiamo alcuna difficoltà a comprendere che la parola "albero" è una questione di convenzione. Meno ovvio è invece il fatto che la convenzione governa anche la definizione della cosa alla quale la parola è assegnata. Difatti al bambino non si deve soltanto insegnare con quali parole indicare le cose, ma anche il modo in cui la sua cultura ha tacitamente convenuto di distinguere le cose, di segnarne i confini, nei limiti della nostra quotidiana esperienza. Così, la convenzione scientifica decide se un'anguilla debba essere un pesce o un serpente; e una convenzione grammaticale determina quali esperienze debbano essere definite oggetti e quali eventi o azioni. Quanto sia arbitraria tale convenzione lo si può vedere dalla domanda: "Che cosa avviene del mio pugno (nome-oggetto) quando apro la mano?". L'oggetto svanisce come per miracolo, poiché un'azione era mascherata da un nome generalmente assegnato a una cosa. In inglese le differenze fra cose e azioni sono distinte in modo netto, seppure non sempre logico, ma un gran numero di parole cinesi ha funzione sia di nome che di verbo, così che una persona che pensi in cinese non incontra serie difficoltà a rendersi conto che gli oggetti sono anche eventi, che il nostro mondo è una raccolta di processi piuttosto che di entità.

Oltre al linguaggio, il bambino deve accettare molte forme di codici, poiché le esigenze del vivere associato richiedono convenzioni come i codici di legge e di etica; di etichetta e di arte; di pesi, misure e numeri; e – soprattutto – di "ruolo". V'è difficoltà a comunicare fra di noi, se non possiamo identificarci in termini di ruolo: padre, insegnante, lavoratore, artista, "bravo ragazzo", gentiluomo, sportivo, e così via. Nella misura in cui ci identifichiamo con tali stereotipi e con le regole a essi collegate di condotta sociale, noi sentiamo di *essere* qualcuno, e i nostri compagni hanno meno difficoltà ad accoglierci (ossia, a identificarci e a sentire che siamo "sotto controllo"). L'incontro di due estranei a un ricevimento è sempre un po' imbarazzante quando l'ospite non ne abbia specificato i "ruoli" nel presentarli, poiché nessuno dei due sa quali regole di conversazione e di condotta osservare.

Ancora una volta, è facile rendersi conto del carattere convenzionale dei ruoli o condizioni. Un uomo che sia padre, infatti, può essere anche medico e artista, allo stesso modo che impiegato e fratello. Ed è ovvio che pure la somma totale di questi ruoli-etichette sarà lontana dal fornire una descrizione adeguata della personalità dell'uomo, anche se può collocarlo nell'ambito di una certa classificazione generale. Ma le convenzioni che dominano l'identità umana sono più sottili e molto meno ovvie di queste. Noi impariamo perfettamente, seppure molto meno esplicitamente, a identificare noi stessi con una veduta del pari convenzionale della nostra personalità: l'"io", o la "persona", convenzionale è composto in misura prevalente di una storia che consiste di memorie selezionate, a partire dal momento della nascita. Secondo la convenzione, io non sono semplicemente ciò che sto facendo ora: sono anche ciò che ho fatto; e la mia versione convenzionale del mio passato è fatta in maniera da sembrare quasi più il reale "me stesso" di ciò ch'io sono in questo momento. Quel che io *sono* – infatti – appare così fuggevole e intangibile, mentre quel che io *sono stato* è fisso e definitivo. È la solida base per le previsioni di quel che sarò in futuro, e ne consegue che sono più strettamente identificato con ciò che non esiste più che con ciò che è realmente!

È di grande importanza riconoscere che le memorie e gli eventi passati, che costituiscono l'identità storica di un uomo, altro non sono che una selezione. Dalla concreta infinità di eventi e di esperienze, taluni sono stati scelti – cioè astratti – come significativi, e questa significanza è stata naturalmente determinata da modelli convenzionali. Infatti, la conoscenza convenzionale denuncia nel suo carattere stesso di essere un sistema di astrazioni; consistente di segni e di simboli nei quali cose ed eventi sono ridotti ai loro contorni generali, come il carattere cinese *jen*[a] sta per "uomo", essendo l'estrema semplificazione e generalizzazione della forma umana.

Lo stesso dicasi di parole non ideografiche: le parole "uomo", "pesce", "stella", "fiore", "corsa", "crescita" denotano tutte classi di oggetti e di eventi che si possono riconoscere come membri della loro classe da semplicissimi attributi, astratti dalla intera complessità delle cose medesime.

L'astrazione è in tal modo quasi una necessità per comunicare, giacché ci rende capaci di rappresentare le nostre esperienze con semplici e rapide "prese" mentali. Quando noi diciamo di poter pensare solo una cosa alla volta è come se dicessimo che l'Oceano Pacifico non può essere inghiottito tutto d'un fiato. Dev'essere preso in una tazza e mandato giù a sorsate. Le astrazioni e i segni convenzionali sono come la tazza: riducono le esperienze a unità abbastanza semplici da poter essere comprese una alla volta. In maniera analoga, le curve si misurano riducendole a una sequenza di minuscole linee diritte, o pensandole in termini di quadrati che esse attraversano quando vengono tracciate su di un grafico.

Altri esempi dello stesso processo sono le fotografie dei giornali e le trasmissioni televisive. Nelle prime, una scena naturale è riprodotta in una serie di puntini chiari e scuri disposti su uno schermo o "retino" così da dare l'impressione di una fotografia in bianco e nero, se guardata senza lente di ingrandimento. Per quanto possa rassomigliare alla scena originale, la fotografia riprodotta non è che una ricostruzione della scena in termini di piccoli segni; un po' come le nostre parole convenzionali e i nostri convenzionali pensieri sono ricostruzioni di esperienze in termini di segni astratti. In modo ancora più simile al processo del pensiero, la telecamera trasmette una scena naturale attraverso una serie lineare di *impulsi* che possono passare lungo un filo.

Così, la comunicazione mediante segni convenzionali di questo genere ci dà una traduzione astratta, "una cosa per volta", di un universo in cui le cose accadono "tutte in una volta"; di un universo la cui realtà concreta sfugge sempre, in questi termini astratti, a una perfetta descrizione. Con questi mezzi, la descrizione perfetta di una particella di polvere richiederebbe un tempo infinito, dato che si dovrebbe tener conto di ogni punto del suo volume.

Il carattere lineare, "una cosa per volta", del discorso e del pensiero è di particolare evidenza in tutte le lingue che usano alfabeti, rappresentanti esperienze in lunghe sequele di lettere. Non è facile dire perché dobbiamo comunicare con altri (parlare) e con noi stessi (pensare) servendoci di questo metodo "una cosa per volta". La stessa vita non procede in questa maniera tarda, lineare; e gli stessi nostri organismi potrebbero a malapena sopravvivere un momento se dovessero controllarsi registrando ogni respiro, ogni battito del cuore, ogni impulso dei nervi. Ma se vogliamo trovare una spiegazione a tale caratteristica del pensiero, il senso della vista offre una suggestiva analogia. Infatti noi siamo forniti di due tipi di visione: quella centrale e quella periferica, non dissimili da una luce concentrata e da una luce diffusa. La visione centrale serve per un'operazione accurata come la lettura, nella quale i nostri occhi si concentrano su una piccola area per volta, come dei fari. La visione periferica è meno cosciente, è di splendore meno intenso che il fascio di luce del faro. La usiamo per vederci la notte, e per acquisire una percezione "subconscia" degli oggetti e dei movimenti al di fuori della diretta linea della visione centrale. A differenza della luce concentrica, essa può ammettere molte cose in una volta.

V'è, quindi, un'analogia (e forse più che una semplice analogia) fra la visione centrale e il modo consapevole di pensare "una cosa per volta", e fra la visione periferica e il processo piuttosto misterioso che ci rende capaci di regolare l'incredibile complessità dei nostri corpi senza pensare affatto. Si dovrebbe notare, inoltre, che la ragione per cui noi *chiamiamo* complesso il nostro corpo deriva dal tentativo di comprenderlo in termini di pensiero lineare, di parole e concetti. Ma la complessità non risiede tanto nel nostro corpo quanto nel gravoso compito di cercare di comprenderlo coi mezzi del pensiero. È come cercare di cogliere i particolari di un salone con il semplice ausilio di un piccolo raggio luminoso. È complicato come cercare di bere dell'acqua usando una forchetta al posto di una tazza.

Sotto questo riguardo, la lingua cinese scritta ha un leggero vantaggio sulla nostra, il che è forse indizio di un differente modo di pensare. Anch'essa è lineare, anch'essa è costituita da una serie di astrazioni accolte una per volta. Ma i suoi segni scritti sono un po' più aderenti alla vita di quanto non siano le parole formate di lettere; poiché tali segni sono in sostanza dei quadri e, come dice un proverbio cinese, "una sola dimostrazione vale cento detti". Confrontate, per esempio, la facilità di mostrare a qualcuno come fare un nodo complicato con la difficoltà di spiegarglielo soltanto a parole.

Ora, la generale tendenza della mentalità occidentale è di ritenere che noi siamo in grado di capire veramente solo ciò che possiamo rappresentare, ciò che possiamo comunicare, per mezzo di segni lineari – per mezzo del pensiero. Noi siamo come la ragazza "che fa da tappezzeria" a una festa da ballo, la quale non riesce a imparare una danza se qualcuno non le traccia il diagramma dei passi; ossia non sa "apprenderla d'istinto". Per qualche ragione, non ci fidiamo e non facciamo pienamente uso della "visione periferica" della nostra mente. Noi impariamo, per esempio, la musica limitando la gamma completa dei suoni e dei ritmi a una successione di intervalli tonali e ritmici fissi (una successione che è inadeguata a rappresentare la musica orientale). Ma il musicista orientale possiede solo una tematica rudimentale, che usa esclusivamente per rammentare una melodia. Egli impara la musica, non leggendo le note, ma ascoltando l'esecuzione di un maestro, acquisendo il "senso" della musica, e imitando il maestro; e ciò lo rende capace di ottenere sofisticazioni ritmiche e tonali emulate soltanto da quegli artisti occidentali di jazz che seguono la medesima iniziazione.

Non vogliamo dire che gli occidentali non si servono addirittura della "mente periferica". Come esseri umani, la si usa di continuo; e ogni artista, ogni lavoratore, ogni atleta chiama in gioco un determinato sviluppo delle sue facoltà. Ma ciò non è degno di considerazione da un punto di vista accademico e filosofico. Noi abbiamo a malapena cominciato a renderci conto delle possibilità della mente periferica, e di rado – per non dire mai – ci sovviene che uno dei suoi usi più significativi riguarda quella "conoscenza della realtà" che ci ingegniamo di ottenere con incomodi calcoli di teologia, metafisica, e deduzione logica.

Quando ci volgiamo all'antica società cinese, troviamo due tradizioni "filosofiche" che svolgono ruoli complementari: il confucianesimo e il taoismo. Parlando in generale, il primo s'interessa alle convenzioni linguistiche, etiche, giuridiche e rituali, che provvedono la società del suo sistema di comunicazione. Il confucianesimo, in altre parole, si preoccupa della conoscenza convenzionale; e sotto i suoi auspici i fanciulli vengono allevati in modo che la loro natura in origine disubbidiente e capricciosa sia resa adatta al letto di Procuste dell'ordine sociale. L'individuo definisce se stesso e il suo posto nella società nei termini delle formule confuciane.

Il taoismo, d'altro lato, è in genere una meta di uomini più anziani, e specialmente degli uomini che stanno per ritirarsi dalla vita attiva della comunità. Il loro ritiro dalla società è una specie di simbolo estrinseco di una intrinseca liberazione dai legami dei modelli convenzionali di pensiero e di condotta. Il taoismo – infatti – si interessa alla conoscenza non convenzionale, con una comprensione diretta della vita, invece che mediante gli astratti e lineari termini del pensiero rappresentativo.

Il confucianesimo presiede, quindi, al compito socialmente necessario di forzare la spontaneità originale della vita nelle rigide regole della convenzione: un compito che implica non soltanto conflitto e pena, ma anche la perdita di quella peculiare naturalezza e incoscienza di sé per la quale i bambini sono tanto amati, e che talvolta è riguadagnata dai santi e dai saggi. La funzione del taoismo è di rimediare all'inevitabile danno di questa disciplina, e non solo di restaurare ma anche di sviluppare la spontaneità originale, che è definita *tzu-jan*[b] o "identità con se stessi". Infatti la spontaneità del bambino è ancora infantile, come ogni altra cosa che lo riguardi. L'educazione incrementa in lui la rigidezza, non la spontaneità. In certe nature, il conflitto fra convenzione sociale e spontaneità repressa è così violento che si manifesta in crimini, insania, e nevrosi: prezzo che noi paghiamo per i benefici, d'altronde innegabili, dell'ordine.

Ma il taoismo non va inteso come rivolta contro la convenzione, per quanto esso talora sia stato usato a pretesto di rivoluzioni. Il taoismo è una via di liberazione che non si attua mai con mezzi di rivolta, dacché è notorio che la più parte delle rivoluzioni instaurano tirannie peggiori di quelle che distruggono. Essere liberi dalla convenzione non significa respingerla, ma non farsi da essa fuorviare: saperne usare come strumento anziché esserne usati.

L'Occidente non ha alcuna istituzione riconosciuta corrispondente al taoismo, poiché la nostra tradizione spirituale ebraico-cristiana identifica l'Assoluto-Dio con l'ordine logico e morale della convenzione. Questo potrebbe quasi definirsi una formidabile catastrofe culturale, perché grava sull'ordine sociale con autorità eccessiva provocando proprio quelle rivolte contro la religione e la tradizione che hanno così fortemente caratterizzato la storia occidentale. Una cosa è sentirsi in conflitto con le convenzioni socialmente sanzionate, ma tutt'altra cosa è sentirsi in discordia con le radici stesse e il terreno della vita, con l'Assoluto medesimo. Quest'ultimo sentimento nutre un senso di colpa così ingiusto che non può che sfociare o nella rinnegazione della propria natura o nel rifiuto di Dio. Poiché la prima di queste alternative è, in definitiva, impossibile (come sputare via i propri denti), la seconda diventa inevitabile, quando certi palliativi come il confessionale perdano ogni loro efficacia. Com'è nel carattere delle rivoluzioni, la rivolta contro Dio dà luogo a una tirannia ancora peggiore, quella dello stato assolutista – peggiore in quanto non può mai perdonare e perché non riconosce nulla oltre le sue facoltà giurisdizionali. Infatti, anche se quest'ultima affermazione è applicabile a Dio, la chiesa, sua terrena rappresentante, è sempre stata disposta ad ammettere che, sebbene le leggi di Dio siano inderogabili, nessuno potrebbe avere la presunzione di fissare i limiti della sua misericordia. Quando il trono dell'Assoluto è lasciato vacante, il termine relativo lo usurpa e commette la vera idolatria, la vera indegnità nei confronti di Dio: l'assolutizzazione di un concetto, di un'astrazione convenzionale. Ma è improbabile che il trono si sarebbe reso vacante, se – in un certo senso – non lo fosse già stato; se la tradizione occidentale avesse avuto un modo per apprendere l'Assoluto in via diretta, all'infuori dei termini dell'ordine convenzionale.

Naturalmente, la stessa parola "Assoluto" ci suggerisce qualcosa di astratto e di concettuale, al pari di "Puro Ente". La stessa nostra idea di "spirito" come opposto a "materia" sembra avere più attinenza con l'astratto che con il concreto. Ma nel taoismo, come nelle altre vie di liberazione, l'Assoluto non deve essere mai confuso con l'astratto. D'altro lato se diciamo che il *Tao*,[c] com'è chiamata l'ultima realtà, è il concreto piuttosto che l'astratto, ciò può condurre a nuove confusioni. Poiché noi siamo avvezzi ad associare il concreto con il materiale, il fisiologico, il biologico e il naturale, come concetti distinti dal soprannaturale. Ma dal punto di vista del taoismo e del buddismo questi sono ancora termini per sfere convenzionali e astratte di conoscenza.

La biologia e la fisiologia, per esempio, sono tipi di conoscenza che rappresentano il mondo reale nei termini delle loro stesse categorie astratte. Esse misurano e classificano il mondo in modi appropriati all'uso particolare che ne intendono fare, così come un agrimensore si occupa della terra in misura di acri, un appaltatore in trasporto o tonnellate, e un analista del suolo in tipi di strutture chimiche. Affermare che la realtà concreta dell'organismo umano *è* fisiologica equivale ad affermare che la terra *è* un dato numero di tonnellate o acri. E affermare che questa realtà è naturale è abbastanza esatto se intendiamo "spontanea" (*tzu-jan*) o *natura naturans*; ma è del tutto inesatto se intendiamo *natura naturata*, vale a dire natura classificata, assortita in "nature" come quando si dice: "Qual è la *natura* di questa cosa?". È in questa accezione della parola che dobbiamo pensare al "naturalismo scientifico", dottrina che non ha nulla da spartire col naturalismo taoista.

Così, per cominciare a capire di che cosa si occupi il taoismo, dobbiamo almeno essere preparati ad ammettere la possibilità di una visione del mondo che non sia convenzionale, di una conoscenza che non sia contenuta nella nostra superficiale coscienza, la quale può apprendere la realtà soltanto nella forma di una sola astrazione (o pensiero, il cinese *nien*[d]) alla volta. Non v'è nessuna difficoltà reale in questo, in quanto ammetteremo fin d'ora di "sapere" come muovere le mani, come prendere una decisione, o come respirare, anche se riusciamo a stento a spiegarlo con parole. Sappiamo come fare tutto ciò semplicemente perché lo facciamo! Il taoismo è un'estensione di questo genere di conoscenza, un'estensione che ci dà una visione di noi stessi molto differente da quella cui siamo per convenzione abituati, una visione che libera la mente umana dalla sua costrittiva identificazione con l'ego astratto.

Secondo la tradizione, il fondatore del taoismo, Lao-tzu, fu un più anziano contemporaneo di Kung-Fu-tzu, o Confucio, che morì nel 479 a.C.[1] Si dice che Lao-tzu sia stato l'autore del *Tao Te Ching*, un libretto di aforismi, che espone i principi del Tao e il suo potere o virtù (*Te*[e]). Ma la filosofia cinese tradizionale ascrive sia il taoismo sia il confucianesimo a fonti anche più remote, a un'opera che appartiene alle fondamenta stesse del pensiero e della cultura cinesi, databili ovunque fra il 3000 e il 1200 a.C.: è lo *I Ching* o *Libro delle Mutazioni*.

Lo *I Ching* è chiaramente un libro di divinazione. Consiste di oracoli basati su sessantaquattro figure astratte, ognuna delle quali è composta di sei linee. Le linee sono di due tipi: divise (negative) e indivise (positive); e le figure di sei linee, o esagrammi, si crede siano state fondate sui vari modi nei quali un guscio di tartaruga si screpola quando viene riscaldato.[2] Questo si riferisce a un antico metodo di divinazione mediante il quale l'indovino praticava un buco nel dorso di un guscio di tartaruga, lo riscaldava, e quindi prediceva il futuro dalle crepe del guscio così formatesi: pressappoco come i chiromanti si servono delle linee della mano. Naturalmente, queste crepe erano molto complicate e si suppone che i sessantaquattro esagrammi siano una classificazione semplificata dei vari tipi di screpolature. Da molti secoli, ormai, il guscio di tartaruga è caduto in disuso, e – in sostituzione – l'esagramma è determinato dalla casuale disposizione di un mazzo di cinquanta gambi di millefoglio.

Ma un esperto dello *I Ching* non ha proprio necessità di servirsi di gusci di tartarughe o di gambi di millefoglio. Può "vedere" un esagramma in qualsiasi cosa: nella disposizione di un mazzo di fiori in un vaso, in oggetti sparsi su di una tavola, nei segni naturali di un ciottolo. Uno psicologo moderno riconoscerà in questo qualcosa di affine a un test Rorschach, nel quale la condizione psicologica di un paziente è diagnosticata dalle immagini spontanee che egli "vede" in una complessa macchia di inchiostro. Se il paziente sapesse interpretare le proprie proiezioni sulla macchia di inchiostro, otterrebbe qualche utile informazione su di sé per orientare la sua futura condotta. Tenendo conto di questo, non possiamo respingere l'arte divinatoria dello *I Ching* come pura e semplice superstizione.

Infatti, un interprete dello *I Ching* potrebbe darci una valida prova della bontà relativa del nostro modo di prendere decisioni importanti. Noi sentiamo di decidere razionalmente, perché basiamo le nostre decisioni su di una considerevole raccolta di dati circa il fatto in questione. Non dipendiamo da futili inezie come il lancio casuale di una moneta, o i disegni delle foglie di tè, o le crepe di un guscio. Nondimeno egli potrebbe chiederci se sappiamo davvero quali informazioni siano importanti, dato che i nostri piani sono di continuo sconvolti a opera di incidenti del tutto imprevisti. Potrebbe chiederci com'è che sappiamo di aver raccolto una sufficiente quantità di informazioni in base alle quali decidere. Se fossimo rigorosamente "scientifici" nel raccogliere i dati necessari per le nostre decisioni, ci vorrebbe un tempo così lungo che l'ora di agire sarebbe trascorsa molto prima che il lavoro fosse finito. E come sappiamo quando siamo informati a sufficienza? Ce lo dice forse l'informazione stessa? Niente di tutto ciò: noi ci mettiamo in moto per documentarci in modo razionale, e poi, per una specie di intuizione, o perché siamo stanchi di pensare, o perché è giunta l'ora di decidere, noi agiamo. Egli chiederebbe se questo non equivale a dipendere da "futili inezie", altrettanto che se avessimo sparpagliato i gambi del millefoglio.

In altri termini, il metodo "rigorosamente scientifico" di predire il futuro può applicarsi soltanto in casi speciali: ove non urge un'azione immediata, ove i fattori coinvolti siano in larga misura meccanici, o le circostanze così ristrette da essere insignificanti. La netta maggioranza delle nostre decisioni importanti dipende da una "impressione": in altre parole, dalla "visione periferica" della mente. In tal modo, l'opportunità delle nostre decisioni si fonda, in ultima analisi, sulla nostra abilità a "sentire" la situazione, sul grado di sviluppo di questa "visione periferica".

Ogni interprete dello *I Ching* è consapevole di questo fatto. Sa che il libro stesso non contiene una scienza esatta, ma piuttosto un utile strumento che lavorerà per lui qualora egli possieda un buon "intuito", ovvero, per usare le sue parole, se si trova "nel Tao". Così, non si consulta l'oracolo senza un'adeguata preparazione, senza provvedere tranquillamente e minuziosamente al rituale prescritto, al fine di portare la mente a quello stato di calma in cui si ritiene che l'"intuito" agisca con maggiore efficacia. Sembrerebbe allora che le origini del taoismo, se devono cercarsi nello *I Ching*, non si trovino tanto nel testo del libro medesimo quanto nel suo modo di usarlo e nei suoi presupposti. Infatti, l'esperienza delle nostre decisioni intuitive potrebbe chiaramente dimostrare che tale aspetto "periferico" della mente agisce meglio quando non si cerca d'interferire, quando si confida che esso operi da sé – *tzu-jan*, ossia spontaneamente.

Così cominciano a svelarsi i principi fondamentali del taoismo. V'è, anzitutto, il Tao: l'indefinibile concreto "processo" del mondo, la Via della vita. La parola cinese originariamente significa "via" o "strada", e talvolta "parlare"; di modo che il primo verso del *Tao Te Ching* contiene un gioco di parole sui due significati:

Il Tao di cui si può parlare non è l'eterno Tao.[3 f]

Ma nel tentare almeno di suggerirne il significato, Laotzu dice:

Vi è qualche cosa di indefinibile
nata prima del cielo e della terra
tanto silenziosa e senza forma
assoluta e immutabile
gira e non fa danni
può essere la madre del cielo e della terra
non so il suo nome
sforzandomi lo chiamo Tao. (25)*

* Per le citazioni del *Tao Te Ching* abbiamo adottato la versione italiana di Paolo Siao Sci-Yi: *Il Tao-Te-King* di LAOTSE, Bari 1947. [*N.d.T.*]

E ancora:

La natura del Tao
è elusiva e impalpabile
e tuttavia contiene qualche immagine
è impalpabile e elusiva
e tuttavia contiene qualche cosa
come è profonda ed oscura
e tuttavia contiene qualche essenza
l'essenza è molto reale
in essa c'è sincerità. (21)

"Potere mentale" è *ching*,[g] una parola che compendia le idee di essenziale, sottile, psichico o spirituale, e abile. Parrebbe dunque che, al modo stesso che la testa non è nulla per gli occhi eppure è la fonte dell'intelligenza, così l'indistinto, in apparenza vuoto, indefinibile Tao è l'intelligenza che dà forma al mondo con un'abilità che eccede la nostra comprensione.

La differenza importante fra il Tao e l'abituale idea di Dio è che, mentre Dio manifesta il mondo col farlo (*wei*[h]), il Tao lo manifesta "senza farlo" (*wu-wei*[i]), il che approssimativamente corrisponde a ciò che noi intendiamo con la parola "crescita". Difatti le cose fatte sono costituite di pezzi separati messi insieme, come le macchine, o sono cose modellate dall'esterno verso l'interno, come le sculture. Invece le cose sviluppate si dividono in parti, dall'interno verso l'esterno. Poiché l'universo naturale opera prevalentemente secondo i principi della crescita, parrebbe stranissimo alla mente cinese chiedersi *come* esso è composto. Se l'universo fosse stato creato vi sarebbe di certo qualcuno al corrente di *come* esso è fatto, in condizione di spiegare come fu composto pezzo per pezzo, allo stesso modo che un tecnico sa spiegare, parola per parola, come montare una macchina. Ma un universo che si sviluppa esclude totalmente la possibilità di conoscere il modo della sua evoluzione nei termini imperfetti di pensiero e linguaggio; di modo che nessun taoista si sognerebbe di domandare se il Tao sia consapevole di come esso produce l'universo. Difatti il

Tao opera spontaneamente, non seguendo un piano prestabilito. Lao-tzu dice:

Il principio del Tao è la spontaneità. (25)[j]

Ma la spontaneità non è, in nessun senso, una spinta cieca, discorde, un semplice potere capriccioso. Una filosofia limitata alle alternative del linguaggio convenzionale non ha modo di concepire un'intelligenza che non operi secondo un piano prestabilito, secondo un ordine di pensiero "una cosa per volta". Eppure l'evidenza concreta di una simile intelligenza è presente in noi stessi, nell'organizzazione illogica del nostro corpo medesimo.[4] Infatti, il Tao è "ignaro" di come manifesta l'universo nello stesso preciso modo in cui noi "ignoriamo" come costruiamo i nostri giudizi. Come dice il grande successore di Lao-tzu, Chuang-tzu:

> Le cose sono prodotte intorno a noi, ma nessuno ne conosce la provenienza. Nascono, ma nessuno vede da dove. Gli uomini, dal primo all'ultimo, valutano quella porzione del sapere che è nota. Non sanno in che modo valersi dell'Ignoto al fine di raggiungere la conoscenza. Non è questo un errore?[5]

Il rapporto convenzionale fra il conoscente e il conosciuto è spesso quello che esiste fra il controllore e il controllato, o fra padrone e servitore. In tal modo, mentre Dio è il signore dell'universo, giacché "Egli sa tutto di esso! Egli sa! Egli sa!", il rapporto fra il Tao e ciò che è da lui rivelato è completamente diverso.

> *Il grande Tao si spande*
> *a sinistra ed a destra*
> *le cose derivano da lui la vita*
> *però egli non parla*
> *merito compiuto senza pretese*
> *nutre gli esseri senza impadronirsene*. (34)

Nell'usuale concezione d'Occidente, Dio conosce anche se stesso – è trasparente da cima a fondo alla propria comprensione, è l'immagine di ciò che l'uomo amerebbe di essere: il rettore e il controllore cosciente, il dittatore assoluto del proprio spirito e del proprio corpo. Ma, in perfetto contrasto, il Tao è da cima a fondo misterioso e oscuro (*hsüan*[k]). Come un buddista zen disse di recente:

> V'è una sola cosa: in alto, sostiene il Cielo; in basso, sorregge la Terra. È nera come lacca, sempre attivamente operosa.[61]

Hsüan è, naturalmente, un'oscurità metaforica – non l'oscurità della notte, del nero in contrasto col bianco, ma la pura inconcepibilità che si presenta alla mente quand'essa cerca di ricordare il tempo anteriore alla nascita, o di penetrare le sue stesse profondità.

I critici occidentali hanno fatto spesso delle ironie su tali nebulose visioni dell'Assoluto, deridendole come "fumose e mistiche", in contrasto con le loro opinioni robustamente definite. Ma come disse Lao-tzu:

> *Quando il regnante superiore sente dire del Tao*
> *lo pratica con diligenza*
> *quando il regnante medio sente dire del Tao*
> *gli sembra esistente e non esistente*
> *quando il regnante inferiore sente dire del Tao*
> *grandemente se ne ride*
> *se non ne ridesse non sarebbe il Tao*. (41)

È infatti realmente impossibile apprezzare il significato del Tao senza divenire – in un senso alquanto speciale – stupidi. Fintanto che l'intelletto cosciente si sforzerà freneticamente di imprigionare il mondo nella sua rete di astrazioni e insisterà nel voler incatenare la vita e adattarla alle proprie rigide categorie, lo spirito del taoismo rimarrà incomprensibile; e l'intelletto si logorerà. Il Tao è accessibile soltanto alla mente in grado di praticare la semplice e sottile arte del *wu-wei*, che, dopo il Tao, è il secondo importante principio del taoismo.

Noi abbiamo visto che lo *I Ching* aveva offerto alla mente cinese il modo di praticare in una certa misura la scelta spontanea delle decisioni; decisioni che sono valide nella misura in cui si riesce ad abbandonare la propria mente, lasciandola lavorare da sola. Questo è il *wu-wei*, giacché *wu* significa "no" o "non" e *wei* significa "azione", "fare", "operare", "ingegnarsi", "sforzarsi", ovvero "faccenda". Per tornare all'esempio della vista, la vista periferica opera molto validamente – come nel buio – quando guardiamo con la coda dell'occhio, senza osservare direttamente le cose. Analogamente, se abbiamo necessità di osservare i particolari di un oggetto distante, come un orologio a muro, gli occhi devono essere "rilassati", non devono guardare fissi nel "tentativo" di vedere. Così, pure, nessun aumento di lavoro da parte dei muscoli della bocca o della lingua ci renderà capaci di gustare più intensamente il nostro cibo. Bisogna lasciare lavorare da sé gli occhi e la lingua.

Ma quando abbiamo appreso a riporre eccessiva fiducia nella visione centrale, nel faro penetrante degli occhi e della mente, non possiamo riacquistare la facoltà della visione periferica, a meno che tale tipo acuto e fisso di vista non riesca dapprima a "distendersi". L'equivalente mentale e psicologico di tale qualità visiva è lo speciale tipo di stupidità cui Lao-tzu e Chuang-tzu così spesso fanno riferimento. Non si tratta di semplice calma mentale, ma di "mancanza di avidità" della mente. Come dice Chuang-tzu, "L'uomo perfetto usa la propria mente come uno specchio, che non s'impadronisce di nulla, che non rifiuta nulla: riceve ma non trattiene". Si potrebbe quasi affermare che essa un poco si ottunde per compensare una troppo viva chiarità. In tal modo, Lao-tzu dice di sé:

> *Rigettate ogni scienza e sarete senza preoccupazioni*
> *... Tutti gli uomini sono raggianti*
> *come quando tripudiano nei giorni di grandi feste*
> *come quando salgono la torre in primavera*
> *io solo sono calmo e senza inizi di desideri*
> *come il neonato che non ha sorrisi*
> *tanto randagio che non abbia casa*
> *tutti gli uomini abbondano (di desideri)*
> *io solo ne sono mancante*

io solo ho il cuore dello stolto
quanto sono ignorante
i volgari sono illuminati
io solo sono oscuro
i volgari scrutano le cose
io solo sono indifferente
sono tranquillo come il mare
sono come l'alto vento che sale senza confini
tutti gli uomini agiscono
io solo sono incapace
io solo differisco dal volgare
ma so bene seguire la madre. (20)

Nella maggior parte degli scritti taoisti v'è un lieve grado di esagerazione o di ostentazione di questo punto, che in effetti è una specie di umorismo, un'auto-caricatura. Così Chuang-tzu scrive sul medesimo tema:

> L'uomo di carattere (*te*) vive in agio senza esercitare la mente e compie le sue azioni senza arrovellarsi. Le nozioni di giusto ed ingiusto e la lode e il biasimo altrui non lo turbano. Quando fra i quattro mari ognuno si diverte, questa è per lui felicità... Mesto nel contegno, egli pare un bimbo che ha perduto la mamma; stupido in apparenza, egli va intorno come chi ha perduto la sua strada. Ha grandi somme di danaro da spendere, ma ignora donde provenga. Beve e mangia a sufficienza, e ignora donde il cibo provenga. (3: 13)[7]

Lao-tzu è ancora più energico nella sua apparente condanna dell'intelligenza convenzionale:

Rigettate la saggezza e la scaltrezza
il vantaggio del popolo sarà centuplicato
rigettate l'umanità e la giustizia
il popolo ritornerà alla pietà filiale e paterna
rigettate l'arte e l'abilità
briganti e ladri scompariranno
... Ecco quello che dovete seguire[8]
essere semplici restare naturali
avere pochi interessi e pochi desideri. (19)

L'idea non è di ridurre la mente umana a una vuotaggine idiota, ma di far entrare in gioco la sua intelligenza innata e spontanea, usando la mente senza forzarla. È fondamentale per il pensiero sia taoista sia confuciano che si debba confidare nell'uomo naturale, e dal loro punto di vista la diffidenza occidentale nella natura umana (sia teologica sia tecnologica) appare come una specie di schizofrenia. Sarebbe impossibile, secondo il loro modo di vedere, credere in una malvagità innata nell'uomo senza screditare la credenza stessa, dacché tutte le nozioni di una mente perversa sarebbero nozioni perverse. Per quanto religiosamente "emancipata", la mente tecnologica mostra di aver ereditato la medesima discriminazione ai danni di se stessa quando tenta di assoggettare l'intero ordine umano al controllo della ragione cosciente. Essa dimentica che non si può confidare nella ragione se non si può confidare nel cervello, giacché la facoltà della ragione dipende dagli organi che furono sviluppati dalla "intelligenza inconscia".

L'arte di lasciare la mente a se stessa è vivacemente descritta da un altro scrittore taoista, Lieh-tzu (398 a.C. circa), celebrato per il suo misterioso potere di "cavalcare il vento". Ciò, senza dubbio, si riferisce alla particolare sensazione di "camminare sull'aria" che sorge quando la mente viene prima liberata. Si dice che quando al prof. D.T. Suzuki fu domandato una volta che impressione fa l'aver conseguito il *satori*,° l'esperienza zen del "risveglio", egli rispose: "Si ha l'identica sensazione di una comune esperienza quotidiana, soltanto un due pollici staccati dal suolo!". Così, quando gli fu chiesto di spiegare l'arte di "cavalcare il vento", Lieh-tzu diede il seguente resoconto del proprio tirocinio sotto il maestro Lao Shang:

> Dopo averlo servito... per la durata di tre anni, la mia mente non si avventurava a riflettere sul giusto e l'ingiusto, le mie labbra non osavano parlare di profitto e di perdita. Allora, per la prima volta, il mio maestro mi dedicò uno sguardo e questo fu tutto.
> Al termine di cinque anni s'era verificato un cambiamento: la mia mente andava riflettendo sul giusto e l'ingiusto, e le mie lab-

bra parlavano di profitto e di perdita. Allora, per la prima volta, il mio maestro temperò il suo contegno riservato e sorrise.
Al termine di sette anni, vi fu un altro cambiamento. Lasciavo riflettere la mia mente a suo piacimento, ma essa non si occupava più di giusto e di ingiusto. Lasciavo le mie labbra profferire qualunque cosa desiderassero, ma non parlavano più di profitto e di perdita. Allora, infine, il mio maestro mi invitò a sedere sulla stuoia accanto a sé.
Al termine di nove anni, la mia mente abbandonò le redini delle sue riflessioni,[p] la mia bocca diede libero corso alla propria favella. Del giusto e dell'ingiusto, di profitto e di perdita, io non avevo cognizione, sia che toccassero me sia che toccassero gli altri.
... Interiore ed esteriore erano commisti in unità. Dopo di ciò non vi fu più distinzione fra occhio e orecchio, orecchio e naso, naso e bocca: tutto fu uguale. La mia mente era gelata, il mio corpo in dissoluzione, la mia carne e le mie ossa fuse in un tutto. Ero completamente ignaro di dove posasse il mio corpo, o di cosa vi fosse al di sotto dei miei piedi. Così fui sbattuto qua e là lungo il vento, come paglia secca e foglie cadenti da un albero. Infatti, ignoravo se il vento procedesse su di me o se io cavalcassi sul vento.[9]

Lo stato di coscienza descritto appare non dissimile da uno stato di piacevole ubriachezza, senza gli effetti del "mattino dopo" che l'alcol produce! Chuang-tzu notò l'analogia, perché scrisse:

Un ubriaco cadendo da un carro può farsi male, ma non muore. Le sue ossa non sono diverse da quelle degli altri, ma egli affronta l'incidente in maniera diversa. Il suo spirito si trova in uno stato di sicurezza. Egli ignora di viaggiare su di un carro; e non è cosciente di esserne sbalzato fuori. Le idee di vita, morte, paura, ecc. non possono entrare nel suo petto; e così egli non risente del contatto con sostanze oggettive. E se tale sicurezza può raggiungersi col vino, quanto di più si può raggiungere con la Spontaneità. (19)[10]

Dato che Lao-tzu, Chuang-tzu e Lieh-tzu erano tutti abbastanza convinti di scrivere libri molto comprensibili, si può supporre che questo linguaggio sia ancora in parte immaginoso e metaforico. La loro "incoscienza" non è coma, ma ciò che gli esponenti più moderni dello zen hanno significato con *wu-hsin*,[q] alla lettera "non-mente", vale a dire "incoscienza di sé". È uno stato di interezza in cui la mente funziona liberamente e agevolmente, senza l'impressione di una seconda mente, o ego, che la sovrasti con un randello. Se l'uomo comune è un individuo costretto a camminare sulle mani sollevando le gambe, il taoista è un individuo che ha imparato a lasciare che le proprie gambe camminino da sole.

Vari passaggi degli scritti taoisti spiegano che "non-coscienza" significa un impiego totale della mente pari al nostro uso degli occhi, quando li posiamo su vari oggetti ma senza sforzarci di afferrarne qualche particolare. Secondo Chuang-tzu:

> Il bambino guarda le cose tutto il giorno senza batter ciglio; questo perché i suoi occhi non si concentrano su qualche oggetto particolare. Egli cammina senza sapere dove va, e si ferma senza sapere ciò che fa. S'immerge nelle cose che lo attorniano e procede insieme con esse. Questi sono i principi dell'igiene mentale. (23)[11]

E ancora:

> Se regolate il vostro corpo e unificate la vostra attenzione, l'armonia del cielo scenderà su di voi. Se integrate la vostra consapevolezza, e unificate i vostri pensieri, lo spirito in voi stabilirà la sua dimora. Il *te* (virtù) vi riparerà, e il Tao vi proteggerà. I vostri occhi diverranno simili a quelli di un vitello appena nato, che non cerca il perché delle cose. (22)

Ciascuno degli altri sensi potrebbe similmente essere usato a illustrare il funzionamento "non-attivo" della mente: ascoltare senza sforzarsi di sentire, odorare senza forti inalazioni, assaporare senza agitare la lingua, e toccare senza premere l'oggetto. Ciascuno è una particolare manifestazione della funzione mentale, che opera attraverso tutto, e che il cinese designa con la particolare parola *hsin*.[r]

Questo termine è così importante per la comprensione dello zen che occorre fare qualche tentativo per chiarire il significato che gli viene attribuito dal taoismo e dal pensiero cinese in generale.[12] Noi di solito lo traduciamo con "mente" o "cuore", ma né l'una né l'altra parola soddisfano. La forma originale dell'ideogramma[s] appare come un disegno del cuore, o forse dei polmoni o del fegato; e quando un cinese parla dello *hsin* suole indicare il centro del suo petto, lievemente più in basso del cuore.

La difficoltà della nostra traduzione risiede nel fatto che "mente" è troppo intellettuale, troppo cerebrale, e "cuore" nel significato corrente è troppo emotivo, addirittura sentimentale. Inoltre, *hsin* non è adoperato sempre con lo stesso significato. Talvolta è usato a indicare un ostacolo da rimuovere, come in *wu-hsin*, "non-mente"; ma talvolta è usato quasi come sinonimo del Tao. Questa accezione la si trova soprattutto nella letteratura zen, che abbonda di frasi come "mente originale" (*pen hsin*[t]), "mente Budda" (*fu hsin*[u]), o "fede nella mente" (*hsin hsin*[v]). L'apparente contraddizione è risolta nel principio che "la vera mente non è mente"; il che significa che *hsin* è reale, agisce bene, quando agisce come se non esistesse. Allo stesso modo, gli occhi vedono bene quando non vedono se stessi tradotti in punti o macchie nell'aria.

Tutto considerato, parrebbe che *hsin* significhi la totalità delle nostre funzioni psichiche e, più specificamente, il centro di tali funzioni, che è congiunto col punto centrale della parte superiore del corpo. La forma giapponese della parola, *kokoro*, è usata con sottigliezze anche maggiori di significato, ma per ora è sufficiente rendersi conto che traducendola con la parola "mente" (parola abbastanza vaga) noi non intendiamo esclusivamente la mente intellettuale o pensante, e neanche la superficie della coscienza. Il punto importante è che, secondo il taoismo e secondo lo zen, il centro dell'attività mentale non risiede nel processo del pensiero cosciente, non risiede nell'ego.

Quando un uomo ha imparato ad abbandonare la sua mente, così che essa funzioni nel modo integrale e spontaneo che è a essa connaturale, egli comincia a mostrare lo speciale tipo di "virtù" o "facoltà" chiamata *te*. Questa non è virtù nel senso corrente di rettitudine morale, ma nel senso più antico di efficacia, come quando si parla delle virtù curative di una pianta. Inoltre, il *te* è virtù non-affettata o spontanea, che non si può coltivare o imitare con un metodo deliberato. Lao-tzu dice:

> *La virtù superiore non (si considera) virtù*
> *perciò è virtuosa*
> *la virtù inferiore pretende alla virtù*
> *perciò non è virtuosa*
> *la virtù superiore non agisce e riesce in tutto*
> *la virtù inferiore agisce e non riesce in tutto.* (38)

La traduzione letterale ha una forza e una profondità che si perde in parafrasi come "la virtù superiore non è cosciente di sé come virtù, e così è realmente virtù. La virtù inferiore non può fare a meno della virtuosità, e così non è virtù".

Quando i confuciani prescrissero una virtù basata sull'osservanza artificiale di regole e precetti, i taoisti misero in luce che siffatta virtù era convenzionale e non genuina. Chuang-tzu compose il seguente dialogo immaginario fra Confucio e Lao-tzu:

> "Dimmi," disse Lao-tzu, "in che consistono la carità e il dovere verso i nostri simili?"
> "Consistono," rispose Confucio, "nella capacità di rallegrarsi di ogni cosa; nell'amore universale, senza l'elemento dell'io. Queste sono le caratteristiche della carità e del dovere verso il prossimo."
> "Che sciocchezza!" gridò Lao-tzu. "L'amore universale non contraddice se stesso? La tua eliminazione dell'io non è una manifestazione positiva dell'io? Signore, se vuoi che l'impero non perda la sua fonte di nutrimento, considera l'universo, la sua regolarità infinita; esistono il sole e la luna, il loro splendore è infinito; vi sono gli astri, le cui costellazioni mai non mutano, vi sono gli uccelli e gli animali, che si riuniscono in stormi e a branchi senza variazioni; vi sono alberi e arbusti,

che crescono verso l'alto senza eccezione. Sii come questi: segui il Tao e sarai perfetto. Perché dunque questa vana lotta per la carità e il dovere verso il proprio simile, che non differisce dal battere il tamburo alla caccia di un fuggitivo? Ahimè! Signore, tu hai arrecato molta confusione nella mente dell'uomo." (13)[13]

La critica taoista della virtù convenzionale si applicò non soltanto alla sfera morale ma anche alle arti, alle professioni, e al commercio. Secondo Chuang-tzu:

> Ch'ui, l'artigiano, sapeva disegnare cerchi con la mano meglio che con il compasso. Le sue dita parevano adattarsi così naturalmente alle cose cui stava lavorando, che non gli era necessario fissare la propria attenzione. Le sue facoltà mentali restavano così une (ossia, integrate), e non trovavano alcun ostacolo. Non essere consapevole dei propri piedi presuppone che le scarpe siano comode. Non essere consapevole della propria cintola implica che la cintura sia comoda. Il fatto che l'intelligenza non sia consapevole di positivo e negativo implica che il cuore (*hsin*) si trovi a suo agio... E colui che, iniziando a proprio agio, non si trova mai a disagio, non è consapevole della comodità dell'agio. (19)[14]

Proprio come l'artigiano che, avendo padroneggiato il *te*, poteva fare a meno del compasso, così il pittore, il musicista e il cuoco non dovrebbero aver bisogno delle classificazioni convenzionali delle loro rispettive arti. Così disse Lao-tzu:

> *I cinque colori acciecano gli occhi*
> *i cinque toni assordano l'orecchio*
> *i cinque sapori ottundono il palato*
> *la corsa e la caccia alienano la ragione*
> *le cose rare ad aversi determinano le falsificazioni*
> *perciò l'uomo saggio*
> *cura il ventre e non gli occhi.* (12)[15]

Ciò non deve assolutamente considerarsi come l'avversione di un asceta all'esperienza dei sensi: la questione sta precisamente nel fatto che la sensibilità dell'occhio al colore è viziata dall'idea che vi siano soltanto cinque colori. Esiste una continuità infinita di sfumature, e il fatto di frantumarla in una nomenclatura distrae l'attenzione dalla loro sottigliezza. Ecco perché "il saggio fa provvista per lo stomaco e non per l'occhio", vale a dire che egli giudica in base al contenuto concreto dell'esperienza e non in base alla sua conformità a schemi puramente teorici.

In definitiva, quindi, il *te* è l'impensabile ingegnosità e facoltà creativa della funzione spontanea e naturale dell'uomo: facoltà che s'inceppa quando ci si sforza di dominarla in base a metodi e tecniche formali. È come la destrezza del millepiedi nell'usare mille zampe in una volta.

> *Il millepiedi era felice, tranquillo;*
> *Finché un rospo non disse per scherzo:*
> *"In che ordine procedono le tue zampe?".*
> *Questo arrovellò a tal punto la sua mente,*
> *Che il millepiedi giacque perplesso in un fossato,*
> *Riflettendo su come muoversi.*

Una reverenza profonda verso il *te* è alla base di tutta la cultura più elevata dell'Estremo Oriente, a segno che se n'è fatto il principio fondamentale di ogni tipo di arte e di professione. Se è vero che tali arti impiegano discipline tecniche che sono – per noi – di estrema complessità, è stato sempre ammesso che esse sono di indole strumentale e secondaria, e che l'attività superiore ha un carattere accidentale. Il che non è affatto una magistrale mistificazione dell'accidentale, una presunta spontaneità in cui la rigorosa preparazione resti celata. Il significato del *te* giace a un livello assai più profondo e genuino: la cultura del taoismo e dello zen, infatti, offre a un individuo la possibilità di diventare l'origine inconsapevole di meravigliosi accidenti.

Il taoismo è, quindi, l'originale via di liberazione cinese che combinandosi col buddismo mahayana indiano produssero zen. È una liberazione *dalle* convenzioni e *della* facoltà creativa del *te*. Ogni tentativo di descriverlo e di formularlo con parole e con simboli di pensiero "una cosa per volta" non può, di necessità, che alterarlo. Questo capitolo ha dovuto mostrarlo come una delle alternative filosofiche, quella "vitalistica" o "naturalistica". Difatti i filosofi occidentali sono di continuo disorientati dalla scoperta che *non possono* pensare al di fuori di certe comuni carreggiate; che per quanti sforzi facciano, le loro "nuove" filosofie finiscono per essere riaffermazioni di antiche posizioni, moniste o pluraliste, realiste o nominaliste, vitaliste o meccaniciste. Ma questo succede perché le convenzioni del pensiero sono in grado di presentare solo tali alternative, e i filosofi occidentali non possono discutere qualcosa senza presentarla nei termini a loro congeniali. Se cerchiamo di rappresentare una terza dimensione su di una superficie bidimensionale, di necessità essa sembrerà appartenere più o meno alle due alternative di lunghezza e larghezza. Così dice Chuang-tzu:

> Se il linguaggio fosse adeguato, basterebbe una giornata per esprimere completamente il Tao. Non essendo adeguato, lo stesso tempo è impiegato per spiegare esistenze materiali. Ma il Tao è qualcosa al di là delle esistenze materiali. Non può comunicarsi né con parole né col silenzio. (25)[16]

Capitolo secondo

Le origini del buddismo

La civiltà cinese aveva almeno venti secoli quando per la prima volta fece conoscenza col buddismo. Così, la nuova filosofia entrò in una cultura già saldamente stabilita, nella quale difficilmente avrebbe potuto inserirsi senza adattamenti considerevoli alla mentalità cinese; sebbene fra taoismo e buddismo vi fossero affinità così notevoli da far sorgere l'idea che i primi contatti fra le due correnti siano avvenuti in tempi molto più antichi del previsto. La Cina assimilò il buddismo come ha assorbito tante altre influenze esterne – non solo filosofie e idee, ma anche popolazioni e invasori stranieri. Indubbiamente ciò è in parte dovuto alla straordinaria stabilità e maturità che il cinese ha derivato dal confucianesimo. Ragionevole, non fanatico, umanistico, il confucianesimo è uno dei più validi esempi di convenzione sociale che il mondo abbia conosciuto. Accoppiato all'atteggiamento di "abbandono" del taoismo, il confucianesimo nutrì un tipo di mentalità maturo e piuttosto agile che, nell'assimilare il buddismo, contribuì molto a renderlo più "pratico". Vale a dire, fece del buddismo una possibile pratica di vita per esseri *umani*, per gente con famiglia, dedita a un lavoro quotidiano, e con normali istinti e passioni.

Era un principio fondamentale del confucianesimo che "è l'uomo che fa grande la verità, non è la verità che fa grande l'uomo". Per questa ragione, "umanità" o "sensibilità umana" (*jen*[a]) fu sempre sentita come superiore a "rettitudine" (*i*[b]), dato che l'uomo stesso è più grande di qualsiasi idea che egli possa concepire. Si danno casi in cui le passioni degli uomini sono molto più meritevoli di fiducia che non i loro principi. Siccome principi opposti, o ideologie, sono inconciliabili, le guerre combattute per un principio sono di solito guerre di reciproca distruzione. Ma le guerre combattute per semplice cupidigia sono di gran lunga meno distruttive, poiché l'aggressore ha cura di non distruggere ciò che egli, combattendo, mira a conquistare. Gli uomini ragionevoli – cioè, umani – saranno sempre capaci di compromesso, ma gli uomini che si sono disumanizzati diventando ciechi adoratori di un'idea o di un ideale, sono dei fanatici che la loro devozione alle astrazioni ha reso nemici della vita.

Modificato da tali atteggiamenti, il buddismo dell'Estremo Oriente è molto più accettabile e "conforme a natura" dei suoi corrispettivi indiano e tibetano, i cui ideali di vita sembrano a volte sovrumani, più adatti ad angeli che a uomini. Nondimeno, tutte le forme di buddismo approvano la Via di Mezzo fra gli estremi dell'angelo (*deva*) e del demonio (*preta*), di ascetico e di sensuale, e proclamano quel supremo "risveglio" o "buddità" che può essere conseguito solo dalla condizione umana.

Vi sono serie difficoltà a offrire un resoconto storicamente preciso del buddismo indiano, come dell'intera tradizione filosofica dalla quale sorse. Nessuno studioso del pensiero asiatico dovrebbe essere ignaro di queste difficoltà, che impongono una grande cautela nel pronunciarsi su ogni importante questione relativa al pensiero dell'antica India. Così, prima di tentare di descrivere il buddismo indiano, menzioneremo alcune di queste difficoltà.

Il primo, e il più serio, problema è quello dell'interpretazione dei testi sanscriti e pali in cui si conserva l'antica letteratura indiana. Questo vale soprattutto per il sanscrito, la lingua sacra dell'India, e più particolarmente per la forma di sanscrito usata nel periodo vedico. Gli eruditi sia occidentali sia indiani sono incerti in merito alla sua esatta interpretazione, e tutti i dizionari moderni si basano su di un'unica fonte, il lessico compilato da Böthlingk e Roth nella seconda metà dell'Ottocento, e che ora si ammette contenga una buona quantità di supposizioni importanti. Questo compromette seriamente la possibilità di una nostra comprensione delle principali fonti dell'induismo – i *Veda* e le *Upanishad*. La scoperta di appropriati equivalenti europei dei termini filosofici è stata impedita dal fatto che i primi lessicografi furono tutti troppo disposti a trovare corrispondenze con i termini teologici occidentali, dato che uno dei principali scopi dei loro studi era di aiutare i missionari.[1]

Il secondo problema consiste nella difficoltà di sapere quale fosse la forma originale del buddismo. Vi sono due tipi di scritture buddiste: il canone pali del theravada o scuola meridionale di buddismo, che fiorisce a Ceylon, Burma e Tailandia; e il canone sanscrito-tibetano-cinese del mahayana, o scuola settentrionale. È opinione unanime degli eruditi che il canone pali sia, nel complesso, il più antico dei due, e che i principali *sutra* (come sono chiamati i sacri testi) del canone mahayana siano stati tutti compilati dopo il 100 a.C. Comunque, la forma letteraria del canone pali non fa supporre che esso riproduca le reali parole di Gotama il Budda. Se le *Upanishad* sono tipiche dello stile di discorso di un insegnante indiano nel periodo fra l'800 e il 300 a.C., esse hanno scarsa somiglianza con lo stile scolastico e tediosamente ripetuto dalla maggioranza delle scritture buddiste. È quasi indubbio che la parte maggiore di entrambi i canoni sia opera dei panditi del Sangha, l'ordine monastico buddista, poiché ogni indizio rivela trattarsi di un'elaborazione piena di reverenza di una dottrina originale. Come per le icone russe, il dipinto originario è quasi scomparso sotto il rivestimento di gioielli e di ori.

Il terzo problema è che la tradizione indù-buddista non ha mai posseduto il senso storico della tradizione ebraico-cristiana, di modo che esistono pochi, per non dir punti, indizi sulla data di un determinato testo. Le scritture furono tramandate oralmente per un periodo indeterminato prima di essere affidate alla trascrizione, ed è certo possibile che i riferimenti storici abbiano subito delle variazioni per adattarsi ai tempi in cui la forma orale fu trasmessa. Inoltre, un monaco buddista che scrivesse nel 200 d.C. non si sarebbe fatto scrupolo di attribuire al Budda le proprie parole se avesse sinceramente sentito di esprimere non opinioni personali, ma lo stato "sovrapersonale" di risveglio da lui raggiunto. Egli avrebbe attribuito le parole al Budda parlando come spirito anziché come corpo materiale.

Il costante pericolo dell'erudizione è che, a uno stadio estremo di specializzazione, essa possa dimostrarsi incapace di vedere, negli alberi, la foresta. Ma il problema di acquisire qualche nozione sul pensiero indiano al tempo del Budda, nei secoli avanti Cristo, non può essere risolto solo con un accurato lavoro di mosaico, per quanto necessario possa essere un lavoro del genere. Esistono comunque informazioni attendibili sufficienti a dare un'idea della forma grandiosa e magnificamente ordinata dell'induismo upanishadico, se non le studiamo col naso attaccato alla pagina.

Fondamentale per la vita e il pensiero dell'India dai tempi più remoti è il grande tema mitologico dello *atma-yajna*, l'atto dell'"auto-sacrificio" con il quale Dio fa nascere il mondo, e col quale gli uomini, seguendo l'esempio divino, si reintegrano con Dio. L'atto per il quale è creato il mondo è il medesimo per il quale esso è distrutto – la cessazione della vita individuale – come se l'intero processo dell'universo fosse quel gioco in cui si deve passare la palla non appena la si è ricevuta. Così, il mito fondamentale dell'induismo è che il mondo è Dio che gioca a rimpiattino con se stesso. Come Prajapati, Vishnu, o Brahma, il Signore crea il mondo sotto vari nomi con un atto di smembramento o di oblio di sé, per il quale l'Uno diviene Molteplice, e il singolo Attore sostiene innumerevoli parti. Infine, egli torna a se stesso per ricominciare da capo il gioco: l'Uno morendo nel Molteplice, e il Molteplice morendo nell'Uno.

Mille capi ha Purusha; mille occhi, mille piedi.
Pervadendo la terra ovunque, egli occupa uno spazio di dieci dita.
Questo è Purusha: tutto ciò che è stato e tutto ciò che sarà;
Il signore dell'immortalità che ancora s'accresce col nutrimento.

Così potente nella sua grandezza; invero, ancor più grande è
[Purusha.
Tutte le creature sono un quarto di lui, tre quarti la vita eterna
[in cielo...
Quando gli dei prepararono il sacrificio con Purusha come
[loro offerta,
l'olio ne fu la primavera, il sacro dono l'autunno; l'estate fu la
[legna.
Da questo grande sacrificio generale il grasso che colava fu
[raccolto.
Formò le creature dell'aria, e gli animali, selvaggi e domestici...
Quando essi divisero Purusha, quante porzioni ne fecero?
Come chiamano la sua bocca, le sue braccia? Come chiamano
[le sue cosce e i suoi piedi?
Il Brahman (casta) fu la sua bocca; di ambedue le sue braccia
[fu fatto il Rajanya (casta Kshatriya).
Le sue cosce divennero Vaishya, dai suoi piedi fu prodotto il
[Shudra.
La luna fu generata dalla sua mente, e dai suoi occhi il sole
[ebbe nascita;
Indra e Agni nacquero dalla sua bocca, e Vayu dal suo respiro.
Fuori dal suo ombelico venne lo strato medio dell'aria; il cielo
[fu modellato dal suo capo;
La terra dai suoi piedi e dalle sue orecchie le regioni. Così essi
[formarono i mondi.[2]

Le mille teste, occhi e piedi del Purusha sono le membra degli uomini e degli altri esseri, poiché Colui che conosce da cima a fondo ogni individuo è Dio stesso, lo *atman* o Io del mondo. Ogni vita è una parte o ruolo in cui la mente di Dio è assorbita; all'incirca come un attore si concentra nella parte di Amleto e dimentica d'essere nella vita reale il sig. Smith. Con l'atto di auto-abbandono Dio diviene tutti gli esseri, ma al tempo stesso non cessa di essere Dio. "Tutte le creature sono un quarto di lui, tre quarti la vita eterna in cielo." Poiché Dio è diviso solo in apparenza, ma nella realtà rimane indiviso. Così che, quando la rappresentazione finisce, la coscienza individualizzata si desta per trovarsi divina.

All'inizio questo mondo era *Atman* (l'Io), solo nella forma di Purusha. Volgendo lo sguardo egli non vedeva altro che se stesso. Egli disse dapprima: "Io sono". Di qui venne la parola "Io". Così, anche ora, quando ci si rivolge a una persona, questa dapprima risponde semplicemente "sono io", e poi dice il proprio nome.[3]

In ogni parte Quello ha mani e piedi;
In ogni parte occhi, teste, e volti;
In ogni parte del mondo esso ode;
Tutte le cose esso abbraccia.[4]

È importante ricordare che questo quadro del mondo come rappresentazione (*lila*) di Dio è in forma mitologica. Se, a tale stadio, noi dovessimo tradurlo direttamente in affermazioni filosofiche, ne risulterebbe un crudo tipo di panteismo, con il quale la filosofia indù è generalmente, e a torto, confusa. Così l'idea che ogni uomo, ogni cosa è una parte che il Purusha rappresenta nello stato di oblio di sé non va confusa con una logica o scientifica affermazione di fatto. La forma dell'affermazione è poetica, non logica. Come dice la *Mundaka Upanishad*:

In verità questo *atman* (Io) viaggia – dicono i poeti – su questa terra da un corpo ad un altro (II 7).

La filosofia indù non ha commesso l'errore d'immaginare che sia possibile dare una risposta descrittiva, concreta e positiva sull'ultima realtà. Come dice il medesimo *Upanishad*:

Dove la conoscenza è senza dualità, priva di azione, di causa o di effetto, inesprimibile, incomparabile, al di là di ogni descrizione, di che si tratta? È impossibile dire! (7)

Ogni affermazione positiva sulle cose ultime dev'essere fatta nella suggestiva forma del mito, della poesia. Poiché qui la forma diretta e indicativa del discorso può solo dire "*Neti, neti*" ("no, no"), dato che ciò che si può descrivere e classificare deve sempre appartenere al regno convenzionale.

La mitologia indù elabora il tema della rappresentazione divina in modo favoloso, abbracciando non soltanto i colossali concetti di tempo e spazio, ma anche gli estremi più ampi di piacere e pena, virtù e depravazione. L'intimo Io di santi e di saggi appartiene alla divinità velata nella stessa misura che l'intimo Io del depravato, del vile, del pazzo e degli stessi demoni. Gli opposti (*dvandva*) di luce e tenebre, di bene e male, di piacere e pena, sono gli elementi essenziali del gioco, poiché – sebbene la divinità si identifichi con l'Essere (*sat*), l'Intelligenza (*chit*) e la Beatitudine (*ananda*) – il lato oscuro della vita è parte integrante del gioco, proprio come ogni dramma deve avere il suo "cattivo", per rompere lo *status quo*, e come le carte devono essere mescolate, scompigliate, perché vi sia uno sviluppo della partita. Per il pensiero indù non esiste il problema del Male. Il mondo convenzionale, relativo, è necessariamente un mondo di opposti. La luce è inconcepibile se la si separa dal buio; l'ordine è privo di significato senza il disordine; e così il su senza il giù, il suono senza il silenzio, il piacere senza la pena. Ananda Coomaraswamy dice:

> Per chiunque sostenga che "Dio ha creato il mondo", il problema del perché egli vi permise l'esistenza di un male, o di quell'Unico Male in cui ogni male è personificato, è totalmente privo di senso; allora ci si potrebbe anche chiedere perché Dio non ha creato un mondo senza dimensioni o un mondo senza successione temporale.[5]

Secondo il mito, la rappresentazione divina procede per cicli infiniti di tempo, attraverso periodi di manifestazioni e di eclissi dei mondi, misurati in unità di *kalpa*, il *kalpa* avendo una durata di 4.320.000.000 anni. Dal punto di vista umano una tale concezione presenta una monotonia terrificante, giacché questo moto continua senza un traguardo per l'eternità. Ma dal punto di vista divino esso possiede l'intatto fascino dei ripetuti giochi dei bimbi, che proseguono senza sosta perché il tempo è stato dimenticato e si è ridotto a un singolo meraviglioso istante.

Questo mito non è l'espressione di una filosofia formale, ma di un'esperienza o stato di coscienza chiamato *moksha* o "liberazione". In definitiva è più sicuro affermare che la filosofia indiana è in primo luogo quest'esperienza; e solo in via del tutto secondaria è un sistema di idee che tenta di tradurre l'esperienza in linguaggio convenzionale. Alla radice, dunque, la filosofia diviene intelligibile solo se si condivide l'esperienza, consistente nello stesso tipo di conoscenza non convenzionale trovata nel taoismo. Essa è anche definita *atma-jnana* (conoscenza dell'Io) o *atma-bodha* (risveglio dell'Io), giacché la si può considerare come scoperta di "chi" o di "che cosa" io sono, quando non sono più identificato in alcun ruolo o definizione convenzionale della persona. La filosofia indiana non descrive il contenuto di questa scoperta se non in termini mitologici, usando la frase "Io sono Brahman" (*aham brahman*) o "Quello sei tu" (*tat tvam asi*) a indicare che la conoscenza dell'Io è un avverarsi della propria originale identità con Dio.

Ma questo non implica ciò che "il proclamarsi Dio" significa in un contesto ebraico-cristiano, dove il linguaggio mitico è solitamente confuso con il linguaggio di fatto, così da non esservi chiara distinzione fra Dio com'è descritto nei termini del pensiero convenzionale e Dio qual è in realtà. Un indù non dice "Io sono Brahman" col sottinteso che egli è personalmente responsabile dell'intero universo ed è informato su ogni particolare del suo operato. Da un lato, egli non parla di identità con Dio al livello della sua personalità superficiale; dall'altro, il suo "Dio" – Brahman – non è responsabile dell'universo in modo "personale". Egli non conosce e opera come una persona, giacché non conosce l'universo in termini di fatti convenzionali né agisce su di esso tramite deliberazione, sforzo e volontà. Può essere significativo che la parola "Brahman" proviene dalla radice *brih-*, "crescere", dato che la sua attività creativa, come quella del Tao, ha carattere di spontaneità, proprio della crescita, distinto dalla deliberazione, propria del creare. Inoltre, benché si dica che Brahman "conosce" se stesso, questo conoscersi non è frutto di informazione, non è la conoscenza che si può avere di oggetti distinti da un soggetto. Come dice Shankara:

> Poiché egli è il Conoscente, e il Conoscente può conoscere altre cose, ma non può farsi oggetto della propria conoscenza; allo stesso modo che il fuoco può bruciare altre cose, ma non può bruciare se stesso.[6]

Per la mente occidentale l'enigma della filosofia indiana risiede nel fatto che essa ha tanto da dire su ciò che l'esperienza *moksha* non è, e poco o nulla da dire su ciò che è. Questo naturalmente disorienta, poiché se l'esperienza è realmente senza contenuto, o se ne è così povera in rapporto alle cose che noi consideriamo importanti, come si spiega l'immenso valore che essa riveste nello schema di vita indiano?

Anche al livello convenzionale è certo facile notare che sapere ciò che non è molto spesso ha uguale importanza del sapere ciò che è. Anche se la medicina non può suggerire alcun rimedio efficace contro il raffreddore, c'è un qualche vantaggio a conoscere l'inutilità di certi beveroni o impiastri popolari. Per di più, la funzione della conoscenza negativa non è dissimile dall'uso dello spazio: la pagina bianca su cui si possono scrivere parole, il boccale vuoto in cui si può versare un liquido, la finestra dalla quale può entrare la luce, e il tubo vuoto nel quale può scorrere l'acqua. Ovviamente, il valore del vuoto risiede nei movimenti che esso permette o nelle sostanze che trasmette o contiene. Ma il vuoto deve precedere. È questa la ragione per cui la filosofia indiana si concentra sulla negazione, sulla liberazione della mente dal concetto di Verità. Essa non propone *idee* o descrizioni di ciò che deve riempire il vuoto della mente, poiché l'idea escluderebbe il fatto – un po' come un dipinto del sole, posto sul vetro di una finestra, non lascerebbe passare la luce dell'autentico sole. Mentre gli ebrei non ammettono un'immagine di Dio di legno o di pietra, gli indù non ne ammettono un'immagine di pensiero a meno che non sia così palesemente mitologica da restare distinta dalla realtà.

Perciò la disciplina pratica (*sadhana*) della via di liberazione è un progressivo distacco del proprio Io (*atman*) da ogni identificazione. Si deve capire che io non sono questo corpo, queste sensazioni, questi sentimenti, questi pensieri, questa coscienza. La realtà fondamentale della mia vita non è alcun oggetto concepibile. In definitiva, non la si può nemmeno identificare con qualche idea, come Dio o *atman*. Come dice la *Mandukya Upanishad*:

> (È) quello che non è conscio né del soggettivo né dell'oggettivo né di entrambi; che non è né semplice coscienza, né percezione indifferenziata, né pura oscurità. È invisibile, senza relazioni, incomprensibile, indesumibile, e indescrivibile – è l'essenza della coscienza dell'Io, la conclusione di *maya* (vii).

L'*atman* è per la nostra coscienza totale ciò che il capo è per il senso della vista: né luce né buio, né pieno né vuoto, solo un inconcepibile al di là. Nel momento in cui ogni estrema identificazione dell'Io con qualche oggetto o concetto è finita, nello stato chiamato *nirvikalpa* o "senza concezione", allora lampeggia improvviso dalle sue ignote profondità lo stato di coscienza chiamato divino, la conoscenza di Brahman.

Tradotto in linguaggio convenzionale e – ci sia consentito di ripeterlo – mitologico-poetico, la conoscenza di Brahman è identificata nella scoperta che questo mondo che sembrava Molteplice è in realtà Uno, che "tutto è Brahman" e che "ogni dualismo è frutto di erronea immaginazione". Prese come affermazioni di fatto, da un punto di vista logico, tali parole sono prive di significato e di contenuto informativo. Tuttavia esse appaiono come la migliore espressione semantica dell'esperienza medesima, quantunque ciò avvenga come se al momento di pronunciare l'"ultima parola" la lingua fosse paralizzata dalla sua stessa rivelazione, e costretta a balbettare cose senza senso o a rimanere muta.

Moksha è anche inteso come liberazione da *maya*, una delle più importanti parole della filosofia indiana, sia indù che buddista. Infatti, il mondo multiforme dei fatti e degli eventi viene chiamato *maya*, comunemente inteso come un'illusione che vela la realtà sottostante di Brahman. Questo dà l'impressione che *moksha* sia uno stato di coscienza in cui l'intero e vario mondo della natura scompare dalla vista, immerso in un oceano sconfinato e tremolante di spazio luminoso. Una tale impressione andrebbe subito respinta, poiché implica dualismo, un'incompatibilità fra Brahman e *maya* che è contro l'intero principio della filosofia upanishadica. Brahman, infatti, non è l'Uno *come opposto* al Molteplice, non è il semplice *come opposto* al complesso. Brahman è senza duplicità (*advaita*), vale a dire senza opposti giacché Brahman non appartiene ad alcuna classe e non si trova, perciò, al di fuori di nessuna classe.

Ora, l'atto di classificare è precisamente *maya*. La parola è derivata dalla radice sanscrita *matr*, "misurare, formare, costruire, o progettare", la stessa radice dalla quale otteniamo parole greco-latine come metro, matrice, materiale e materia. Il processo fondamentale di misurazione è la divisione, sia tracciando una linea col dito, sia delimitando o tracciando circoli con l'arco della mano o col compasso, sia sistemando grano o liquidi in misure (coppe). Così, la radice sanscrita *dva*, dalla quale otteniamo la parola "dividere", è anche la radice del latino *duo* e dell'inglese *dual*.

Dire, perciò, che il mondo dei fatti e degli eventi è *maya* equivale a dire che i fatti e gli eventi sono termini di misurazione piuttosto che realtà naturali. Noi dobbiamo, comunque, estendere il concetto di misurazione per includere limiti definitivi di ogni specie, o secondo la classificazione descrittiva o secondo la valutazione selettiva. Così, sarà facile rendersi conto che fatti ed eventi sono astratti come le linee della latitudine o come piedi e pollici. Consideriamo per un momento che è impossibile isolare un singolo fatto. I fatti avvengono perlomeno a coppie, giacché un singolo corpo è inconcepibile indipendentemente dallo spazio nel quale esso è posto. Definizione, limitazione, delineazione: questi sono sempre atti di divisione e perciò di dualità, poiché non appena una linea di confine è tracciata, sorgono due lati.

Questo punto di vista è, direi, sorprendente, e perfino quasi incomprensibile, per coloro che sono da tempo abituati a pensare che cose, fatti ed eventi costituiscano le vere fondamenta del mondo, la più solida delle solide realtà. Tuttavia un'esatta comprensione della dottrina *maya* è uno dei requisiti più essenziali per lo studio dell'induismo e del buddismo, e se si vuole coglierne il significato ci si deve sforzare di mettere da parte le varie filosofie "idealiste" dell'Occidente con le quali è stata così spesso confusa – perfino da parte dei moderni vedantisti indiani. Infatti il mondo non è un'illusione della mente nel senso che non ci sia nulla da vedere per gli occhi di un uomo liberato (*jivanmukta*), all'infuori di un vuoto senza traccia. Egli vede il mondo che noi vediamo; ma non lo delimita, non lo misura, non lo divide alla nostra maniera. Non lo considera come realmente o concretamente suddiviso in cose ed eventi separati. Egli si rende conto che la pelle può essere considerata sia come ciò che ci unisce al nostro ambiente, sia come ciò che ce ne separa. Inoltre, si rende conto che la pelle verrà considerata come la cosa che congiunge, solo se prima la si è considerata come la cosa che divide, o viceversa.

In tal modo, il suo punto di vista non è monistico. Egli non pensa che tutte le cose sono in realtà Una perché – concretamente parlando – non ci fu mai una "cosa" che si potesse considerare Una. Congiungere è tanto *maya* quanto separare. Per questa ragione, sia gli indù che i buddisti preferiscono parlare della realtà come "non-duplice" piuttosto che come "una", dato che il concetto di uno deve sempre essere in relazione col concetto di molti. La dottrina del *maya* è perciò una dottrina di relatività. Essa afferma che cose, fatti ed eventi sono definiti non dalla natura, ma dalla descrizione umana, e che il modo in cui li descriviamo (o dividiamo) è relativo ai nostri cangianti punti di vista.

È facile vedere, per esempio, che solo con una certa arbitrarietà un evento chiamato la prima guerra mondiale si può dire iniziato il 4 agosto 1914 e finito l'11 novembre 1918. Gli storici possono scoprire "reali" inizi della guerra assai prima, e una "ripresa" della stessa contesa molto tempo dopo questi limiti formali dell'avvenimento. Poiché gli eventi possono dividersi e assorbirsi come gocce di mercurio col mutare delle mode della descrizione storica. I limiti degli eventi sono più convenzionali che naturali, nel senso medesimo che la vita di un uomo si dice iniziata al momento del parto, piuttosto che al concepimento da una parte, o allo svezzamento dall'altra.

Allo stesso modo, è facile vedere il carattere convenzionale delle cose. Comunemente, un organismo umano è considerato una cosa, sebbene dal punto di vista fisiologico sia tante cose quante parti o organi possiede, e dal punto di vista sociologico esso sia soltanto parte di una cosa più vasta chiamata gruppo.

Certo il mondo della natura abbonda di superfici e di linee, di aree di densità e di vacuità, che noi usiamo per segnare i confini di eventi e cose. Ma anche qui la dottrina *maya* asserisce che tali forme (*rupa*) non hanno "essenza propria" o "natura autonoma" (*svabhava*): non esistono per diritto proprio, ma solo in relazione reciproca, come un solido non può essere distinto se non in relazione a uno spazio. In questo senso, il solido e lo spazio, il suono e il silenzio, l'esistente e il non-esistente, la figura e lo sfondo sono inseparabili, interdipendenti, o "scambievolmente generati", ed è solo per *maya* o per divisione convenzionale che possono considerarsi separati l'uno dall'altro.

La filosofia indiana pensa anche a *rupa* o forma come *maya*, poiché anche la forma non è permanente. Infatti, quando i testi indù e buddisti parlano del carattere "vuoto" o "illusorio" del mondo visibile della natura, come distinto dal mondo convenzionale delle cose, si riferiscono appunto all'instabilità delle sue forme. Forma è flusso, e quindi *maya*, nel senso lievemente esteso di cosa che non può essere fermamente segnata o ghermita. La forma è *maya* quando la mente cerca di comprenderla e controllarla nell'ambito delle categorie fisse del pensiero, vale a dire per mezzo di nomi (*nama*) e parole. Poiché sono precisamente gli stessi sostantivi e verbi mediante i quali vengono designate le categorie astratte e concettuali delle cose e degli eventi.

Per servire al loro scopo, nomi e termini devono per forza essere fissati e definiti sul modello delle altre unità di misura. Ma il loro uso è – fino a un certo punto – così soddisfacente che l'uomo corre sempre il pericolo di confondere le sue misure col mondo in tal guisa misurato, di identificare denaro con ricchezza, preconcetti con fluida realtà. Nella misura in cui l'uomo identifica se stesso e la propria vita con queste forme di definizione rigide e vuote, egli si condanna alla frustrazione perpetua di chi cerca di raccogliere acqua in un setaccio. Per questo la filosofia indiana parla incessantemente della stoltezza di inseguire le cose, di lottare per la permanenza di entità ed eventi particolari; in questo comportamento essa vede nulla più che un'infatuazione per dei fantasmi, per delle astratte misure della mente (*manas*).[7]

Maya è quindi l'equivalente di *nama-rupa* ovvero "nome-e-forma", il tentativo della mente di impigliare le forme fluide della natura nella sua maglia di classi fisse. Ma quando si è capito che la forma in ultima analisi è vuota (nel senso speciale di inafferrabile e incommensurabile), il mondo delle forme è immediatamente visto come Brahman piuttosto che come *maya*. Il mondo formale diviene mondo reale nel momento in cui non è più trattenuto, nell'istante in cui si cessa di resistere alla sua mutevole fluidità. Di qui la vera transitorietà del mondo, che è indizio della sua divinità, della sua reale identità con l'invisibile e incommensurabile infinità di Brahman.

Questa è la ragione per cui l'insistenza indù-buddista sull'instabilità del mondo non è la dottrina pessimista e nichilista che i critici occidentali normalmente suppongono. La transitorietà è oppressiva solo per la mente che insiste nello sforzo di ghermire. Ma per la mente che si lascia andare e si muove col flusso dei mutamenti, che diviene – secondo la raffigurazione del buddismo zen – come una palla in un torrente montano, il senso della transitorietà e del vuoto si tramuta in una sorta di estasi. È forse questo il motivo per cui, tanto in Oriente quanto in Occidente, la transitorietà è così spesso il tema della poesia più profonda e ispirata, a segno che lo splendore del mutamento traspare anche quando il poeta sembra soffrirne di più.

To-morrow, and to-morrow, and to-morrow,
Creeps in this petty pace from day to day
To the last syllable of recorded time,
And all our yesterdays have lighted fools
The way to dusty death. Out, out, brief candle!
Life's but a walking shadow, a poor player,
That struts and frets his hour upon the stage,
And then is heard no more: it is a tale
Told by an idiot, full of sound and fury,
*signifying nothing.**

Così formulata, questa transitorietà, come osserva R.H. Blyth, non appare poi tanto brutta.

In ultima analisi, dunque, la dottrina *maya* mette in evidenza, innanzitutto, l'impossibilità di imprigionare il mondo reale nella rete mentale di parole e concetti e, in secondo luogo, il carattere fluido di quelle stesse forme che il pensiero tenta di definire. Il mondo dei fatti e degli eventi è insieme *nama*, nomi astratti, e *rupa*, forma fluida. Esso sfugge, come l'acqua dal pugno, sia alla comprensione del filosofo, sia alla stretta del libertino. V'è perfino qualcosa di fallace nell'idea di Brahman come realtà eterna che sottende il fluttuare, e nell'idea dell'*atman* come base divina della coscienza umana; poiché, nella misura in cui queste idee sono dei concetti, non sono idonee, al pari di ogni altro concetto, ad afferrare il reale.

Alle radici del buddismo sta precisamente la chiara com-

* Domani, e domani, e domani, scivola a piccoli passi, giorno per giorno, fino all'ultima sillaba del tempo prescritto, e tutti i nostri ieri han rischiarato, folli, la via alla morte polverosa. Spengiti, spengiti, breve candela! La vita non è che un'ombra che cammina, un povero attore che si pavoneggia sulla scena, per un'ora, e poi non si ascolta più: una favola raccontata da un idiota, piena di rumore e di furia, che non ha senso alcuno (*Macbeth*, atto V, scena V).

prensione della *totale* elusività del mondo. Questa è l'enfasi speciale che distingue maggiormente la dottrina del Budda dall'insegnamento delle *Upanishad*; ed è la ragion d'essere dello sviluppo del buddismo come movimento distinto nella vita e nel pensiero indiani.

Infatti Gotama, lo "Svegliato" o Budda (morto verso il 480 a.C.), visse al tempo in cui le maggiori *Upanishad* già esistevano, e la loro filosofia dev'essere considerata come il punto di partenza del suo stesso insegnamento. Sarebbe in ogni caso un grave errore guardare al Budda come al "fondatore" o "riformatore" di una religione che sia sorta come una specie di rivolta organizzata contro l'induismo. Poiché noi parliamo di tempi in cui non v'era coscienza di alcuna "religione", in cui termini come "indu-ismo" o "brahmanesimo" non avrebbero significato nulla. Esisteva semplicemente una tradizione, incorporata nella dottrina orale dei *Veda* e delle *Upanishad*, una tradizione che non era specificamente "religiosa", in quanto implicava un'intera pratica di vita e riguardava ogni cosa, dai metodi di agricoltura alla conoscenza della realtà ultima. Il Budda agiva in pieno accordo con questa tradizione, quando egli divenne un *rishi* o "saggio della foresta", che aveva abbandonato la vita del capo di casa e la propria casta per seguire una via di liberazione. Come per ogni altro *rishi*, il metodo della sua via di liberazione presentava determinate caratteristiche, e la sua dottrina conteneva una critica all'insuccesso degli uomini nel praticare la tradizione da loro professata.

Inoltre, egli si manteneva interamente fedele alla tradizione abbandonando la sua casta e accettando un seguito di discepoli senza casta e senza casa. Infatti, la tradizione indiana incoraggia apertamente l'abbandono, a una certa età, della vita convenzionale quando i doveri familiari e sociali siano stati compiuti. La rinuncia alla casta è il segno estrinseco e manifesto della comprensione che la propria vera condizione è "inclassificata", che il proprio ruolo o persona è puramente convenzionale, e che la propria vera natura è "*nulla*" e "*nessuno*".

Questa comprensione fu il punto cruciale dell'esperienza

del risveglio (*bodhi*) del Budda, che scese su di lui una notte mentre sedeva sotto il famoso Albero Bo a Gaija, dopo sette anni di meditazione nelle foreste. Dal punto di vista dello zen, quest'esperienza è il contenuto essenziale del buddismo, e la dottrina verbale è del tutto secondaria alla trasmissione senza parole dell'esperienza stessa da una generazione all'altra. Per sette anni Gotama aveva lottato coi mezzi tradizionali dello *yoga* e del *tapas*, contemplazione e ascesi, per penetrare la causa dell'umano asservimento a *maya*, per trovare liberazione dal circolo vizioso dell'"attaccamento alla vita" (*trishna*), il che è come cercare di far sì che la mano afferri se stessa. Tutti questi sforzi erano stati vani. L'eterno *atman*, il vero Io, risultava introvabile. Per quanto la sua mente si concentrasse per trovarne la radice e la base, egli trovò soltanto il proprio sforzo di concentrarsi. La sera innanzi il suo risveglio, Gotama semplicemente "rinunciò", mitigò la sua dieta ascetica, e mangiò un po' di cibo nutriente.

In seguito, sentì subito che un profondo mutamento stava sopravvenendo in lui. Sedette sotto l'albero, facendo voto di non alzarsi finché non avesse ottenuto il supremo risveglio – sedette tutta la notte finché il primo luccichio della stella del mattino non provocò d'improvviso uno stato di perfetta limpidezza e comprensione. Questo era *anuttara samyak sambodhi*, la "suprema, perfetta illuminazione", liberazione da *maya* e dalla Ruota incessante di nascita-e-morte (*samsara*), che gira senza sosta sin tanto che l'uomo cerca con qualunque mezzo di tenersi aggrappato alla propria vita.

Nondimeno il contenuto reale di questa esperienza non fu mai e non potrà mai essere messo in parole; poiché le parole sono le forme di *maya*, le maglie della sua rete, e l'esperienza è l'acqua che vi scivola attraverso. Così, al limite della favella, il massimo che si possa dire di questa esperienza sono le parole attribuite al Budda nel *Vayracchedika*:

> Proprio così, Subhuti, io non ottenni alcunché dalla suprema, perfetta illuminazione, e proprio per questa ragione essa è detta "suprema, perfetta illuminazione". (22)

Così, dal punto di vista dello zen, il Budda "non disse mai una parola", a dispetto dei volumi di scritture attribuitegli. Infatti, il suo vero messaggio rimase sempre inespresso; ed era tale che quando le parole tentarono di esprimerlo, lo fecero apparire un immenso nulla. Pure, è tradizione essenziale dello zen che ciò che non può essere trasmesso con parole può nondimeno trasmettersi con una "indicazione diretta", con qualche mezzo di comunicazione non verbale, senza il quale l'esperienza buddista non avrebbe mai potuto essere tramandata alle future generazioni.

Nella sua stessa tradizione (forse più tarda), lo zen sostiene che il Budda trasmise il risveglio al suo maggiore discepolo, Mahakasyapa, tenendo alto un fiore e rimanendo in silenzio. Il canone pali, tuttavia, riferisce che immediatamente dopo il suo risveglio il Budda andò al Parco dei Cervi a Benares, ed espose la sua dottrina a coloro che gli erano stati in precedenza compagni nella sua vita ascetica, esprimendola sotto forma di quelle Quattro Nobili Verità che forniscono un sommario così esauriente del buddismo.

Queste Quattro Verità sono modellate sulla tradizionale forma vedica di una diagnosi e cura medica, cioè: l'identificazione della malattia, e delle cause; il giudizio sul metodo di cura, e la prescrizione del rimedio.

La Prima Verità riguarda la problematica parola *duhkha* traducibile approssimativamente con "dolore", e che designa il gran male del mondo, di cui il metodo del Budda (*dharma*) è la cura.

> La nascita è *duhkha*, il declino è *duhkha*, la malattia è *duhkha*, la morte è *duhkha*, così pure la pena e l'angoscia... L'essere circondati da cose che non amiamo, e l'essere separati da cose che amiamo, pure questo è *duhkha*. Non ottenere ciò che si desidera, pure questo è *duhkha*. In una parola, questo corpo, questa quintupla aggregazione basata sulla brama di vivere (*trishna*), questo è *duhkha*.[8]

Tuttavia ciò non può essere sintetizzato nella frettolosa asserzione che "la vita è dolore". La questione è piuttosto che la vita come noi la viviamo è di solito dolore – o, più esattamente, è martoriata dalla particolare frustrazione che proviene dal tentare l'impossibile. Forse, allora, "frustrazione" è il corrispondente migliore di *duhkha*, anche se la parola è il semplice contrario di *sukha*, che significa "piacevole" o "dolce".[9]

In un'altra interpretazione della dottrina del Budda, *duhkha* è una delle tre caratteristiche dell'essere, o divenire (*bhava*), mentre le altre due sono *anitya*, instabilità, e *anatman*, assenza dell'Io. Questi due termini sono d'importanza essenziale. La dottrina dell'*anitya* non ripete semplicemente l'assioma che il mondo è instabile, ma piuttosto che più si cerca di afferrare il mondo, più esso cambia. La realtà in sé non è stabile né instabile: non può essere classificata. Ma, quando si cerca di impadronirsene, dovunque appaiono mutamenti; giacché, a somiglianza della nostra ombra, più rapidamente la seguiamo, più rapidamente essa fugge.

Allo stesso modo la dottrina dell'*anatman* non è solo la monotona asserzione che non esiste un vero Io (*atman*) alla base della nostra coscienza. Il fatto è piuttosto che non esiste un Io, o realtà fondamentale, che si possa afferrare, né per esperienza diretta né per mezzo di concetti. In apparenza il Budda sentì che la dottrina dell'*atman* nelle *Upanishad* si prestava troppo facilmente a un fatale errore d'interpretazione, diveniva un oggetto di fede, un'aspirazione, una meta da raggiungere, qualcosa cui la mente potesse aggrapparsi come a un'ancora di salvezza nel flusso della vita. La veduta del Budda era che un Io così afferrato non era più il vero Io, ma soltanto un'altra delle innumerevoli forme di *maya*. Così, *anatman* potrebbe essere espresso nella forma: "Il vero Io è non-Io", dato che ogni tentativo di concepire l'Io, di credere nell'Io, di ricercare l'Io, immediatamente lo fa dileguare.

Le *Upanishad* fanno distinzione fra *atman*, il vero Io sovraindividuale, e lo *yivatman* o anima individuale; e la dottrina buddista dell'*anatman* concorda con loro nel negare la realtà della seconda. È fondamentale per ogni scuola di buddismo che non esista alcun ego, alcuna durevole entità che sia il soggetto costante delle nostre mutevoli esperienze. Poiché l'ego esiste solo in senso astratto, essendo un'astrazione della memoria, qualcosa come l'illusorio cerchio di fuoco che si ottiene roteando una torcia. Possiamo, per esempio, immaginare la rotta di un uccello attraverso il cielo come una linea distinta da questi tracciata. Ma questa linea è astratta come una linea di latitudine. Nella concreta realtà, l'uccello non ha lasciato nessuna traccia, così come il passato da cui viene astratto il nostro ego è interamente scomparso. In tal modo, ogni tentativo di aggrapparsi all'ego o di farne un'effettiva sorgente di azione è condannato al fallimento.

La Seconda Nobile Verità si riferisce alla causa della frustrazione, detta *trishna*, cioè, sete o brama di vivere, basata su *avidya*, che è ignoranza e incoscienza. Ora, *avidya* è l'opposto formale del risveglio: è lo stato della mente quando, ipnotizzata o affascinata da *maya*, essa confonde il mondo astratto delle cose e degli eventi con il mondo concreto della realtà. A un livello più profondo, *avidya* è mancanza di auto-conoscenza, difetto di comprensione che ogni tentativo di afferrare altro non è se non il vano sforzo di afferrare se stessi, o piuttosto di far sì che la vita prenda possesso di sé. Infatti, per chi abbia conoscenza di sé non esiste dualismo fra la sua personalità e il mondo esterno. *Avidya* è "ignoranza" del fatto che soggetto e oggetto sono in mutuo rapporto, come le due facce di una moneta, di modo che se l'uno avanza, l'altro si ritrae. È questa la ragione per cui il tentativo egocentrico di dominare il mondo, di portare la maggiore quantità possibile di mondo sotto il controllo dell'ego, può durare solo breve tempo, prima che sorga la difficoltà dell'ego di controllare se stesso.

Questo è in realtà un semplice problema di quella scienza che oggi chiamiamo cibernetica, la scienza del controllo. Meccanicamente e logicamente è facile rendersi conto che ogni sistema che si avvicini al perfetto auto-controllo, si avvicina anche alla perfetta auto-frustrazione. Un tale sistema è un circolo vizioso, e ha la medesima struttura logica di un'affermazione che affermi qualcosa su di sé, come per esempio "io sto mentendo", quando è implicito che l'affermazione stessa è una bugia. L'affermazione continuerà a correre in un cerchio illusorio, giacché è sempre vera nella misura che è falsa, e falsa nella misura che è vera. Per usare un'espressione più concreta, io non posso gettare una palla in aria sin tanto che la trattengo per mantenere il perfetto controllo del suo movimento.

In tal modo, il desiderio di mantenere un perfetto controllo sulle cose che ci circondano e su noi stessi è basato su di una sfiducia profonda del controllore. *Avidya* è l'incapacità di vedere la basilare auto-contraddizione di questa posizione, donde sorge un futile afferrare o controllare la vita che è pura e semplice auto-frustrazione; e lo schema di vita che ne consegue è il circolo vizioso chiamato, nell'induismo e nel buddismo, *samsara*, la Ruota di nascita-e-morte.[10]

Il principio attivo della Ruota è noto come *karma* o "azione condizionata", ossia azione che scaturisce da un motivo e persegue un risultato, il tipo di azione che richiede sempre la necessità di ulteriori azioni. L'uomo è coinvolto nel *karma* quando interferisce nel mondo in modo tale da essere costretto a continuare la sua interferenza, quando la soluzione di un problema crea sempre nuovi problemi da risolvere, quando il controllo di una cosa crea la necessità di controllarne molte altre. *Karma* è così il destino di chiunque "cerchi di essere Dio". Costui tende una trappola per il mondo, nella quale egli stesso rimane prigioniero.

Molti buddisti intendono la Ruota di nascita-e-morte proprio alla lettera come processo di reincarnazione, nel quale il *karma* che forma l'individuo opera iteratamente, vita dopo vita, sin quando – attraverso l'intuizione e il risveglio – è portato ad arrestarsi. Ma nello zen, e in altre scuole del mahayana, è spesso inteso in senso più figurato: il processo di rinascita avviene di momento in momento, così che si rinasce di continuo identificandoci con un ego continuativo che si reincarna nuovamente a ogni attimo. In tal modo, la validità e l'interesse della dottrina non richiedono l'accettazione di una speciale teoria di sopravvivenza. La sua importanza sta piuttosto nel fatto che essa esemplifica l'intero problema dell'azione, e la sua risoluzione, in circoli viziosi; e a questo riguardo la filosofia buddista dovrebbe avere un interesse speciale per gli studiosi di teoria della comunicazione, di cibernetica, di filosofia logica e di analoghe materie.

La Terza Nobile Verità riguarda la fine dell'auto-frustrazione, dell'attaccamento, e dell'intero circolo vizioso del *karma* che genera la Ruota. La fine è chiamata *nirvana*, parola di etimologia così dubbia da essere difficilmente traducibile. Essa è stata variamente collegata con radici sanscrite, e vorrebbe dire: lo spegnersi di una fiamma, o semplicemente il soffio (espirazione), oppure il cessare delle onde e dei giri, cioè dei modi o funzioni (*vritti*) della mente.

Le due ultime interpretazioni sembrano, in complesso, le più significative. Se *nirvana* è "espirazione", essa è l'atto di chi ha capito l'inutilità di cercare di trattenere il respiro o la vita (*prajna*) indefinitamente, poiché trattenere il respiro significa perderlo. Allora, *nirvana* è l'equivalente di *moksha*, sollievo o liberazione. Da un lato, essa appare come disperazione – il riconoscimento che la vita, in fondo, elude i nostri sforzi di dominio, che tutti gli sforzi umani altro non sono che una mano evanescente afferrata alle nuvole. Dall'altro, questa disperazione prorompe in gioia e potere creativo, in base al principio che perdere la vita significa trovarla – trovare la libertà d'azione emancipata dall'auto-frustrazione e dall'ansietà insite nel tentativo di salvare e controllare l'Io.

Se si pone il *nirvana* in rapporto alla cessazione (*nir-*) dei modi o funzioni della mente (*vritti*), il termine diviene sinonimo del fine dello *yoga*, definito nello *Yogasutra* come *citta vritti nirodha* (il cessare dei modi della mente). Questi modi o "giri" sono i pensieri mediante i quali la mente si affanna ad afferrare il mondo e se stessa. Lo *yoga* è la pratica che cerca di arrestare questi pensieri col pensarvi, finché l'estrema vanità del processo non è *sentita* così intensamente che il processo semplicemente dilegua, e la mente si rivela nel suo stato limpido e naturale.

È ovvio, comunque, che entrambe le etimologie ci danno lo stesso significato essenziale. Il *nirvana* è lo stato che si consegue dopo che sia cessato lo sforzo di afferrare la vita. Nella misura in cui ogni definizione è un afferrare, il *nirvana* è necessariamente indefinibile. È lo stato naturale, "non-aggrappato-a-se-stesso", della mente; e qui, naturalmente, la mente non ha alcun significato specifico, poiché ciò che non è afferrato non è conosciuto nel senso convenzionale attribuito alla conoscenza. Nell'accezione più popolare e letterale, il *nirvana* è la scomparsa dell'essere dalla Ruota delle incarnazioni, per passare non in uno stato di annullamento, ma solo in uno stato che sfugge a ogni definizione, ed è in tal modo incommensurabile e infinito.

Conseguire il *nirvana* equivale a conseguire la Buddità, il risveglio. Ma questo non è conseguimento in un senso usuale, perché nessuna acquisizione e nessuna motivazione sono in causa. È impossibile desiderare il *nirvana*, o avere intenzione di raggiungerlo, poiché ogni cosa desiderabile e concepibile come oggetto di azione non è, per definizione, *nirvana*. Il *nirvana* può sorgere soltanto in modo non intenzionale, spontaneo; quando sia stata completamente percepita l'impossibilità di afferrare l'Io. Un Budda, perciò, non è uomo di rango: non è al di sopra, come angelo; non è al di sotto, come demonio. Egli non appare in nessuna delle sei divisioni della Ruota, e sarebbe un errore pensare a lui come superiore agli angeli, poiché la legge della Ruota è che ciò che va in alto deve scendere in basso, e viceversa. Egli ha trasceso qualsiasi dualismo, e quindi non significherebbe nulla per lui pensarsi un individuo superiore o l'eroe di un successo spirituale.

La Quarta Nobile Verità riguarda l'Ottuplice Sentiero del *Dharma* del Budda, vale a dire il metodo o la dottrina con cui si raggiunge la fine dell'auto-frustrazione. Ogni sezione del sentiero ha un nome preceduto dalla parola *samyak* (in pali, *samma*), che ha il significato di "retto" o "perfetto". Le prime due sezioni hanno a che fare col pensiero; le quattro seguenti con l'azione; e le due finali con la contemplazione o la vigilanza. Abbiamo perciò:

1. *Samyag-drishti*, o retta cognizione.
2. *Samyak-samkalpa*, o retta intenzione.
3. *Samyag-vak*, o retta (cioè, veritiera) parola.
4. *Samyak-karmanta*, o retta vita.
5. *Samyagajiva*, o retto sforzo.
6. *Samyag-vyayama*, o retta azione.
7. *Samyak-smriti*, o retta concentrazione.
8. *Samyak-samadhi*, o retta contemplazione.

Senza discutere queste sezioni in particolare, si può dire semplicemente che le prime due riguardano una comprensione esatta della dottrina e della situazione umana. In un certo senso la prima sezione, la "retta cognizione", contiene tutte le altre, giacché il metodo del buddismo è soprattutto la pratica della chiara coscienza, del vedere il mondo *yathabhutam*, proprio qual è. Tale coscienza consiste in una viva attenzione alla propria diretta esperienza, al mondo immediatamente sentito, così da non essere sviati da nomi ed etichette. *Samyak-samadhi*, l'ultima sezione del sentiero, è il perfezionamento della prima, significando pura esperienza, pura consapevolezza, in cui non esiste più il dualismo del conoscente e del conosciuto.

Le sezioni che trattano dell'azione sono spesso male interpretate, perché rivelano una somiglianza ingannevole con un "sistema morale". Il buddismo non condivide la credenza occidentale che esista una legge morale, imposta da Dio o dalla natura, alla quale è dovere dell'uomo ubbidire. Le regole di condotta del Budda – non privare della vita, non prendere ciò che non è dato, non abbandonarsi alle passioni, alla menzogna e all'ebbrezza – sono regole di convenienza volontariamente assunte, il cui proposito è di rimuovere gli ostacoli che impediscono una chiara consapevolezza. La mancata osservanza dei precetti produce "cattivo *karma*", non perché il *karma* sia una legge o un giudizio morale, ma perché tutte le azioni motivate e intenzionali, convenzionalmente buone o cattive, sono *karma* nella misura in cui sono dirette ad afferrare la vita. Parlando in generale, le azioni convenzionalmente "cattive" tendono forse ad afferrare di più che non le "buone". Ma gli stadi più elevati della pratica buddista riguardano tanto la liberazione dal "*karma* buono" quanto dal "cattivo". Così, retta azione significa in ultima analisi azione libera, non predisposta, o spontanea, esattamente nello stesso senso del termine taoista *wu-wei*.[11]

Smriti, concentrazione, e *samadhi*, contemplazione, costituiscono la sezione che tratta della vita meditativa, l'interiore pratica mentale della Via del Budda. La retta concentrazione è una costante vigilanza o osservazione delle proprie sensazioni, dei propri sentimenti e pensieri, senza scopo o commento. È una limpidezza e presenza totale della mente, attivamente passiva, in cui gli eventi vengono e vanno, al pari di immagini in uno specchio: nulla è riflesso all'infuori di ciò che *è*.

> Nel camminare, nello stare in piedi, sedendo o giacendo, egli è consapevole di comportarsi così, in maniera che, in qualunque modo il suo corpo sia atteggiato, egli se ne rende esattamente conto. Nell'uscire o nel ritornare, nel guardarsi avanti o attorno, piegando o stendendo il braccio... egli agisce con limpida consapevolezza.[12]

Mediante questa consapevolezza si vede che la separazione del pensante dal pensiero, del conoscente dal conosciuto, del soggetto dall'oggetto, è puramente astratta. Non esiste la mente da una parte e le sue esperienze dall'altra: non esiste che un processo di esperienza in cui non v'è nulla da afferrare come oggetto; e non v'è nessuno, come soggetto, che lo afferri. Considerato così il processo dell'esperienza cessa di aggrapparsi a se stesso. Il pensiero segue al pensiero senza interruzione, cioè senza bisogno alcuno di separarsi da se medesimo, così da divenire il proprio oggetto.

> "Dove esiste un oggetto, sorge il pensiero." Il pensiero è allora una cosa e l'oggetto un'altra? No: ciò che è l'oggetto, proprio questo è il pensiero. Se l'oggetto fosse una cosa e il pensiero un'altra, allora vi sarebbe un doppio stato di pensiero. Così l'oggetto stesso è proprio pensiero. Può allora il pensiero esaminare il pensiero? No, il pensiero non può esaminare

il pensiero. Come la lama di una spada non può tagliare se stessa, come la punta del dito non può toccare se stessa, così un pensiero non può vedere se stesso.[13]

Questa singolarità della mente in virtù della quale essa non è più divisa contro di sé, è *samadhi*, ed essendo finita la infruttuosa insistenza della mente ad afferrare se stessa, *samadhi* è uno stato di pace profonda. Non si tratta della calma di una totale inattività, poiché, una volta che la mente sia tornata al suo stato naturale, *samadhi* perdura in ogni circostanza, "camminando, stando fermi, sedendo, e giacendo". Ma, fin dai primi tempi, il buddismo ha dato speciale risalto alla pratica della concentrazione e della contemplazione stando seduti. La maggior parte delle immagini del Budda ce lo presentano seduto in meditazione, nell'atteggiamento particolare noto come *padmasana*, la posizione del loto, con le gambe incrociate e i piedi posati sulle cosce, le piante rivolte verso l'alto.

La meditazione seduta non è, come spesso si suppone, un esercizio "spirituale", una pratica seguita per un fine ulteriore. Dal punto di vista buddista, è solo il modo giusto di sedere, e appare del tutto naturale rimanere seduti fintanto che non vi sia altro da fare, e finché non ci colga l'agitazione nervosa. All'irrequieto temperamento occidentale la meditazione seduta può sembrare una penosa disciplina, perché noi ci consideriamo incapaci di sedere "solo per sedere", senza scrupoli di coscienza, senza sentire che dovremmo fare qualcosa di più importante per giustificare la nostra esistenza. Per ingraziarci questa coscienza inquieta, la meditazione seduta dev'essere perciò considerata come un esercizio, come una disciplina mirante a uno scopo ulteriore. Proprio a questo punto, invece, essa non è più meditazione (*dhyana*) nel senso buddista; poiché dove esista uno scopo, dove esista una ricerca e una lotta per dei risultati, non v'è *dhyana*.

Questa parola *dhyana* (in pali, *jhana*) è la forma sanscrita originale del cinese *ch'an*,[c] e del giapponese *zen*, e perciò il suo significato è di capitale importanza per una comprensione del buddismo zen. "Meditazione" nel senso comune di "riflettere sulle cose" o "concentrarsi" è una traduzione che porta molto fuori strada. Ma delle alternative come "estasi" o "rapimento" sono anche peggiori, dato che suscitano l'impressione di uno stato ipnotico. La soluzione migliore è forse quella di lasciare la parola *dhyana* non tradotta e di aggiungerla alla propria lingua come s'è fatto per le parole *nirvana* e Tao.[14]

Come lo si usa nel buddismo, il termine *dhyana* comprende sia la concentrazione (*smriti*) sia il *samadhi* e può essere descritto come lo stato di consapevolezza unificata o mono-diretta. Da un lato, essa è mono-diretta nel senso che è concentrata sul presente, dato che per la chiara consapevolezza non esiste né passato né futuro ma solo quest'ultimo momento (*ekaksana*) che i mistici occidentali hanno chiamato l'Eterno Presente. Dall'altro, essa è mono-diretta nel senso che è uno stato di consapevolezza senza differenziazione di conoscente, conoscenza e conosciuto.

> Un Tathagata (ossia, un Budda) è uno che vede ciò che dev'essere visto, ma non fa attenzione (*na mannati*, o non concepisce) al visto, al non visto, al visibile, a chi vede. Così pure avviene di ciò che è udito, sentito, e conosciuto: egli non vi pensa secondo queste categorie.[15]

La difficoltà di valutare il significato di *dhyana* risiede nel fatto che la struttura del nostro linguaggio non ci permette di usare un verbo transitivo senza un soggetto e un predicato. Quando c'è "conoscenza", la convenzione grammaticale richiede che vi sia necessariamente qualcuno che conosce e qualcosa che è conosciuto. Noi siamo così assuefatti a questa convenzione parlando e pensando, che non sappiamo riconoscere che è semplicemente una convenzione, e che non corrisponde necessariamente alla reale esperienza del conoscere. Così quando noi diciamo "una luce ha brillato", è in un certo modo più facile vedere attraverso la convenzione grammaticale e capire che ciò che brilla è la luce stessa.

Ma *dhyana*, come condizione mentale dell'uomo liberato e svegliato, è naturalmente libera dalla confusione di entità convenzionali con la realtà. Il nostro disagio intellettuale nel tentativo di concepire la conoscenza senza un distinto "qualcuno" che conosca e un distinto "qualcosa" che sia conosciuto, assomiglia al disagio che si proverebbe arrivando a un pranzo ufficiale in pigiama. L'errore è convenzionale, non esistenziale.

Ancora una volta, perciò, vediamo come la convenzione, come il *maya* di misura e descrizione, popoli il mondo di quei fantasmi che noi chiamiamo entità e cose. Così ipnotico, così persuasivo è il potere delle convenzioni che noi cominciamo ad avvertire questi fantasmi come realtà, e a farne i nostri amori, i nostri ideali, le nostre preziose conquiste. Ma il tormentoso problema di ciò che mi capiterà quando morirò è, dopottutto, come chiedere che cosa accade al mio pugno quando apro la mano, e dove se ne va il mio grembo quando sto in piedi. Forse, quindi, siamo ora in grado di capire il famoso compendio della dottrina del Budda dato nel *Visuddhimagga*:

> *La sofferenza sola esiste, nessuno che soffra;*
> *Esistono le imprese, ma nessuno che le compia;*
> *C'è il Nirvana, ma nessuno che lo cerchi;*
> *V'è il Sentiero, ma nessuno che lo percorra.* (16)

Capitolo terzo

Il buddismo mahayana

Come via di liberazione, l'insegnamento del Budda non ebbe altro oggetto che l'esperienza del *nirvana*. Il Budda non aveva tentato di esporre un coerente sistema filosofico, cercando di soddisfare quella curiosità intellettuale sulle cose ultime che si attende risposte in parole. Quando si insisteva presso di lui per tali risposte, quando veniva interrogato sulla natura del *nirvana*, sull'origine del mondo, e sulla realtà dell'Io, il Budda manteneva un "nobile silenzio", e continuava a dire che tali domande erano inutili e non guidavano alla reale esperienza di liberazione.

S'è spesso detto che lo sviluppo più tardo del buddismo fu dovuto all'incapacità della mente indiana di accontentarsi di quel silenzio, così che alfine essa dovette indulgere al suo irresistibile bisogno di "astratte speculazioni metafisiche" sulla natura della realtà. Tuttavia una tale veduta della genesi del buddismo mahayana porta fuori strada. Il vasto corpo della dottrina mahayana sorse non tanto per soddisfare la curiosità intellettuale quanto per trattare i problemi psicologici pratici incontrati nel seguire il metodo del Budda. Certo, la trattazione di questi problemi è altamente scolastica e il livello intellettuale dei testi mahayana è molto elevato. Ma la mira costante è di conseguire l'esperienza di liberazione, non di costruire un sistema filosofico. Come dice Sir Arthur Berriedale Keith:

> La metafisica del mahayana, nell'incoerenza dei suoi sistemi, mostra con sufficiente chiarezza l'interesse secondario che le

si attribuiva da parte dei monaci, il cui principale interesse era concentrato sul raggiungimento della liberazione; il mahayana, non meno dello hinayana, riguarda in modo vitale questo fine pratico, e la sua filosofia ha valore solo in quanto aiuta gli uomini a conseguire il loro fine.[1]

Indubbiamente, sotto certi aspetti il buddismo mahayana è una concessione tanto alla curiosità intellettuale quanto al desiderio popolare di avvicinarsi rapidamente alla meta. Ma, alle sue radici, esso è il lavoro di spiriti altamente sensitivi e percettivi che studiano i loro processi interiori. Per chiunque sia acutamente cosciente di sé il buddismo del canone pali lascia molti problemi pratici senza risposta. La sua intuizione psicologica va di poco oltre la costruzione di cataloghi analitici delle funzioni mentali; e, sebbene i suoi precetti siano chiari, non è sempre d'aiuto nello spiegare le loro difficoltà pratiche. Forse non è facile evitare una generalizzazione, ma si riceve l'impressione che mentre il canone pali vorrebbe aprire la porta al *nirvana* col solo sforzo, il mahayana cerca di smuovere la chiave per farla girare più facilmente. Perciò il grande intento del mahayana è di provvedere "mezzi idonei" (*upaya*) a rendere il *nirvana* accessibile a ogni tipo di mentalità.

Come e quando sorsero le dottrine mahayana? Qui ci aggiriamo nel campo delle congetture storiche. I grandi *sutra* mahayana sono evidentemente gli insegnamenti del Budda e dei suoi immediati discepoli, ma il loro stile è così differente e la loro dottrina tanto più sottile di quella del canone pali che gli esperti li assegnano, quasi unanimemente, a date posteriori. Non esiste alcuna prova della loro esistenza al tempo del grande imperatore buddista Asoka nipote di Chandragupta Maurya, che fu convertito al buddismo nel 262 a.C. Le iscrizioni su pietra di Asoka insistono, non meno degli insegnamenti sociali del canone pali, sull'*ahimsa* o non-violenza verso gli uomini e gli animali, e sui precetti generali per la vita del laicato. I principali testi mahayana furono tradotti in cinese da Kumarajiva poco dopo il 400 d.C., ma la nostra conoscenza della storia indiana nel corso dei seicento anni intermedi è così frammentaria, e le tracce all'interno dei *sutra* stessi così vaghe, che in pratica non possiamo che assegnarli ai quattrocento anni fra il 100 a.C. e il 300 d.C. Anche ai personaggi collegati al loro sviluppo (Asvaghosha, Nagarjuna, Asanga e Vasubandhu) si possono assegnare solo date molto approssimative.

Il tradizionale racconto mahayanista sulle proprie origini dice che i precetti furono trasmessi dal Budda ai suoi intimi discepoli, ma la loro pubblica rivelazione fu proibita finché il mondo non fosse stato pronto a riceverli. Il principio della "rivelazione rimandata" è un ben noto espediente per consentire lo sviluppo di una tradizione, per esplorare le implicazioni contenute nel suo essere originario. Le manifeste contraddizioni fra la dottrina primitiva e la più tarda sono spiegate con la loro assegnazione a livelli diversi di verità, disposti dal più relativo all'assoluto, che la scuola Avatamsaka (probabilmente assai tarda) distingue in non meno di cinque. Tuttavia il problema delle origini storiche del mahayana non riguarda direttamente la comprensione dello zen, il quale come forma di buddismo più cinese che indiana, prese a esistere quando il mahayana indiano s'era pienamente sviluppato. Possiamo perciò passare alle dottrine mahayana centrali, dalle quali sorse lo zen.

Il mahayana si distingueva dal buddismo del canone pali definendo quest'ultimo il Piccolo (*hina*) Veicolo, e se stesso il Grande (*maha*) Veicolo: grande perché comprende una grande ricchezza di *upaya*, o metodi per la realizzazione del *nirvana*. Questi metodi vanno dalla sofisticata dialettica di Nagarjuna, il cui oggetto è la liberazione della mente da tutte le idee fisse, al Sukhavati o dottrina di liberazione della Pura Terra, mediante la fede nel potere di Amitabha, il Budda della Luce Infinita, che si dice avesse conseguito il suo risveglio assai prima del tempo di Gotama. Essi comprendono anche il buddismo tantrico dell'India medievale, nel quale si può realizzare la liberazione mediante la ripetizione di parole e formule sacre chiamate *dharani*, e attraverso tipi determinati di *yoga* implicanti una relazione sessuale con una *shakti* o "moglie spirituale".[2]

Uno studio preliminare del canone pali darà certamente l'impressione che il *nirvana* possa realizzarsi solo mediante un rigido sforzo e autodisciplina, e che l'aspirante debba lasciare da parte ogni altra occupazione per il raggiungimento di questo ideale. I mahayanisti sono forse nel giusto assumendo che il Budda intendesse questo sforzo come un *upaya*, un mezzo efficace per rendere idonei a capire, concretamente e intensamente, l'assurdo circolo vizioso del desiderio di non desiderare o del tentativo di liberarsi da soli dell'egocentrismo. Tale è infatti, senza dubbio, la conclusione cui porta la pratica della dottrina del Budda. Ciò può attribuirsi a indolenza o a fiacchezza, ma sembra più plausibile supporre che coloro che rimasero nel sentiero dell'autoliberazione fossero semplicemente inconsapevoli dell'implicito paradosso. Poiché ogni volta che mahayana indica come via di liberazione lo sforzo personale, lo fa come espediente per portare l'individuo a una viva consapevolezza della propria inutilità.

Varie indicazioni fanno supporre che una delle più antiche dottrine del mahayana fosse la concezione del Bodhisattva non semplicemente come Budda potenziale, ma come persona che, rinunciando al *nirvana*, apparteneva a un livello spirituale più alto di chi, avendo raggiunto il *nirvana*, si fosse così ritirato dal mondo di nascita-e-morte. Nel canone pali i discepoli del Budda che conquistano il *nirvana* sono denominati Arhans o "santi", ma nei testi mahayana l'ideale dell'Arhan è considerato quasi egoistico. Esso si addice soltanto allo *sravaka*, l'"uditore" della dottrina che è progredito solo fino ad acquisire una comprensione teorica. Il Bodhisattva, comunque, è una persona che si rende conto della profonda contraddizione insita in un *nirvana* raggiunto da sé e per sé. Dal punto di vista popolare, il Bodhisattva divenne un focus di devozione (*bhakti*), un redentore del mondo che aveva fatto voto di non entrare nel *nirvana* finale, finché anche tutti gli altri esseri senzienti non lo avessero conseguito. Per amor loro, egli acconsentiva a rinascere di continuo nella Ruota di *samsara*, finché, nel corso di innumerevoli ere, anche l'erba e la polvere non avessero conseguito la Buddità.

Ma da un punto di vista più profondo, risultava evidente che l'idea del Bodhisattva è implicita nella logica del buddismo, e che essa fluisce naturalmente dal principio del non afferrare e dalla dottrina dell'irrealtà dell'ego. Infatti, se il *nirvana* è lo stato in cui lo sforzo di afferrare la realtà è interamente cessato in base alla certezza di quanto sia vano tentare, sarà quindi assurdo pensare al *nirvana* stesso come a qualcosa da afferrare o da conseguire. Se poi l'ego è una mera convenzione, è insensato pensare che il *nirvana* sia una condizione da raggiungersi individualmente. Come è detto nel *Vajracchedika*:

> Tutti gli eroi Bodhisattva dovrebbero educare la loro mente a pensare: tutti gli esseri senzienti di qualunque classe... sono indotti da me a raggiungere la liberazione illimitata del *nirvana*. Pure, quando un numero vastissimo, incalcolabile di esseri sia stato così liberato, in verità non un solo essere sarà stato liberato! Perché è così, Subhuti? Perché nessun Bodhisattva che sia veramente un Bodhisattva sostiene l'idea di un ego, di una personalità, di un essere, o di un individuo separato. (3)

Il corollario di questa posizione è che se non v'è un *nirvana* che si possa raggiungere e se non ci sono, in realtà, entità individuali, ne consegue che la nostra prigionia nella Ruota è solo apparente, e che di fatto noi siamo già nel *nirvana*, di modo che cercare il *nirvana* è la follia di cercare ciò che non si è mai perduto. Naturalmente, allora, il Bodhisattva non fa un gesto per allontanarsi dalla Ruota di *samsara*; poiché l'agire così, come se il *nirvana* fosse in qualche altro luogo, implicherebbe l'idea che il *nirvana* sia qualcosa che richiede di essere raggiunto e che *samsara* sia una effettiva realtà. Come dice il *Lankavatara Sutra*:

> Coloro che, impauriti dalle sofferenze causate dalla discriminazione di vita-e-morte (*samsara*), cercano il Nirvana, ignorano che vita-e-morte e Nirvana non devono essere separati fra loro; e vedendo che tutte le cose soggette a discriminazione non hanno realtà, (essi) immaginano che il *Nirvana* consista nel futuro annullamento dei sensi e delle loro sfere. (11.18)[3]

Combattere, quindi, per cancellare il mondo convenzionale delle cose e degli eventi equivale ad ammettere che in realtà questo mondo esista. Di qui il principio mahayanista che "ciò che non è mai sorto non deve essere annientato".[a]

Queste non sono le speculazioni e i sofismi oziosi di un sistema di idealismo o nichilismo soggettivo. Sono risposte a un problema pratico che può esprimersi così: "Se la mia brama di afferrare la vita mi coinvolge in un circolo vizioso, come posso imparare a non afferrare? Come posso cercare di lasciare andare quando cercare è precisamente non lasciare andare?". In altre parole, cercare di non afferrare è lo stesso che afferrare, poiché la motivazione è la medesima: il mio urgente desiderio di salvarmi da una difficoltà. Non posso sbarazzarmi di questo desiderio, dato che è lo stesso identico desiderio del desiderio di sbarazzarmene! Questo è l'usuale problema del "doppio nodo" psicologico, di creare il problema col cercare di risolverlo, di preoccuparsi perché ci si preoccupa, o di temere di aver paura.

La filosofia mahayana propone una risposta drastica ma efficace, che costituisce il tema di un'opera letteraria chiamata *Prajna-paramita*, o "sapienza per passare all'altra sponda", un'opera strettamente associata alla dottrina di Nagarjuna (circa 200 d.C.), che è considerato, con Shankara, una delle menti più elette dell'India. In parole povere, la risposta è che ogni tentativo di afferrare, sia pure il *nirvana*, è inutile, poiché non v'è nulla da afferrare. Questo è il celebre Sunyavada di Nagarjuna, la sua "Dottrina del Vuoto", altrimenti nota come il Madhyamika, la "via di mezzo", che confuta tutte le proposizioni metafisiche dimostrandone la relatività. Secondo il punto di vista della filosofia accademica, il *Prajna-paramita* e la dottrina di Nagarjuna sono senza dubbio delle forme di nichilismo o di "relativismo assoluto". Ma questo non è il punto di vista di Nagarjuna. La dialettica con la quale egli demolisce ogni concezione della realtà è solo uno stratagemma per rompere il circolo vizioso dell'attaccamento, e il fine supremo della sua filosofia non è l'abietta disperazione del nichilismo, ma la naturale e spontanea beatitudine (*ananda*) della liberazione.

Il Sunyavada prende nome dal termine *sunya*, vuoto, o *sunyata*, vacuità, con cui Nagarjuna descrisse la natura della realtà o – piuttosto – delle *concezioni* della realtà che la mente umana può formulare. La parola concezione comprende qui non solo visioni metafisiche ma anche ideali, credenze religiose, speranze ultime e ambizioni di ogni specie, tutto ciò che la mente dell'uomo cerca e tenta di afferrare per propria sicurezza fisica o spirituale. Il Sunyavada non solo demolisce le credenze che si adottano coscientemente; ricerca pure le premesse celate e inconsce del pensiero e dell'azione, e le sottopone allo stesso trattamento finché le stesse profondità della mente non siano ridotte a un silenzio totale. Perfino l'idea di *sunya* va annullata.

> *Non può chiamarsi vuoto o non vuoto,*
> *o entrambe le cose o nessuna;*
> *ma per poterlo indicare,*
> *lo si chiama "il Vuoto".*[4]

Stcherbatsky è certamente nel giusto quando definisce il Sunyavada una "dottrina di relatività". Infatti il metodo di Nagarjuna consiste semplicemente nel dimostrare che tutte le cose sono prive di "natura propria" (*svabhava*) o realtà indipendente, dato che esistono solo in relazione alle altre. Nulla nell'universo può sussistere di per sé – nessun oggetto, nessun fatto, nessun essere, nessun evento – e per questa ragione è assurdo eleggere una cosa come ideale da raggiungere. Ciò che è scelto – infatti – esiste solo in relazione al suo opposto, dal momento che ciò che esiste viene definito da ciò che non è: il piacere è definito dalla pena, la vita è definita dalla morte, e il moto è definito dalla quiete. Ovviamente, la mente non può formarsi un'idea di ciò che significhi "essere", dato che le idee di essere e di non essere sono astrazioni da esperienze semplici come il soldo che è nella mano destra e non è nella sinistra.

Da un certo punto di vista, la medesima relatività esiste fra *nirvana* e *samsara*, *bodhi* (risveglio) e *klesa* (contaminazione). Con questo si dice che la ricerca del *nirvana* implica l'esistenza e il problema del *samsara* e che la questione del risveglio presuppone uno stato di impurità e di frustrazione. In altri termini: non appena il *nirvana* è reso oggetto di desiderio, diviene un elemento del *samsara*. Il reale *nirvana* non può essere desiderato perché non può essere concepito. Perciò il *Lankavatara Sutra* dice:

> Ancora, Mahamati, che cosa si intende per non-dualità? Si intende che luce e ombra, lungo e breve, nero e bianco, sono termini relativi, Mahamati, e non indipendenti l'uno dall'altro; come Nirvana e Samsara; non esiste Samsara se non dove c'è Nirvana; poiché la condizione dell'esistenza non è di carattere vicendevolmente esclusivo. Perciò si dice che tutte le cose sono non-duali come Nirvana e Samsara. (11.28)[5]

Ma l'equazione "*Nirvana* è *Samsara*" è vera anche in un altro senso, ossia: quanto ci appare come *samsara* è in realtà *nirvana*, e quello che appare come il mondo della forma (*rupa*) è in realtà il vuoto (*sunya*). Di qui la massima famosa:

> La forma non differisce dal vuoto; il vuoto non differisce dalla forma. Forma è precisamente vuoto; vuoto è precisamente forma.[6]

Una volta ancora, ciò non significa che il risveglio causerà la totale scomparsa del mondo della forma; poiché il *nirvana* non va cercato come "il futuro annullamento dei sensi e delle loro sfere". Il *sutra* asserisce che la forma è vuota proprio com'è, in tutta la sua spinosa unicità.

Il nocciolo di questa equazione non sta nell'affermare un assioma metafisico, ma nell'assistere al processo del risveglio. Poiché il risveglio non si verificherà se si andrà cercando di fuggire o di trasformare il mondo quotidiano della forma, o di allontanarsi dalla particolare esperienza in cui ci si trovi in un dato momento. Ogni tentativo del genere è una manifestazione dell'afferrare. Perfino lo stesso afferrare non va cambiato per forza, poiché:

> *Bodhi* (risveglio) è le cinque offese, e le cinque offese sono bodhi... Se uno considera *bodhi* come qualcosa da ottenere, da coltivare con la disciplina, è colpevole di presunzione.[7]

Taluni di questi passaggi danno forse l'impressione che il Bodhisattva possa anche essere un tipo accomodante, che passa il tempo come più gli aggrada, dato che *samsara* è comunque *nirvana*. Egli potrà essere totalmente deluso, ma siccome perfino la delusione è *bodhi*, non v'è ragione per tentare cambiamenti. Spesso esiste un'ingannevole somiglianza fra estremi opposti. Di frequente i pazzi assomigliano ai santi, e la modestia non affettata del saggio lo fa spesso apparire una persona comunissima. Così non è facile rilevare la differenza, dire cosa l'uomo comune fa o non fa per essere diverso da un Bodhisattva, o viceversa. Tutto il mistero dello zen è celato in questo problema e noi vi torneremo sopra a suo tempo. Qui basti dire che la cosiddetta "persona comune" è solo in apparenza naturale, o forse che la sua reale naturalezza appare, ai suoi stessi occhi, innaturale. In pratica è impossibile decidere, intenzionalmente, di cessare la ricerca del *nirvana* e di condurre una vita comune, poiché non appena la propria vita "comune" diventa intenzionale, non è più naturale.

È per tale ragione che l'insistenza dei testi mahayana sull'inconseguibilità del *nirvana* e del *bodhi* non è qualcosa da accettarsi in linea teorica, come opinione filosofica pura. Si deve sapere "nel midollo delle ossa" che non v'è nulla da afferrare.

> Allora, alcuni Dei di quella assemblea pensarono: "Ciò che le fate narrano con sommesso mormorio, noi lo comprendiamo anche se mormorato. Ciò che Subhuti ci ha appena detto, non lo comprendiamo!".
> Subhuti lesse i loro pensieri e disse: "Non v'è nulla da comprendere, non v'è nulla da comprendere! Poiché nulla in particolare s'è accennato, nulla in particolare s'è spiegato... Nessuno afferrerà questa perfetta saggezza che abbiamo qui spiegata. Poiché nessun Dharma (dottrina) è stato indicato, illuminato, o comunicato. Così non c'è nessuno che potrà afferrarlo".[8]

Si arriva al punto, allora, in cui risulta chiaro che tutti i propri atti intenzionali – desideri, ideali, stratagemmi – sono vani. In tutto l'universo, dentro e fuori, non c'è nulla di cui prendere possesso, e nessuno che prenda possesso di qualcosa. Questo è stato scoperto mediante la limpida consapevolezza di ogni cosa che sembrasse offrire una soluzione o costituire una realtà degna di fiducia, mediante l'intuitiva saggezza chiamata *prajna*, che discerne il carattere relativo delle cose. Con l'"occhio di *prajna*" la situazione umana è vista per quello che è: un dissetarsi con acqua salata, un perseguire mete che esigono semplicemente il perseguimento di altre mete, un aggrapparsi a oggetti che il veloce corso del tempo rende evanescenti come nebbia. Proprio colui che cerca, che vede e sa e desidera, proprio il soggetto interiore, esiste soltanto in relazione agli oggetti effimeri da lui desiderati. Egli vede che il suo gesto di afferrare il mondo è una stretta soffocante attorno al proprio collo, stretta che lo priverà proprio di quella vita cui tanto anela. E non esiste via d'uscita, non c'è salvezza che egli possa ottenere con uno sforzo, con una decisione volontaria... Ma da cosa desidera salvarsi?

Ma arriva un momento in cui questa coscienza dell'inevitabilità della trappola, in cui siamo a un tempo gli intrappolatori e gli intrappolati, raggiunge un punto di rottura. Si potrebbe quasi dire che tale coscienza "matura" e d'improvviso avviene ciò che il *Lankavatara Sutra* chiama "un ritorno ai più profondi strati di coscienza". A questo punto ogni senso di costrizione dilegua e il bozzolo che il baco da seta ha filato intorno a sé si apre e lo lascia libero, munito di ali come una falena. La tipica ansia che Kierkegaard ha giustamente scoperto proprio alle radici dell'animo dell'uomo comune, non esiste più. Proponimenti, ideali, ambizioni e "auto-propiziazioni" non sono più necessari, dato che ora è possibile vivere spontaneamente senza sforzarsi di essere spontanei. Infatti, non esiste alternativa, giacché ora si vede come non vi fu mai un io che potesse portare l'io sotto il proprio controllo.

Ridotto al puro essenziale, tale è il processo interiore

che il Sunyavada cerca di promuovere con la filosofia della negazione totale. Così, la più parte dell'opera di Nagarjuna fu una confutazione accuratamente logica e sistematica di ogni dottrina filosofica indiana del suo tempo.[9] Ammesso che il suo oggetto sia un'esperienza interiore, gli studiosi occidentali sono sempre stati restii a capire come un punto di vista così totalmente negativo possa avere una conseguenza costruttiva. È bene perciò ripetere che le negazioni si applicano non alla realtà stessa, ma alle nostre idee di realtà. Il contenuto positivo e creativo del Sunjavada non si trova nella filosofia stessa, ma nella nuova visione della realtà che si rivela quando la sua azione è compiuta, e Nagarjuna non rovina questa visione cercando di descriverla.

Il mahayana ha, comunque, un altro termine per realtà che è forse anche più indicativo di *sunya*, il vuoto. È la parola *tathata*, che noi possiamo tradurre con "quiddità". (Analogamente i Budda sono chiamati Tathagata, coloro che vanno, o vengono, "così".) La parola sanscrita *tat* (il nostro "quello") si basa probabilmente sui primi tentativi da parte del bambino di parlare, quando indica qualcosa e dice: "Ta" o "Da". I padri ne sono lusingati immaginando che il bimbo li stia chiamando per nome. Ma forse il bambino sta semplicemente esprimendo la sua scoperta del mondo, e dice "Là!"... Quando noi diciamo "Quello, Così, Là", indichiamo il dominio di un'esperienza non verbale, la realtà come la percepiamo direttamente, poiché cerchiamo di indicare ciò che vediamo o sentiamo piuttosto che ciò che pensiamo o diciamo. *Tathata* perciò indica il mondo proprio com'è non sceverato e non diviso dai simboli e dalle definizioni del pensiero. Il termine si rivolge al concreto e al reale distinguendolo dall'astratto e dal concettuale. Un Budda è un Tathagata,* o "colui che ha camminato così", perché s'è risvegliato a questo mondo primitivo, non concettuale, che nessuna parola può comunicare, e non lo confonde con idee come essere o non essere, buono o cat-

* La parola *tathata* è tradotta dall'autore con i termini inglesi *suchness*, *"thusness"*, *thatness*. Il gioco di parole relativo a Tathagata (*thus-goer*) è intraducibile. [*N.d.T.*]

tivo, passato o futuro, qui o là, mosso o quieto, stabile o instabile. Così il Bodhisattva Manjusri parla del Tathagata nel *Saptasatika*:

> La *quiddità* (*tathata*) non diviene né cessa di divenire; è così che io vedo il Tathagata. La *quiddità* non è né passata, né futura, né presente; è così che io vedo il Tathagata. La *quiddità* non sorge dal duplice o dal non-duplice; è così che io vedo il Tathagata. La *quiddità* non è né impura né pura; è così che io vedo il Tathagata. La *quiddità* non ha né inizio né fine; è così che io vedo il Tathagata. (195)[10]

Poiché *tathata* è il vero stato del Budda e di tutti gli esseri in genere, esso pure si riferisce alla nostra natura vera e originale, e perciò alla nostra "natura Budda". Una delle dottrine basilari del mahayana è che tutti gli esseri sono dotati della natura del Budda, e quindi hanno la possibilità di diventare dei Budda. A motivo dell'identità fra la natura del Budda e il *tathata*, il termine "Budda" è frequentemente usato per indicare la realtà stessa e non soltanto l'uomo risvegliato. Ne deriva che nel mahayana un Budda è spesso considerato una personificazione della realtà, formante la base di quei culti popolari in cui i Budda sembra vengano adorati come dei. Dico "sembra", perché nemmeno il buddismo mahayana possiede un vero equivalente del teismo giudeocristiano, con la sua rigida identificazione di Dio con il principio morale. Inoltre, i vari Budda che sono così venerati (Amitabha, Vairocana, Amitayus, Ratnasambhava ecc.) sono sempre personificazioni della nostra vera natura.

Qui, pure, si trova la base del buddismo di fede, della Sukhavati o scuola della Terra Pura, in cui si ritiene che tutti gli sforzi per diventare Budda siano puramente il falso orgoglio dell'ego. Occorre solo ripetere la formula *namo-amitabhaya* (letteralmente, "il Nome di Amitabha" o "Salve, Amitabha") nella fede che questo solo sia bastevole a provocare la propria rinascita nella Terra Pura, sulla quale signoreggia Amitabha. Nella Terra Pura tutti gli ostacoli che si frappongono al cammino per divenire Budda in questo mondo sono rimossi; di modo che la rinascita nella Terra

Pura virtualmente equivale a divenire Budda. La ripetizione del Nome si ritiene "efficace perché, nelle età passate, Amitabha fece voto di non entrare nella suprema Buddità se la rinascita nella Terra Pura non fosse stata assicurata a tutti gli esseri che avessero invocato il suo nome. Poiché in seguito egli entrò nello stato di Buddità, il voto fu positivamente adempiuto.

Anche Nagarjuna ebbe in simpatia questa dottrina, poiché essa sa spiegare in un modo più popolare e più grafico che, siccome la propria vera natura è di già la natura di Budda, non si deve far nulla perché essa divenga tale.

Al contrario, cercare di diventare Budda significa negare che si è già Budda – e questa è la sola base su cui non si possa realizzare la Buddità! In breve, per diventare Budda è solo necessario aver fede che si è di già Budda. Shinran, il grande esponente cinese della Terra Pura, giunse perfino a dichiarare che bastava semplicemente ripetere il Nome, avendo capito che il tentativo di compiere un atto di devozione era troppo artificiale, e portava a dubitare della propria fede.

Il buddismo della Terra Pura è chiaramente uno sviluppo della dottrina del Bodhisattva, secondo la quale il compito dell'uomo liberato è la liberazione di tutti gli altri esseri per mezzo di *upaya* o "abili espedienti". Con *prajna* o sapienza intuitiva, egli discerne la natura della realtà, il che risveglia a sua volta *karuna* o compassione per tutti coloro che sono ancora schiavi dell'ignoranza. In un senso più profondo *karuna* significa forse qualcosa di più che compassione per l'altrui ignoranza. Abbiamo visto infatti che il ritorno di Bodhisattva nel mondo di *samsara* era basato sul principio che *samsara* è di fatto *nirvana*, e che "il vuoto è precisamente forma". Se *prajna* significa vedere che "forma è vuoto", *karuna* è vedere che "il vuoto è forma". Si tratta perciò di un'"affermazione" del mondo di ogni giorno nella sua naturale quiddità, e questo è uno dei tratti del mahayana che lo zen ha espresso con più vigore. Invero, ciò rende assurda l'idea che il buddismo sia in ogni caso una filosofia di negazione del mondo, in cui l'unicità delle forme è trascurata. Fu a motivo del *karuna* che il buddismo mahayana divenne l'ispirazione principale dell'arte cinese nelle dinastie Sung e Yüan, un'arte che pose l'accento più sulle forme naturali che sui simboli religiosi. Poiché per mezzo del *karuna* si vede che la dissoluzione delle forme nel vuoto non è affatto diversa dalle caratteristiche proprie delle forme stesse. Solo convenzionalmente la vita delle cose è separabile dalla loro morte; in realtà il morire è il vivere!

La percezione che ogni singola forma, esattamente com'è, è il vuoto, e inoltre che l'unicità di ciascuna forma sorge dal fatto che essa esiste in relazione a ogni altra forma, costituisce la base della dottrina del Dharmadhatu ("regno del Dharma") dell'enorme *Avatamsaka Sutra*. Questa opera voluminosa rappresenta probabilmente il culmine del mahayana indiano, e ha come immagine centrale una vasta rete di gemme o cristalli, simile a una ragnatela nell'aurora, in cui ciascuna gemma riflette tutte le altre. Questa rete di gemme è il Dharmadhatu, l'universo, il regno degli innumerevoli *dharma* o "cose-eventi".

Commentatori cinesi compilarono una quadruplice classificazione del Dharmadhatu che divenne piuttosto importante per lo zen nei tempi avanzati della dinastia T'ang. La loro classificazione dei "Quattro Regni del Dharma"[b] fu la seguente:

1. *Shihj,*[c] le uniche individuali "cose-eventi" di cui l'universo è composto.
2. *Li,*[d] il "principio" o la realtà ultima che sottende la molteplicità delle cose.
3. *Li shih wu ai,*[e] "fra principio e cosa nessun impedimento", il che significa che non esiste nessuna incompatibilità fra *nirvana* e *samsara*, vuoto e forma. Il conseguimento dell'uno non implica l'annullamento dell'altro.
4. *Shih shih wu ai,*[f] "fra cosa e cosa nessun impedimento"; vale a dire che ogni "cosa-evento" implica tutte le altre, e che l'intuizione più alta è semplicemente la percezione di esse nella loro naturale *quiddità*. A questo livello ogni "cosa-evento" è vista come auto-determinante, auto-generante, o spontanea; poiché essere in modo perfettamente naturale ciò ch'essa è, essere *tatha* – proprio così – equivale a essere libero e senza impedimenti.

Approssimativamente, la dottrina del Dharmadhatu afferma che la giusta armonia dell'universo si realizza quando ogni "cosa-evento" abbia la possibilità di essere liberamente e spontaneamente se stessa, senza interferenze. In modo più soggettivo, tale dottrina dice: "Lasciate che ogni cosa sia libera di essere esattamente com'è. Non separate voi stessi dal mondo e non cercate di ordinarlo". Fra questo e il mero *laissez faire* c'è una sottile distinzione, che può essere suggerita dal modo con cui noi muoviamo i nostri arti. Ogni arto si muove da sé, dall'interno. Per camminare, noi non solleviamo i piedi con le mani. Il corpo di un individuo è perciò un sistema di *shih shih wu ai*, e un Budda si rende esatto conto che l'intero universo è il suo corpo, una meravigliosa armonia organizzata proprio dall'interno piuttosto che da esterne interferenze.

La filosofia mahayana pensa al corpo del Budda come triplice, come il *Trikaya* o "Triplo Corpo". Il suo corpo, considerato sia come moltitudine di "cose-eventi" sia come le sue particolari forme umane, è definito il *Nirmanakaya*, o "Corpo di Trasformazione". Le singole forme umane sono storici e preistorici Budda come Gotama, Kasyapa, o Kanakamuni e dato che appaiono "nella carne", il *Nirmanakaya* include per principio l'intero universo della forma. Vi è poi il *Sambhogakaya*, o "Corpo di Godimento". Questa è la sfera di *prajna*, saggezza, e *karuna*, compassione, la seconda che guarda in basso al mondo della forma, e la prima che guarda in alto al regno del vuoto. *Sambhogakaya* potrebbe anche essere chiamato il "Corpo di Comprensione" dato che un Budda si rende conto di essere un Budda proprio in questo "corpo". Infine, vi è il *Dharmakaya*, il "Corpo di Dharma", che è il vuoto, il *sunya* stesso.

Nagarjuna non discusse in che modo il vuoto appare come forma, il *Dharmakaya* come il *Nirmanakaya*, sentendo, forse, che ciò sarebbe stato del tutto incomprensibile a coloro che non avessero effettivamente conseguito il risveglio. Infatti il Budda stesso aveva paragonato tali interrogativi alla follia di un uomo colpito da una freccia, che non volesse farsela togliere prima di aver appreso tutti i particolari sull'aspetto dell'assalitore, sulla di lui famiglia e sui motivi dell'aggressione. Nondimeno i successori di Nagarjuna, i fratelli Asanga e Vasubandhu (280-360 circa), che elaborarono il tipo di filosofia mahayana generalmente noto sotto il nome di Yogacara, fecero qualche tentativo di discutere questo problema particolare.

Secondo lo Yogacara, il mondo della forma è *cittamatra* – "solo mente" – o *vijnaptimatra* – "solo rappresentazione". Questa visione sembra avere una stretta somiglianza con le filosofie occidentali dell'idealismo soggettivo, secondo le quali il mondo esterno e materiale è considerato una proiezione della mente. Tuttavia, pare esistano alcune differenze fra le due concezioni. Qui, come sempre, il mahayana non è tanto una costruzione teoretica e speculativa, quanto l'esposizione di un'esperienza interiore, e un mezzo per destare l'esperienza negli altri. Inoltre la parola *citta* non equivale con esattezza alla nostra " mente". Il pensiero occidentale tende a definire la mente contrapponendola a materia; e a considerare la materia non tanto come "misura", quanto come sostanza solida che è misurata. Per l'Occidente, la misura stessa – astrazione – appartiene più alla natura della mente, giacché noi tendiamo a pensare alla mente e allo spirito in senso più astratto che concreto.

Ma nella filosofia buddista *citta* non si contrappone a un concetto di sostanza solida. Il mondo non è mai stato considerato nei termini di una sostanza primaria modellata in varie forme dall'azione della mente o spirito. Una tale immagine non esiste nella storia del pensiero buddista, così come non è mai sorto il problema di come la mente impalpabile possa influenzare una materia solida. Ogni volta che noi parleremmo di mondo materiale o fisico o sostanziale, il buddismo usa il termine *rupa*, che non è tanto il nostro "materia" quanto "forma". Non vi è alcuna "sostanza materiale" che sottenda il *rupa*, a meno che non sia il *citta* stesso!

La difficoltà di fare equazioni e paragoni fra idee orientali e idee occidentali risiede nel fatto che questi due mondi non partono muniti dei medesimi assunti e premesse. Essi non hanno le stesse fondamentali categorie dell'esperienza. Di conseguenza, se il mondo non è mai stato diviso in mente o materia, ma piuttosto in mente e forma, la parola "mente" non può avere lo stesso significato nei due casi. La parola "uomo", per esempio, non ha esattamente lo stesso significato quando è contrapposta a "donna" e quando è contrapposta ad "animale".

Per esprimerci in modo semplice e sbrigativo, la differenza è che gli idealisti occidentali hanno cominciato a fare della filosofia partendo da un mondo distinto in mente (o spirito), forma, e materia; mentre i buddisti hanno fatto della filosofia partendo da un mondo di mente e forma.

Perciò, lo Yogacara non discute la relazione fra forme di materia e mente: discute la relazione fra le forme e la mente, concludendo che queste sono forme della mente. Come risultato, il termine "mente" (*citta*) diviene logicamente senza senso. Ma siccome il tema dominante del buddismo riguarda il regno dell'esperienza, che è illogico e senza significato, nel senso che esso non simbolizza e significa altro che se stesso, non esiste alcuna obiezione all'impiego di termini "senza significato".

Da un punto di vista logico la proposizione "ogni cosa è mente" non afferma altro che "ogni cosa è ogni cosa". Poiché, se non vi è nulla che non sia mente, la parola non appartiene ad alcuna classe, e non ha limiti o definizioni. Si potrebbe allora usare l'espressione "beh", cosa che il buddismo fa, pressappoco, usando la parola senza senso *tathata*. Infatti la funzione di questi termini assurdi consiste nell'attirare la nostra attenzione sul fatto che logica e significato, col loro inerente dualismo, appartengono al pensiero e al linguaggio, ma non al mondo reale. Il mondo non verbale, concreto, non contiene classi o simboli che rappresentino o significhino altro da se stessi. Di conseguenza, questo mondo non contiene dualismo. Il dualismo sorge infatti quando classifichiamo, quando distribuiamo le nostre esperienze in caselle mentali, poiché una casella non è mai una casella senza una parte interna e una parte esterna.

È probabile che le caselle mentali si formino nella nostra mente assai prima che il pensiero e il linguaggio formali forniscano etichette atte a identificarle. Noi cominciamo a classificare non appena percepiamo differenze, regolarità e irregolarità, non appena compiamo associazioni di ogni specie. Ma se la parola "mentale" significa qualsiasi cosa, questo atto di classificazione è certamente mentale, poiché percepire le differenze e associarle le une alle altre è qualcosa di più che reagire agli stimoli dei sensi. Tuttavia, se le classi sono un prodotto della mente, dell'osservazione, associazione, pensiero e linguaggio, il mondo *considerato semplicemente come tutte le classi degli oggetti* è un prodotto della mente.

È questo – io penso – ciò che intende lo Yogacara quando afferma che il mondo è "solo mente" (*cittamatram lokam*). Lo Yogacara intende che esterno e interno, prima e poi, pesante e leggero, piacevole e penoso, moto e quiete sono tutte idee, o classificazioni mentali. La loro relazione col mondo concreto è la stessa delle parole. Così, il mondo che noi conosciamo, quando sia inteso come mondo classificato, è un prodotto della mente; e come il suono "acqua" non è realmente l'acqua, il mondo classificato non è il mondo reale.

Il problema "*cosa* è la mente" può considerarsi ora come il problema stesso di *cosa* sia il mondo reale. Non si può risolverlo, poiché ogni "cosa" è una classe, e non possiamo classificare ciò che classifica. E non è allora assurdo parlare della mente, il *citta*, se non c'è modo di dire che cosa essa è? Al contrario, il matematico Kurt Gödel ci ha dato una prova rigorosa del fatto che ogni sistema logico deve contenere una premessa che il sistema non può definire senza contraddirsi.[11] Lo Yogacara prende *citta* come sua premessa e non lo definisce, dato che *citta* è qui l'equivalente di *sunya* e *tathata*. Poiché la mente:

> è al di là di tutte le visioni filosofiche, è aliena da discriminazioni, non è raggiungibile, non è neppure mai nata: io affermo non esservi altro che la Mente. Non è un'esistenza, e non è una non-esistenza; essa in verità è al di là dell'esistenza e della non-esistenza... Dalla Mente scaturiscono innumerevoli cose, condizionate dalla discriminazione (cioè, dalla classifica-

zione) e dalla forza dell'abitudine; tali cose la gente le accetta come un mondo esterno. Ciò che appare esterno... in realtà non esiste: è la Mente vista come molteplicità; il corpo, la proprietà, e la dimora: tutto questo, io dico, non è altro che Mente.[12]

Entro questa indefinita continuità di *citta* lo Yogacara descrive otto specie di *vijnana*, o "coscienza discriminante". V'è una coscienza per ciascuno dei cinque sensi; v'è il sesto senso – la coscienza (*manovijnana*), che unifica gli altri cinque in modo che ciò che è toccato o udito può essere posto in relazione con ciò che è visto; e infine c'è la "coscienza-deposito" (*alaya-vijnana*), la mente sovraindividuale che contiene i semi di tutte le forme possibili.

La "coscienza-deposito" equivale quasi al *citta* stesso, ed è sovraindividuale poiché precede ogni differenziazione. Non la si deve concepire come una specie di gas spirituale che pervade tutti gli esseri dacché anche spazio ed estensione esistono qui solo potenzialmente. In altre parole, la "coscienza-deposito" è quella da cui il mondo formale sorge spontaneamente o giocosamente (*vikridita*). Il mahayana, infatti, non commette l'errore di sforzarsi di attribuire la creazione del mondo da parte della mente a una serie di cause necessarie. Qualunque cosa sia legata da necessità causale è *del* mondo di *maya*, non lo oltrepassa. Parlando per così dire poeticamente, l'illusione del mondo scaturisce dal Grande Vuoto senza motivo, senza scopo: proprio per il fatto che non esiste necessità alcuna al suo avverarsi. L'attività del Vuoto è giocosa o *vikridita* perché non è azione motivata (*karma*).

Così, come lo Yogacara la descrive, la creazione del mondo formale avviene spontaneamente da parte della "coscienza-deposito", fluisce nel *manas*, dove si compiono le differenziazioni primordiali, di qui passa nei sei sensi-coscienza, che a loro volta producono gli organi dei sensi o "porte" (*ayatana*) attraverso le quali finalmente si proietta il mondo esterno classificato.

Lo *yoga* buddista perciò consiste in una reversione del

processo, nel sedare l'attività discriminativa della mente, lasciando che le categorie di *maya* cadano di nuovo nella potenzialità, di modo che il mondo possa essere visto nella sua inclassificata quiddità. Qui il *karuna* si desta, e il Bodhisattva lascia che la proiezione risorga, essendo ormai coscientemente identificata con il carattere gioioso e senza scopo del Vuoto.

Capitolo quarto

L'origine e lo sviluppo dello zen

I caratteri che distinguono lo zen o Ch'an da altri tipi di buddismo appaiono alquanto elusivi quando si tratti di esprimerli in parole, sebbene lo zen abbia un "sapore" definito e inconfondibile. Per quanto il nome zen significhi *dhyana* o meditazione, altre scuole di buddismo esaltano la meditazione in misura uguale, se non maggiore, che lo zen: e talora sembra che la pratica di meditazione formale non fosse affatto necessaria allo zen. Né carattere peculiare dello zen è "il non aver nulla da dire", l'insistere che la verità non può essere tradotta in parole, poiché questo motivo appartiene di già al buddismo madhyamika come all'insegnamento di Lao-Tzu.

Coloro che sanno non parlano;
Coloro che parlano non sanno. (56)

Forse il tono speciale dello zen è meglio descritto come "una certa immediatezza". In altre scuole di buddismo il risveglio o *bodhi* sembra remoto e quasi sovrumano, qualcosa da raggiungere solo dopo molte vite di paziente sforzo. Ma nello zen si ha costantemente la sensazione che il risveglio sia qualcosa di perfettamente naturale, qualcosa di scontato in partenza, che può verificarsi da un momento all'altro. Se nasconde una difficoltà, è proprio per il fatto che è troppo semplice. Lo zen è anche immediato nel suo metodo d'insegnamento, poiché punta direttamente e apertamente alla verità, senza trastullarsi con simbolismi.

L'indicazione diretta (*chih-chih*[a]) è l'aperta dimostrazione dello zen tramite azioni o parole non simboliche che in genere ai non iniziati sembrano avere a che fare con le occupazioni più ordinarie e profane, o appaiono completamente insensate. In risposta a una domanda sul buddismo, il maestro fa un'osservazione casuale sul tempo, o compie semplici atti che sembrano non aver nulla a che vedere con materie filosofiche o spirituali. Tuttavia, è difficile trovare molti esempi di questo metodo prima dell'età di mezzo della dinastia T'ang, epoca in cui lo zen era già affermato; ma esso è certamente conforme all'insistenza dei primi maestri sull'immediato risveglio nel mezzo delle occupazioni giornaliere.

Nessuno è riuscito a trovare tracce di una specifica scuola *dhyana* nel buddismo indiano; sebbene, data la nostra povertà di documentazione storica, questo non sia una prova della sua inesistenza. Se la nota caratteristica dello zen è l'immediato o istantaneo risveglio (*tun wu*[b]) senza passare attraverso stadi preparatori, vi sono certamente in India indizi di questo principio. Il *Lankavatara Sutra* afferma che esistono sia graduali sia istantanee vie di risveglio: le prime per mezzo della purificazione dalle manifestazioni corrotte o proiezioni (*ashrava*) della mente, e le seconde per mezzo del *paravritti*, un istantaneo "sommovimento" nel profondo della coscienza, per cui le visioni dualistiche vengono respinte. Esso è paragonato a uno specchio che riflette immediatamente qualsiasi forma o immagine gli appaia davanti.[1] V'è anche una chiara connessione fra l'idea del risveglio immediato e l'insegnamento del *Vajracchedika*, o "Sutra del Tagliatore di Diamanti", sul principio che conseguire il risveglio non è conseguire qualcosa. In altre parole, se il *nirvana* è realmente qui e ora, tanto che cercarlo significa perderlo, una realizzazione attraverso stadi progressivi non gli si addice. Si dovrebbe discernerlo all'istante con immediatezza.

Per quanto le sue origini siano probabilmente posteriori a quelle dello zen in Cina, esiste una tradizione del genere anche nel buddismo tantrico, e non v'è nessuna prova che si tratti di un'influenza inversa, dallo zen cinese. Si possono individuare alcuni concetti paralleli alle proposizioni zen in un'opera tantrica di Saraha del decimo secolo:

Se essa (la Verità) è già manifesta a che serve la meditazione?
E se è nascosta, non si misura che il buio. (20)
Mantras e tantras, meditazione e concentrazione,
Sono tutte cause di auto-illusione.
Non contaminate con pensieri contemplativi ciò che è puro per [sua natura,
Ma abitate nella beatitudine di voi stessi e cessate questi [tormenti. (23)
Qualunque cosa vediate, è quello,
Davanti, dietro e in tutte le dieci direzioni.
Anche oggi lasciate che il vostro maestro ponga fine alla [delusione! (28)
La natura del cielo è in origine chiara,
Ma continuando a fissare, la vista si ottenebra. (34)[2]

Similmente, il buddismo tibetano comprende una tradizione del Breve Sentiero, considerato come una rapida ed erta ascesa al *nirvana* per coloro che ne possiedano il coraggio necessario, sebbene una dottrina che meglio si avvicina all'enfasi zen sull'immediatezza e naturalezza si trovi nei "Sei Precetti" di Tilopa:

Nessun pensiero, nessuna riflessione, nessuna analisi,
Nessuna preparazione, nessuna intenzione;
Lasciate che si stabilisca da sé.[3]

L'immediata liberazione senza uno speciale disegno o intenzione è anche implicita nell'idea tantrica di *sahaja*, l'"agevole" o "naturale" condizione del saggio liberato.

Non è questa la sede per discutere il significato reale dell'immediato risveglio e naturalezza, ma abbiamo citato questi esempi per mostrare che la tradizione di un sentiero diretto esisteva all'esterno della Cina, il che suggerisce la presenza di una fonte originale nel buddismo indiano. Si potrebbe giustificare la mancanza di documenti col fatto che un principio di questo genere, così facilmente soggetto a erronee interpretazioni, può essere stato tenuto come "dottrina segreta", e discusso apertamente solo in tempi posteriori. La tradizione zen sostiene invero che l'immediato risveglio non è comunicato dai *sutra*, ma è trasmesso direttamente dal maestro all'allievo. Questo non implica necessariamente qualcosa di così "esoterico" come un'esperienza trasmessa per telepatia, bensì qualcosa di molto meno sensazionale. Così, quando i panditi indù insistono sul fatto che la saggezza non deve essere appresa dalle scritture ma solo da un insegnante o *guru*, intendono dire che i testi reali (come gli *Yoga-sutra*) contengono solo i capisaldi della dottrina, il cui studio completo richiede qualcuno che sia a conoscenza della tradizione orale. A questo punto è forse superfluo soggiungere che, giacché la tradizione è in primo luogo un'esperienza, le parole possono comunicarla in misura né maggiore né minore di ogni altra esperienza.

Tuttavia, non è necessario supporre che sia esistita una specifica scuola *dhyana* in India. L'origine dello zen sembra trovare una sufficiente conferma nell'esposizione da parte di taoisti e confuciani dei più importanti principi del buddismo mahayana. Perciò, la comparsa di tendenze molto affini allo zen è rintracciabile pressappoco nel momento in cui i grandi *sutra* mahayana si diffusero in Cina, a opera del grande monaco-dotto indiano Kumarajiva. Kumarajiva andò traducendo i *sutra* di Ku-tsang e Ch'ang-an fra il 384 e il 413, periodo in cui uno dei suoi principali discepoli fu il giovane monaco Seng-chao (384-414), che aveva iniziato la sua carriera come copista dei testi confuciani e taoisti.

Seng-chao si era convertito al buddismo in seguito alla lettura del *Vimalakirti Sutra*, un testo che ha esercitato sullo zen una influenza notevole. Sebbene Seng-chao divenisse monaco, tale *sutra* è la storia di un laico, Vimalakirti, che si distinse fra tutti i discepoli per la profondità della sua comprensione. Egli aveva superato ogni altro discepolo e Bodhisattva rispondendo a una domanda sulla natura della realtà non duale con un "tuonante silenzio", un esempio frequentemente seguito dai maestri dello zen. Il Vimalakirti "dal silenzio tuonante" è pure un tema favorito degli artisti zen. Ma il motivo più importante, per la Cina e per lo zen, di questo *sutra* era che il perfetto risveglio fosse compatibile con le occupazioni della vita quotidiana, e che invero la più alta conquista fosse "entrare nel risveglio senza eliminare le contaminazioni (*klesa*)".

Vi era in questo un appello alla mentalità sia confuciana che taoista. L'insistenza confuciana sull'importanza della vita familiare non sarebbe andata facilmente d'accordo con un tipo rigorosamente monastico di buddismo. Sebbene di solito i maestri buddisti fossero monaci, avevano un largo numero di discepoli progrediti fra i laici; e lo zen, in particolare, ha sempre attribuito grande importanza all'espressione del buddismo in termini formalmente profani – in ogni tipo di arte, nel lavoro manuale, e nel godimento dell'universo naturale. Pure i confuciani e i taoisti sarebbero stati favorevoli all'idea di un risveglio che non implicasse l'eliminazione delle umane passioni (come il termine *klesa* può anche tradursi). Noi abbiamo già notato la fede straordinaria nella natura umana professata da entrambe queste filosofie. Tuttavia non eliminare le passioni non significa lasciarle lussureggiare. Significa non imbrigliarle piuttosto che combatterle: non reprimere la passione né indulgere ad essa. Infatti il taoista non è mai violento, dato che egli raggiunge i suoi fini con la "non-interferenza" (*wu-wei*), che è una specie di *judo* psicologico.

Gli scritti di Seng-chao, come il suo commentario sul *Vimalakirti Sutra*, sono cosparsi di citazioni e frasi taoiste, poiché pare che egli seguisse l'esempio di monaci meno importanti, sebbene anteriori, come Hui-yüan (334-416) e Tao-an (312-385) nell'usare l'"estensione dell'idea" (*ko-i*[c]), per spiegare il buddismo mediante paralleli taoisti. Ciò mise tanto in evidenza un parallelismo fra le due tradizioni che alla fine del quinto secolo Liu Ch'in poteva dire:

> Dai monti K'un-lun verso est, viene usato il termine (taoista) "Grande Unicità". Dal Kashmir verso ovest è usato il termine (buddista) *sambodhi*. Se l'uno anela al "non essere" (*wu*) e l'al-

tro coltiva il "vuoto" (*sunyata*), il principio implicito è il medesimo.[4]

Tra i precetti di Seng-chao, due pare abbiano avuto una certa importanza per l'ulteriore sviluppo dello zen: la sua visione del tempo e del mutamento, e la sua idea che "*prajna* non è conoscenza". Il capitolo su "L'Immutabilità delle Cose", nel suo *Libro di Chao* è così originale e così sorprendentemente analogo alla parte sul tempo del primo volume dello *Shobogenzo* di Dogen, che è improbabile che il celebre filosofo giapponese non ne abbia avuto intima conoscenza.

> Le cose passate sono nel passato e non provengono dal presente, e le cose presenti sono nel presente, e non provengono dal passato... I fiumi che fanno a gara per inondare la Terra non scorrono. L'"aria vagante" che soffia intorno è immobile. Il sole e la luna, ruotando nelle loro orbite, non girano in tondo.[5]

Allo stesso modo Dogen affermò che la legna da ardere non diventa cenere, che la vita non diviene morte, proprio come l'inverno non diventa primavera. Ogni attimo di tempo è "contenuto in sé e immoto".[6]

Seng-chao trattò anche il paradosso apparente che *prajna* sia una forma di ignoranza. Poiché la realtà ultima non ha qualità e non è una cosa, non può divenire oggetto di conoscenza. Perciò *prajna*, intuizione diretta, conosce la verità col non conoscerla.

> La saggezza non conosce, eppure illumina la profondità più occulta. Lo spirito non calcola, tuttavia risponde alle necessità del momento. Poiché non calcola, lo spirito riluce di gloria solitaria in ciò che è al di là del mondo. Poiché non conosce, la Saggezza illumina il Mistero (*hsüan*).[7]

Questo è uno dei nessi principali fra il taoismo e lo zen, poiché lo stile e la terminologia del *Libro di Chao* è taoista per intero, anche se la materia trattata è buddista. Le massime dei primi maestri zen, come Hui-neng, Shen-hui, e

Huang-po, sono colme di queste idee – che il vero conoscere è non conoscere, che la mente risvegliata risponde con immediatezza, senza calcoli, e che non v'è incompatibilità fra la Buddità e la vita ordinaria del mondo. Anche più aderente al punto di vista dello zen fu il compagno di studi di Sung-chao, Tao-sheng (360-434), il primo chiaro e inequivocabile espositore della dottrina del risveglio istantaneo. Se il *nirvana* non può essere conseguito con l'afferrare, è fuor di discussione che si possa avvicinarglisi per gradi, con un lento processo di accumulazione di conoscenza. Lo si deve realizzare con un lampo unico di intuizione, che è *tun-wu*, o in giapponese, *satori*, l'usuale termine zen per indicare il risveglio subitaneo. Hsieh Ling-yün,[8] nella sua trattazione della dottrina di Tao-sheng, suggerisce perfino che il risveglio istantaneo sia più consono alla mentalità cinese che all'indiana, e avvalora l'interpretazione data da Suzuki dello zen come "rivolta" cinese contro il buddismo indiano. La dottrina di Tao-sheng, benché inusitata e sensazionale, deve avere incontrato un considerevole favore. È menzionata ancora, oltre un secolo più tardi, in un'opera di Hui-yüan (523-592) che l'associa anche al maestro Hui-tan, vissuto fin verso il 627.

Questi primi precursori dello zen sono importanti perché forniscono una traccia degli inizi storici del movimento, se non possiamo accettare la storia tradizionale che lo vuole introdotto in Cina nel 520 dal monaco indiano Bodhidharma. Moderni eruditi come Fung Yu-lan e Pelliot hanno avanzato seri dubbi sull'attendibilità di questa tradizione. Essi formulano l'ipotesi che la storia del Bodhidharma sia una pia invenzione di tempi posteriori, quando la scuola zen abbisognò di un'autorità storica per potere proclamare la trasmissione diretta dell'esperienza dal Budda medesimo, indipendentemente dai *sutra*. Bodhidharma è rappresentato infatti come il ventottesimo di una alquanto fantasiosa lista di patriarchi indiani, posti in linea diretta di "apostolica successione" da Gotama.[9]

A questo punto dell'indagine è difficile stabilire se le idee di questi studiosi siano da prendersi in considerazione, o se rappresentino soltanto un esempio ulteriore della moda accademica di sollevare dubbi sulla storicità dei fondatori di religioni. La versione tradizionale data alla propria origine dalla scuola zen è che Bodhidharma arrivasse a Canton dall'India intorno all'anno 520, e proseguisse per la corte dell'imperatore Wu di Liang, patrono entusiasta del buddismo. Tuttavia, la dottrina di Bodhidharma, con le sue rigide posizioni, non incontrò il favore dell'imperatore; di modo che il patriarca si ritirò per alcuni anni in un monastero nello stato di Wei, dove passò il proprio tempo "fissando la parete", finché non trovò un discepolo adatto in Hui-k'o, che divenne in seguito il secondo patriarca dello zen in Cina.[10]

Non v'è, certo, nulla di improbabile nell'arrivo di un grande maestro buddista dall'India in questo periodo. Kumarajiva era arrivato poco prima del 400, Bodhiruci subito dopo il 500, e Paramartha era alla corte di Liang pressappoco nel medesimo periodo di Bodhidharma. Può davvero sorprendere che a poco più di cent'anni dalla sua epoca non fosse sopravvissuta alcuna testimonianza della sua esistenza? Quella non era l'epoca dei giornali e dei "Who's who"; e perfino ai tempi nostri, fin troppo documentati, persone che abbiano dato un importante contributo alla nostra conoscenza e cultura possono rimanere ignorate fino a parecchi anni dopo la loro morte. A ogni modo, pare che si possa accettare anche la storia di Bodhidharma, finché non vi siano prove contrarie inconfutabili, ammettendo che pure le idee di Seng-chao, Tao-sheng e altri abbiano potuto confluire nella corrente dello zen.

Una delle ragioni per dubitare della storia di Bodhidharma è che lo zen ha uno stile così cinese che non può ammettere un'origine indiana. Tuttavia, un taoista autentico quale fu Seng-chao, fu allievo di Kumarajiva, come lo fu Tao-sheng, e gli scritti attribuiti a Bodhidharma e ai suoi successori, fino a Hui-neng (638-713), mostrano chiaramente la transizione dalla visione indiana a quella cinese di *dhyana*.[11]

La mancanza di qualsiasi notizia intorno a una scuola *dhyana* nella letteratura buddista indiana, o su Bodhidharma in connessione con la prima, è forse dovuta al fatto che non vi fu mai alcuna scuola *dhyana* o zen neppure in Cina, fino a circa 200 anni dopo il tempo di Bodhidharma. D'altro lato, ci sarebbe dovuta essere una pratica quasi universale di *dhyana*, o *ts'o-ch'an*[d] (in giapponese, *za-zen*) ossia "meditazione seduta" fra i monaci buddisti, e gli speciali istruttori che vigilavano questa pratica erano chiamati maestri *dhyana*, qualunque fosse la *loro* scuola o setta. Vi erano, del pari, maestri *vinaya*, o istruttori nella disciplina monastica, e maestri *dharma*, o istruttori nella dottrina. Lo zen divenne una scuola distinta solo quando promosse una visione del *dhyana* assai differente dalla pratica generalmente accettata.[12]

La tradizione zen rappresenta Bodhidharma come una persona dall'aspetto severo, con folta barba e uno sguardo sbarrato e penetrante, acceso tuttavia da un lieve bagliore. Narra una leggenda che una volta egli si addormentò durante la meditazione: se ne infuriò a segno che si recise le palpebre; le quali, cadendo sul terreno, germogliarono nella prima pianta di tè. Da quel tempo, il tè ha fornito ai monaci zen una protezione contro il sonno; e tanto chiarifica e invigorisce la mente che s'è detto: "Il gusto dello zen (*ch'an*) e il gusto del tè (*ch'a*) sono i medesimi". Un'altra leggenda narra che Bodhidharma sedette così a lungo in meditazione che gli si staccarono le gambe. Di qui il divertente simbolismo di quelle bambole daruma giapponesi, che rappresentano Bodhidharma con un corpo rotondo e senza gambe, che ritorna sempre ritto, anche quando lo si spinge giù. Una poesia popolare giapponese dice della bambola daruma:

Jinsei nana korobi
Ya oki.
Così è la vita;
Sette volte giù,
Otto volte su!

Il seguente colloquio di Bodhidharma con l'imperatore Wu di Liang è tipico delle sue brusche e dirette maniere.

L'imperatore, dopo avergli raccontato quello che aveva fatto per promuovere la pratica del buddismo, gli chiese quali meriti egli si fosse guadagnato con la sua condotta, secondo l'opinione popolare che il buddismo sia una graduale accumulazione di meriti, per mezzo di buone azioni che guidino a condizioni sempre migliori nelle vite future, e infine al *nirvana*. Ma Bodhidharma replicò: "Assolutamente nessun merito". Questa risposta sconvolse talmente le idee che l'imperatore si era fatto sul buddismo, che chiese ancora: "Ma allora, qual è il primo principio della sacra dottrina?". Bodhidharma rispose: "È semplicemente il vuoto: niente di sacro". "Chi sei dunque tu, disse l'imperatore, che mi stai dinanzi?" "Non lo so."[13] [e]

Dopo questo colloquio, così insoddisfacente per l'imperatore, Bodhidharma si ritirò in un monastero di Wei, dove si dice abbia passato nove anni in una caverna, "fissando la parete" (*pi-kuan*[f]). Suzuki sostiene che questa espressione non deve essere presa alla lettera, riferendosi allo stato interiore di Bodhidharma, all'esclusione dalla sua mente di ogni pensiero teso ad afferrare.[14] In tale atteggiamento Bhodhidharma rimase, finché non fu avvicinato dal monaco Shen-kuang, in seguito Hui-k'o (attorno al 486-593), che doveva succedere a Bodhidharma come secondo patriarca.

Hui-k'o chiese ripetutamente a Bodhidharma istruzione, ma sempre gli fu rifiutata. Nondimeno, egli continuò a sedere in meditazione fuori della grotta, aspettando pazientemente nella neve, sperando che Bodhidharma avrebbe infine ceduto. Alla fine, preso dalla disperazione, si tagliò il braccio sinistro e lo presentò a Bodhidharma come segno della sua angosciosa sincerità. Allora Bodhidharma chiese finalmente a Hui-k'o che cosa volesse.

"Non ho la pace della mente (*hsin*)," disse Hui-k'o. "Ti prego, rasserena la mia mente."

"Portami la tua mente qui, dinanzi a me," replicò Bodhidharma, "e io la pacificherò."

"Ma quando cerco la mia mente," disse Hui-k'o, "non riesco a trovarla." "Ecco!" gridò allora Bodhidharma. "Ho pacificato la tua mente."[15] [g]

In quel momento Hui-k'o ebbe il suo risveglio, il suo *tun-wu* o *satori*, di modo che questo dialogo costituisce il primo esempio di ciò che divenne il caratteristico metodo d'istruzione dello zen, il *wen-ta*,[h] in giapponese *mondo*, o "domanda-e-risposta", "talvolta liberamente chiamato "aneddoto zen". Gran parte della letteratura zen consiste di tali aneddoti, molti dei quali assai più imbarazzanti di questo, e il loro scopo è sempre di promuovere nella mente di chi fa le domande una specie di comprensione improvvisa, o di misurare la profondità della sua intuizione. Per questa ragione, tali aneddoti non si possono "spiegare" senza spogliarli del loro effetto. In un certo senso, assomigliano a barzellette che non producono l'effetto desiderato di far ridere quando il titolo umoristico richieda ulteriori spiegazioni. Si deve cogliere il senso immediatamente, se no, niente da fare.

Si dovrebbe, inoltre, comprendere che il carattere speciale di questi aneddoti è solo di rado simbolico; e di solito, comunque, in modo un po' secondario, come quando il dialogo contiene allusioni che sono ovvie per ambe le parti. Ma io ritengo che certi commentatori, come Gernet, sono in errore supponendo che il punto sostanziale sia la comunicazione di alcuni principi buddisti per mezzo di simboli. Il *satori*, che così di frequente consegue a questi dialoghi, non è affatto la pura e semplice comprensione della risposta a un enigma. Qualunque cosa, infatti, il maestro zen dica o faccia, è una diretta e spontanea espressione della quiddità, della sua natura di Budda; e quanto egli dà non è un simbolo, ma la cosa vera e propria. La comunicazione zen è sempre una "indicazione diretta", in armonia con il tradizionale sommario dello zen racchiuso nelle quattro frasi:

Al di fuori della dottrina; indipendente dalla tradizione.
Non fondato su parole e su lettere.
Diretto alla mente umana.
Discernente la propria natura e attingente la Buddità.[16 i]

Il successore di Hui-k'o si dice sia stato Seng-ts'an (m. 606), e il racconto del loro colloquio iniziale ha la stessa forma di quello fra Hui-k'o e Bodhidharma, eccetto che dove

Hui-k'o chiedeva "la pace della mente", Seng-ts'an chiese di essere "purificato dalle colpe". A lui si attribuisce un famoso poema intitolato *Hsing-hsing Ming*, il "Trattato sulla Fede nella Mente".[17] Se Seng-ts'an ne fu realmente l'autore, questa poesia è la prima chiara e comprensiva affermazione dello zen. Il suo tono taoista è manifesto nei versi d'apertura:

Il Tao perfetto è privo di difficoltà,
Salvo che evita di raccogliere e di scegliere.

E ancora:

Segui la tua natura, e accordati col Tao;
Girovaga e cessa il tormento
Se i tuoi pensieri sono legati, tu guasti ciò che è genuino...
Non opporti al mondo dei sensi,
Poiché quando non ti opponi,
Esso torna ad essere uguale al perfetto Risveglio.
La persona saggia non si sforza (*wu-wei*)*;*
L'ignorante si tiene legato...
Se tu operi sulla mente con la mente,
Come puoi sfuggire a un'immensa confusione?[18 j]

Il poema non soltanto è pieno di termini taoisti come *wu-wei* e *tzu-jan* (spontaneità), ma insiste nel tono di lasciare andare la mente e di confidare nella sua spontaneità, in contrasto con l'atteggiamento più tipicamente indiano di portarla sotto un rigido controllo e di chiudere la porta all'esperienza dei sensi.

Il quarto patriarca, che seguì a Seng-ts'an, si crede sia stato Tao-hsin (579-651). Quando questi si recò da Seng-ts'an, gli chiese:

"Qual è il metodo di liberazione?".

"Chi ti tiene prigioniero?" replicò Seng-ts'an.

"Nessuno mi tiene prigioniero."

"Perché allora," domandò Seng-ts'an, "dovresti cercare liberazione?"[19 k] E questo fu il *satori* di Tao-hsin. Il *Ch'uan Teng Lu* riporta un affascinante incontro fra Tao-hsin e il saggio Fa-yung, che viveva in un tempio solitario sul monte Niu-t'ou, ed era così santo che gli uccelli usavano portargli offerte di fiori. Mentre i due uomini stavano conversando, un animale selvaggio ruggì da molto vicino, e Tao-hsin ebbe un sobbalzo. Fa-yung commentò: "Vedo che è ancora con te!" riferendosi naturalmente alla istintiva "passione" (*klesa*) della paura. Poco dopo, in un momento che non era osservato, Tao-hsin scrisse sulla pietra dove Fa-yung era solito sedersi il carattere cinese significante "Budda". Quando Fa-yung tornò a sedersi, scorse il nome sacro ed esitò. "Vedo," proferì Tao-hsin, "che è ancora con te!" A questa osservazione, Fa-yung si risvegliò completamente... e gli uccelli non gli recarono mai più fiori.

Il quinto patriarca (e qui entriamo in un capitolo più attendibile della storia) fu Hung-jan (601-675). Al suo primo incontro con Hung-jan il patriarca domandò:

"Qual è il tuo nome (*hsing*)?"

"Ho una natura (*shing*)," rispose equivocando Hung-jan, "ma non è una natura comune."

"Qual è questo nome?" investigò il patriarca, ignorando l'equivoco.

"È la natura di Budda."

"Non hai allora un nome?"

"Non ce l'ho perché è una natura vuota."[20]

Hung-jan fu, per quanto ne sappiamo, il primo dei patriarchi ad avere un largo seguito: si dice infatti che presiedesse un gruppo di quasi cinquecento monaci in un monastero sulla montagna del Susino Giallo (Wang-mei Shan) al confine orientale del moderno Hupeh. Egli è, tuttavia, di gran lunga superato dal suo immediato successore, Hui-neng (637-713), la cui vita e il cui insegnamento fissano il decisivo inizio di un vero zen cinese, dello zen come fiorì durante quella che fu poi chiamata "l'epoca dell'attività dello zen", gli ultimi 200 anni della dinastia T'ang, da circa il 700 al 906.

Non si devono trascurare i contemporanei di Hui-neng, poiché egli visse nel periodo che fu il più creativo per il buddismo cinese nel suo complesso. Il grande traduttore e viaggiatore Hsüan-tsan era tornato dall'India nel 645 e stava esponendo la dottrina *vijnaptimatra* ("solo rappresentazione") dello Yogacara in Ch'ang-an. Il suo primo discepolo Fatsang (643-712) andò sviluppando l'importante scuola dello Hua-yen (in giapponese, Kegon) basata sulla *Avatamsaka Sutra*, e che più tardi provvide lo zen di una filosofia formale. Né dobbiamo dimenticare che, non molto prima di questi due personaggi, Chih-k'ai (538-597) aveva scritto il suo interessante trattato sul *Metodo Mahayana di Cessazione e Contemplazione*,[21] che conteneva l'insegnamento fondamentale della scuola Tien-t'ai, la quale sotto molti aspetti è affine allo zen. Gran parte del trattato di Chih-k'ai supera in contenuto e terminologia le dottrine di Hui-neng e dei suoi immediati successori.

Si dice che Hui-neng abbia avuto il suo primo risveglio quando, ancora quasi ragazzo, gli capitò di sentire qualcuno leggere il *Vajracchedika*. Egli partì quasi subito alla volta del monastero di Hung-jan, a Mang-mei, per avere la conferma di ciò che aveva udito e per ricevere ulteriore ammaestramento. È bene notare (per futuri riferimenti) che il suo originale *satori* avvenne spontaneamente, senza l'ausilio di un maestro, e che la sua biografia lo rappresenta come un contadino illetterato dei dintorni di Canton. Pare che Hung-jan riconoscesse immediatamente la profondità della sua intuizione; ma, temendo che le sue umili origini potessero renderlo inaccettabile in una comunità di monaci dotti, il patriarca lo mise a lavorare col personale di cucina.

Qualche tempo più tardi, il patriarca annunciò che stava cercando un successore cui poter commettere il proprio ufficio insieme con la tonaca e con la ciotola di accattonaggio (tramandata – a quanto si diceva – dal Budda) che erano le sue insegne. Questo onore sarebbe stato conferito alla persona che avesse espresso meglio, con una poesia, la sua conoscenza del buddismo. Il capo monaco della comunità era allora un certo Shen-hsiu, e tutti gli altri naturalmente pensavano che la carica sarebbe andata a lui; così non tentarono di competere.

Shen-hsiu, tuttavia era in dubbio sul proprio grado di

comprensione del buddismo, e decise di presentare anonima la sua poesia, proclamandone la paternità solo se il patriarca l'avesse approvata.

Durante la notte, quindi, collocò i seguenti versi nel corridoio presso le stanze del patriarca:

Il corpo è l'albero del Bodhi;
La mente uno specchio lucente.
Abbi cura di pulirlo di continuo,
Non lasciare che la polvere vi cada sopra.[l]

Il mattino seguente il patriarca lesse la poesia e ordinò che vi si bruciasse davanti dell'incenso, affermando che chi fosse riuscito a metterla in pratica avrebbe potuto realizzare la sua vera natura. Ma quando Shen-hsiu si recò da lui in privato e ne proclamò la paternità, il patriarca dichiarò che il suo grado di comprensione era ancora imperfetto.

Il giorno seguente, un'altra poesia comparve vicino alla prima:

Non vi fu mai un albero del Bodhi,
Né mai uno specchio lucente.
In realtà, nessuna cosa esiste;
Dove dovrà cadere la polvere?[m]

Il patriarca sapeva che solo Hui-neng poteva averla scritta; ma, per evitare gelosie, cancellò i versi con la scarpa, e convocò Hui-neng segretamente nella sua stanza, di notte. Quivi gli conferì il patriarcato, la tonaca e la ciotola, e gli disse di fuggire sulla montagna finché non si fosse placato l'orgoglio ferito degli altri monaci, e i tempi non fossero stati maturi per iniziare un insegnamento pubblico.[22]

Un confronto delle due poesie rivela subito il profumo caratteristico dello zen di Hui-neng. La poesia di Shen-hsiu riflette ciò che era evidentemente la concezione generale e popolare della pratica *dhyana* nel buddismo cinese. Questa era ovviamente intesa come la disciplina della meditazione seduta (*ts'o-ch'an*) in cui la mente era "purificata" da un'intensa concentrazione che avrebbe causato la cessazione di ogni pensiero e affetto. Presi un po' alla lettera, molti testi buddisti e taoisti confermerebbero queste vedute: che il più atto stato di coscienza è una coscienza vuota di ogni contenuto, di ogni idea, sentimento, e perfino sensazione. Oggi, in India, questa è una delle nozioni predominanti del *samadhi*. Ma la nostra esperienza con il cristianesimo dovrebbe renderci abbastanza familiare questo tipo di interpretazione puramente letterale.

La concezione di Hui-neng era che un uomo con una coscienza vuota non fosse migliore di "un ceppo o di un masso". Egli insisteva che l'idea totale di purificazione della mente era impropria e ambigua, poiché "la nostra natura è fondamentalmente limpida e pura". In altre parole non esiste analogia alcuna fra coscienza (o mente) e uno specchio che si possa spolverare. La vera mente è "non mente" (*wu-hsin*) il che vuol dire che non la si deve considerare come oggetto di pensiero o di azione quasi fosse una cosa da afferrare e controllare. Il tentativo di agire sulla propria mente è un circolo vizioso. Cercare di purificarla significa essere contaminati dalla purezza. Questa – ovviamente – è la filosofia taoista della naturalezza, secondo cui una persona non è schiettamente libera, distaccata o pura quando la sua condizione sia il risultato di una disciplina innaturale. Comportandosi così, essa non fa che imitare la purità; si limita a "contraffare" una chiara consapevolezza. Di qui la sgradevole "rettitudine" di coloro che sono deliberatamente e metodicamente religiosi.

L'insegnamento di Hui-neng è che invece di tentare di purificare o vuotare la mente, la si deve soltanto lasciare libera, giacché la mente non è cosa da afferrare. Lasciar libera la mente equivale anche a dar libero corso a pensieri e impressioni che vengono e vanno nella mente stessa, senza reprimerli, trattenerli, o interferirvi.

> I pensieri vengono e vanno da sé, poiché con l'uso della saggezza non v'è alcun arresto. Questo è il *samadhi* di *prajna*, e la naturale liberazione. Tale è la pratica del "non-pensiero" (*wu-nien*). Ma se non pensate assolutamente a nulla, e in quel

mentre ordinate ai pensieri di cessare, questo equivale a farsi prigionieri per colpa di un metodo; e ciò si chiama ottusità di visione. (2)[n]

Della concezione usuale di pratica meditativa egli dice:

Concentrarsi sulla mente e contemplarla è morboso: non è *dhyana*. Costringere il corpo a sedere a lungo, di che vantaggio è agli effetti del Dharma? (8)[o]

E ancora:

Se voi iniziate concentrando la mente sulla calma, non otterrete che una calma fittizia... Che significa la parola "meditazione" (*ts'o-ch'an*)? In questa scuola significa niente barriere, niente ostacoli; meditazione è al di là d'ogni posizione oggettiva, sia buona che cattiva. L'espressione "star seduti" (*ts'o*) significa non suscitare pensieri nella mente. (5)[p]

In opposizione al falso *dhyana* del semplice "vuoto di mente", Hui-neng paragona il Grande Vuoto allo spazio, e lo chiama grande, non perché sia vuoto, ma perché contiene il sole, la luna e le stelle. Il vero *dhyana* è capire che la propria natura assomiglia allo spazio, e che pensieri e sensazioni vengono e vanno in questa "mente originale" come uccelli per il cielo, senza lasciar traccia. Il risveglio, nella sua scuola, è "subitaneo" poiché è per gente di intelletto pronto, piuttosto che lento. Costoro devono per forza comprendere gradatamente o, per maggior esattezza, dopo un lungo periodo di tempo, dato che la dottrina del sesto patriarca non ammette stadi o sviluppi. Essere svegli significa essere completamente svegli, poiché, non avendo parti o divisioni, la natura di Budda non si realizza a grado a grado.

Le istruzioni finali ai suoi discepoli contengono una guida interessante al più recente sviluppo del *mondo* o metodo di insegnamento a "domanda-e-risposta":

Se nell'interrogarti, qualcuno ti pone domande sull'essere, rispondi col non essere. Se ti chiede del non essere, rispondi con l'essere. Se ti chiede qualcosa sull'uomo comune, rispondi nei termini del saggio. Se ti fa domande sul saggio, rispondi nei termini dell'uomo comune. Da questo metodo degli opposti mutualmente connessi nasce una comprensione della Via di Mezzo. A ogni domanda che ti si pone rispondi nei termini del suo opposto. (10)[q]

Hui-neng morì nel 713, e con la sua morte l'istituzione del patriarcato ebbe termine, poiché l'albero genealogico dello zen ramificò. La tradizione di Hui-neng passò a cinque discepoli: Huai-jang (m. 775), Ch'ing-yüan (m. 740), Shen-hui (668-770), Hsüan-chüeh (665-713), e Hui-chung (677-744).[23] "I discendenti spirituali di Huai-jang e Hsing-ssu vivono tutt'oggi nell'ambito delle due principali scuole dello zen in Giappone: la Rinzai e la Soto. Nei due secoli che seguirono la morte di Hui-neng la proliferazione delle linee di discendenza e scuole zen è molto complessa: a noi basta considerare alcuni dei personaggi più influenti.[24]

Gli scritti e le testimonianze dei successori di Hui-neng hanno sempre come tema la naturalezza. Sul principio che la "vera mente" è "non-mente" e che "la nostra vera natura non è (speciale) natura", si pone allo stesso modo in rilievo che la vera pratica dello zen è assenza di pratica; vale a dire, l'apparente paradosso di essere un Budda senza intendere di essere un Budda. Secondo Shen-hui:

Se uno ha questa conoscenza, essa è contemplazione (*samadhi*) senza contemplare, saggezza (*prajna*) senza sapere, pratica senza praticare. (4.193)

Ogni culto della concentrazione è fin dall'inizio mentalmente fallace. Come si potrebbe, infatti, conseguire una concentrazione coltivando la concentrazione? (1.117)

Se parliamo di operare con la mente, questo operare consiste in attività oppure inattività della mente? Se si tratta di inattività non differiremo dai volgari imbecilli. Ma se affermate che è attività, allora essa è di stanza nel regno dell'attaccamento, e noi risultiamo vincolati e inceppati dalle passioni (*klesa*). Quale via dobbiamo allora seguire per ottenere la liberazione? Gli *sravaka* coltivano il vuoto, vivono nel vuoto, e ne sono legati. Coltivano la concentrazione, vivono nella concentrazione, e ne sono legati Coltivano la tranquillità, vivono nella tranquillità, e ne sono legati... Se operare con la mente equivale a disciplinare la propria mente, come potrebbe ciò chiamarsi liberazione? (1.118)[25]

Sul medesimo tono Hsüan-chüen inizia la sua famosa poesia, il *Canto della Realizzazione del Tao* (*Cheng-Tao Ke*):

Non vedere quel tranquillo Uomo del Tao, che ha abbandonato
*Lo studio e non lotta (*wu-wei*)?*
Egli non evita i pensieri falsi, né cerca i veri,
Poiché l'ignoranza è in realtà la natura di Budda,
E questo illusorio, mutevole, vacuo corpo è il corpo di Dharma.[26 r]

Si narra il seguente aneddoto su Huai-jang, che iniziò allo zen il suo grande successore Ma-tsu (m. 788), il quale praticava a quel tempo la meditazione seduta nel monastero di Ch'uan-fa.

"Vostra reverenza," chiese Huai-jang, "qual è lo scopo dello stare seduti in meditazione?"

"Lo scopo," rispose Ma-tsu, "è divenire Budda."

A questo punto, Huai-jang raccolse una mattonella dal pavimento e si diede a strofinarla su una pietra.

"Che fate, maestro?" chiese Ma-tsu.

"La sto lucidando per farne uno specchio," disse Huai-jang.

"Come si può farne uno specchio?"

"Come si può sedendo in meditazione divenire Budda?"[27 s]

Ma-tsu fu il primo maestro zen famoso per "strane parole e straordinaria condotta"; e lo si descrive con un'andatura da toro e con uno sguardo da tigre. Quando un monaco gli chiese: "Come fai a entrare in armonia col Tao?" Ma-tsu rispose: "Sono già fuori dell'armonia del Tao!". Egli fu il primo a rispondere a domande sul buddismo percuotendo l'interrogatore o mandando un alto grido, "Oh!".[28 t] Tuttavia ogni tanto era anche più discorsivo. Una delle sue prediche tratta così il problema della disciplina:

> Il Tao non ha niente a che vedere con la disciplina. Se dite che lo si può ottenere mediante la disciplina, quando questa sia resa perfetta lo si può ancora smarrire (o, ultimata la disciplina, si scopre che essa ha perduto il Tao)... Se dite che non esiste una disciplina, questo significa essere pari alla gente comune.[29 u]

Il discepolo di Hsing-ssu, Shih-t'ou (700-740), dello zen Soto, fu anche più immediato:

> Il mio insegnamento, che deriva dagli antichi Budda, non si basa sulla meditazione (*dhyana*) o su una qualche diligente applicazione. Quando scoprirete l'intuizione raggiunta dal Budda, capirete che la mente è Budda e che Budda è mente; che mente, Budda, esseri senzienti, *bodhi* e *klesa*, sono di un'unica e identica sostanza, sebbene variano di nome.[30]

Il suo strano nome "Testa di Pietra" è attribuito al fatto che egli viveva alla sommità di una grande roccia nei pressi del monastero di Heng-chou.

Con il discepolo di Ma-tsu, Nan-ch'üan (748-834) e il suo successore Chao-chou (778-897) l'insegnamento dello zen divenne particolarmente vitale e inquietante. Il *Wumen kuan* narra che Nan-ch'üan interruppe un litigio fra i suoi monaci riguardo la proprietà di un gatto, minacciando di troncarlo in due con la sua vanga se nessuno dei monaci avesse detto una "buona parola", vale a dire espresso immediatamente il suo zen. Ci fu un silenzio di tomba e il maestro tagliò in due il gatto. Più avanti nel giorno, Nan-ch'üan raccontò l'incidente a Chao-chou; il quale si mise immediatamente le scarpe sulla testa e lasciò la stanza. "Se tu fossi stato qui," disse Nan-ch'üan, "il gatto sarebbe stato salvato"!

Si dice che Chao-chou abbia avuto il suo risveglio in seguito a questo incidente con Nan-ch'üan:

Chao-chou chiese: "Che cos'è il Tao?".

Il maestro rispose: "La tua mente comune (cioè, naturale) è il Tao".

"Come si può tornare in accordo con esso?"

"Se hai l'intenzione di accordarti, immediatamente devii."[v]

"Ma, senza intenzione, come si può conoscere il Tao?"

"Il Tao," disse il maestro, "non appartiene né al conoscere né al non conoscere. Conoscere è fallace comprensione; non conoscere è cieca ignoranza. Se tu realmente capisci il Tao, al di là di ogni dubbio, lo vedi simile al vuoto cielo. Perché introdurre il giusto e l'ingiusto?"[31]

Quando a Chao-chou fu chiesto se un cane abbia la natura di Budda (il che certo corrisponde alla dottrina mahayana corrente), egli pronunciò la sola parola "No!" (*Wu*,[w] in giapponese *Mu*).[32] Quando un monaco gli chiese di venire ammaestrato, egli semplicemente domandò se avesse mangiato la zuppa di avena: e poi aggiunse: "Va' a lavare la tua scodella!".[33] Quando fu interrogato sullo spirito che rimane quando il corpo è decomposto, osservò: "Stamane c'è ancora vento!".[34]

Ma-tsu ebbe un altro notevole discepolo in Po-chang (720-814), che si dice abbia organizzato la prima comunità di monaci esclusivamente zen, e fondato la sua regola sul principio che "un giorno senza lavoro è un giorno senza pane". Da quel tempo, un grande amore al lavoro manuale e un certo grado di auto-sufficienza è stato caratteristico delle comunità zen. Si dovrebbe qui notare che non si tratta di monasteri nel senso occidentale. Sono piuttosto scuole di addestramento, che uno è libero di abbandonare quando vuole. Alcuni membri rimangono monaci per tutta la vita, altri diventano ministri secolari a capo di piccoli templi; altri ancora possono tornare alla vita laica.[35] A Po-chang si attribuisce la famosa definizione dello zen: "Quando hai fame, mangia; quando sei stanco, dormi". Si dice che egli abbia conseguito il proprio *satori* quando Ma-tsu gli urlò negli orecchi e lo rese sordo per tre giorni, e che avesse l'abitudine di indicare la via zen ai suoi discepoli dicendo: "Non aggrappatevi; non cercate". Quando lo interrogavano, infatti, sulla ricerca della natura di Budda, egli rispondeva: "È molto simile a cavalcare un bue alla ricerca del bue".

Un altro importante maestro zen di questo periodo è

Huang-po (m. 850), discepolo di Po-chang. Non solo egli fu l'istruttore del grande Lin-chi, ma anche l'autore del *Ch'uan Hsin Fa Yao*, o "Trattato sui Primi Elementi della Dottrina della Mente". Il contenuto di questa opera è in sostanza lo stesso corpo di dottrina che si trova in Hui-neng, Shen-hui e Ma-tsu; ma esso contiene alcuni passaggi di notevole chiarezza, come pure, alla fine, franche e precise risposte ad alcune domande.

> Cercandola (la natura di Budda), essi raggiungono l'effetto contrario, di perderla; poiché tale ricerca equivale a servirsi del Budda per cercare il Budda, e a usare la mente per afferrare la mente. Anche se fanno del loro meglio per raggiungere un completo *kalpa*, non vi riusciranno mai. (1)
> Se chi studia il Tao non si risveglierà a questa essenza mentale, egli creerà una mente sopra e oltre la mente, cercherà il Budda al di fuori di sé, e resterà attaccato alle forme, alle pratiche e alle rappresentazioni: tutto questo è nocivo e non è la via alla suprema conoscenza. (3)[36]

Gran parte dell'opera è dedicata alla spiegazione del significato del Vuoto, e dei termini "non-mente" (*wu-hsin*) e "non-pensiero" (*wu-nien*), ognuno dei quali è accuratamente distinto dalla letterale vuotaggine o nullità. L'uso del linguaggio e di idee taoiste si ritrova lungo tutto il testo:

> Temendo che nessuno di voi avrebbe capito, essi (i Budda) gli diedero nome Tao, ma voi non dovete basare alcun concetto su questo nome.
> Così si dice che "quando il pesce è catturato la rete è dimenticata". (Da Chuang-tzu.) Quando corpo e mente conseguono la spontaneità, il Tao è raggiunto e la mente universale può essere compresa (29)... In tempi più antichi la mente degli uomini era acuta. Bastava una sola frase, ed essi abbandonavano lo studio, e così vennero chiamati "i saggi che abbandonando lo studio, rimangono nella spontaneità". Al giorno d'oggi, la gente cerca solo di rimpinzarsi di conoscenza e di deduzioni, tenendo in gran conto le spiegazioni scritte e chiamando tutto ciò "pratica". (30)[37]

Sembra, tuttavia, che da parte di Huang-po l'istruzione personale dei discepoli non fosse sempre così esplicativa. Lin-chi (in giapponese Rinzai, m. 867) non riuscì mai a ottenere una parola da lui. Ogni volta che cercava di fargli una domanda, Huang-po lo percuoteva; finché, disperato, egli lasciò il monastero e andò a chiedere consiglio a un altro maestro, Ta-yü, che gli rimproverò di essere tanto ingrato verso la "protettiva gentilezza" di Huang-po. Questo risvegliò Lin-chi, che si presentò di nuovo a Huang-po. Ma questa volta fu Lin-chi a colpire, esclamando: "Dopo tutto, non c'è gran che nel buddismo di Huang-po".[38]

Il libro dell'insegnamento di Lin-chi, il *Lin-chi lu* (in giapponese *Rinzai Roku*), rivela il carattere di un uomo immensamente vitale e originale, che teneva prediche ai discepoli in un linguaggio anticonformista e spesso violento. È come se Lin-chi usasse l'intera forza della sua personalità per costringere i discepoli all'immediato risveglio. Ripetutamente egli li rimprovera di non avere abbastanza fede in se stessi, di lasciar "galoppare" la loro mente alla ricerca di qualcosa che non hanno mai perduto, e che si trova "proprio dinanzi a voi in questo preciso momento". Il risveglio a Lin-chi sembra innanzi tutto una questione di "nerbo"; il coraggio di "lasciar andare" senza ulteriori indugi, nella ferma fiducia che la propria naturale, spontanea funzione è la mente di Budda. Il suo assalto al buddismo concettuale e all'ossessione degli allievi per stadi da superare e mete da raggiungere è spietatamente iconoclastico:

> Perché vi parlo qui? Solo perché voi, seguaci del Tao, andate in giro galoppando alla ricerca della mente, e non siete capaci di fermarvi. D'altra parte, gli antichi agivano in modo agile, appropriato alle circostanze che via via sorgevano. O voi, seguaci del Tao, quando giungerete a vedere le cose come sono, siederete a giudizio in cima alla... testa dei Budda. Chi abbia superato i dieci stadi vi apparirà come uno schiavo, e chi sia arrivato al Supremo Risveglio vi apparirà come fosse alla gogna. Gli Arhans e i Pratyeka-budda assomigliano a sozzi abitacoli. *Bodhi* e *nirvana* assomigliano a un basto da asino.[39]

Particolarmente enfatico egli diviene quando parla dell'importanza della vita "naturale" o "non affettata" (*wu-shih*[z]):

Nel buddismo non v'è posto per lo sforzo. Siate comuni e niente di speciale. Sollevate la vostra scodella, versate l'acqua, indossate i vostri abiti, e mangiate il vostro cibo. Quando siete stanchi, andatevi a sdraiare. Gli ignoranti possono ridere di me, ma il saggio capirà... Se viaggiando guarderete ogni luogo come il vostro paese natio, saranno tutti paesi natii: quando le circostanze si presentano, non dovete cercare di mutarle. Così, proprio le vostre consuete abitudini di sentire, che fanno del *karma* i Cinque Inferni, diverranno il Grande Oceano di Liberazione.[40]

E sulla ricerca di liberazione che equivale a produrre *karma*:

Al di fuori della mente non v'è Dharma, e anche all'interno non v'è nulla da afferrare. Che cosa andate cercando? Voi dite in ogni circostanza che il Tao dev'essere praticato e messo alla prova. Non siate in errore! Se v'è qualcuno che sappia praticarlo, questo è interamente il *karma* che origina vita-e-morte. Voi parlate sull'essere perfettamente disciplinati nei vostri sei sensi e nei mille modi di condotta: ma – a mio parere – tutto ciò equivale a fare il *karma*. Cercare il Budda e cercare il Dharma significa proprio fare il *karma* per gli inferni.[41] [aa]

In Ma-tsu, Nan-ch'üan, Chao-chou, Huang-po, e Lin-chi possiamo avvertire il "sapore" tipico dello zen. Taoista e buddista qual è nella sua ispirazione originale, lo zen è anche qualcosa di più. È così terreno, così concreto, così diretto... La difficoltà di tradurre i documenti di questi maestri dipende dal fatto che il loro cinese non è né classico né moderno: è piuttosto la parlata familiare del tempo della dinastia T'ang. La "naturalezza" di questa parlata è meno elegante, è meno palesemente bella del linguaggio dei savi e poeti taoisti: è quasi rozza e trita. Dico "quasi" perché l'espressione non è veramente appropriata. Manchiamo di equivalenti da altre culture per poterla paragonare a qualcosa; e lo studioso occidentale può meglio sentirne il sapore osservando le opere d'arte che lo zen ha in seguito ispirate. L'immagine più appropriata è forse un giardino formato da una distesa di sabbia cosparsa di rocce intatte ricoperte di muschio e licheni, quale oggidì si può vedere nei templi zen di Kyoto. I mezzi sono i più semplici immaginabili: l'effetto è come se questo giardino incantevole si potesse toccare, come fosse stato trasportato tale e quale da una spiaggia; ma in pratica è un effetto che soltanto il più sensibile ed esperto degli artisti può raggiungere. Ciò naturalmente suona come se il "sapore dello zen" fosse un primitivismo studiato e affettato. A volte è proprio così. Ma il tono genuino dello zen si realizza quando un uomo è pressoché miracolosamente naturale senza averne l'intenzione. La sua vita zen non consiste in un farsi ma nello *svilupparsi* a quel modo.

Dovrebbe perciò essere chiaro che la "naturalezza" di questi maestri T'ang non va presa alla lettera, come se lo zen consistesse puramente nel gloriarsi di essere una persona del tutto comune e volgare che getta al vento gli ideali e fa il proprio comodo, poiché questa sarebbe, nell'intimo, un'affettazione. La "naturalezza" dello zen fiorisce soltanto quando s'è perduto ogni genere di affettazione e di autocoscienza. Ma un tale spirito viene e va come il vento; ed è la cosa più difficile da convertire in regole e da conservare.

Tuttavia, nella tarda dinastia T'ang il genio e la vitalità dello zen erano tali che s'avviava a diventare la forma predominante di buddismo in Cina, sebbene il suo rapporto con altre scuole fosse sovente molto stretto. Tsung-mi (779-841) fu al tempo stesso un maestro zen e il quinto patriarca della scuola Hua-yen, che rappresentava la filosofia dell'*Avatamsaka Sutra*. Questa forma estremamente sottile e elaborata di filosofia mahayana fu adottata da T-ung-shan (807-869) per lo sviluppo della dottrina dei Cinque Ordini (*wu-wei*[bb]), concernente la relazione quintupla fra l'assoluto (*cheng*[cc]) e il relativo (*p'ien*[dd]); e fu avvicinata alla filosofia dello *I Ching*, il *Libro delle Mutazioni*, dal suo discepolo

Ts'ao-shan (840-901). Fa-yen (885-958) e Fe-yang (947-1024) furono anche maestri influenti, e svolsero uno studio approfondito dello Hua-yen che fino a oggi costituisce l'aspetto intellettuale dello zen. D'altra parte, maestri come Te-chao (891-972) e Yen-shou (904-975) mantennero strette relazioni con il T'ien-t'ai e con le scuole della Pura Terra.

Nell'845 vi fu una breve ma intensa persecuzione del buddismo da parte dell'imperatore taoista Wu-tsung. Templi e monasteri furono distrutti, le terre annesse confiscate, i monaci costretti a ritornare alla vita laica. Fortunatamente l'entusiasmo di Wu-tsung per l'alchimia del taoismo lo coinvolse presto in esperimenti sull'"Elisir dell'Immortalità", e per effetto di questo preparato l'imperatore in breve tempo morì. Lo zen era sopravvissuto alla persecuzione meglio di ogni altra scuola, ed entrò allora in una lunga epoca di favore imperiale e popolare. Centinaia di monaci affollavano i suoi doviziosi istituti monastici; e le fortune della scuola tanto prosperarono, e le sue moltitudini tanto s'accrebbero, che mantenere intatto il suo spirito divenne un problema di estrema gravità.

La popolarità, quasi invariabilmente, porta a un peggioramento della qualità; e, via via che lo zen si trasformava da movimento spirituale informale a istituzione più stabile, sopravvenne un curioso cambiamento di carattere. Si rese necessario "uniformare" i suoi metodi e trovare per i maestri i mezzi adatti a istruire un vasto numero di allievi. Si presentarono anche quei problemi particolari che sorgono per le comunità monastiche quando cresce il numero dei loro membri, le loro tradizioni si irrobustiscono, e i novizi tendono a essere sempre più dei semplici ragazzi privi di un'autentica vocazione, mandati ad ammaestrarsi dalle pressioni dei loro pii familiari. L'effetto di quest'ultimo fattore sullo sviluppo dello zen istituzionale non può essere sottovalutato. Le comunità zen furono sempre meno associazioni di uomini maturi, dotati di interessi spirituali e sempre di più convitti religiosi per adolescenti.

In queste condizioni, diventò essenziale il problema della disciplina. Oltre a indicare la via di liberazione dalle convenzioni, i maestri zen dovettero preoccuparsi di instillare in giovani inesperti convenzioni, modi e morale comuni. L'evoluto studioso occidentale che scopra un interesse per lo zen come filosofia o come via di liberazione, deve aver cura di ricordarsene; altrimenti potrebbe restare spiacevolmente sorpreso dallo zen monastico oggi esistente in Giappone. Egli troverà che lo zen è una disciplina inculcata con il bastone. Troverà che, sebbene sia tuttora – come fine più elevato – una effettiva via di liberazione, la sua principale preoccupazione è una disciplina che "educhi il carattere" alla stessa maniera delle scuole pubbliche inglesi di vecchio tipo o dei noviziati gesuiti. Ma lo zen svolge tale attività educativa con notevole bravura. Il "tipo zen" è molto raffinato (come si usa dire), fiducioso di sé, spiritoso, ordinato e metodico all'eccesso, energico ma non precipitoso, duro ma provvisto di un'acuta sensibilità estetica. L'impressione che in generale destano tali individui è che abbiano la stessa specie di equilibrio delle bambole daruma; non sono rigidi, ma nessuno può abbatterli.

Un altro grave problema sorge quando un'istituzione spirituale entra nella fase di prosperità e di potenza: il problema umano della rivalità per le cariche e per il diritto a essere maestro. L'interesse per questo problema si riflette nello scritto di Tao-yüan, il *Ch'uan Teng Lu*, o "Annali della trasmissione della lampada", del 1004 circa. Uno dei fini principali di quest'opera era – infatti – di stabilire una giusta "successione apostolica" per la tradizione zen, in modo che nessuno potesse reclamare la carica, se il proprio *satori* non fosse approvato da qualcuno che a sua volta avesse ricevuto approvazione... e così a ritroso fino ai tempi del Budda stesso.

Nulla è tuttavia più difficile che stabilire giuste qualificazioni nell'imponderabile regno dell'intuizione spirituale. Ove i candidati siano pochi, il problema non è così grave; ma quando un maestro sia responsabile di alcune centinaia di studenti, il processo d'insegnamento e d'esame richiede una uniformazione. Lo zen risolse questo problema con notevole ingegnosità, impiegando mezzi che non solo fornissero un esame di competenza, ma (ciò che più importa) trasmettessero la stessa esperienza zen con la minima deformazione.

Questa straordinaria invenzione fu il sistema del *kung-an*[ee] (in giapponese *koan*) o "questione zen". Letteralmente questo termine significa "pubblico documento" o "caso", nel senso di una decisione che determini un precedente legale. Il sistema *koan* comprende perciò il "superamento" di una serie di esami basati sul *mondo* o aneddoti degli antichi maestri. Uno dei *koan* iniziali è la risposta di Chao-chou, "*Wu*" ovvero "No" alla domanda se un cane abbia la natura di Budda. L'allievo è tenuto a dimostrare di aver capito il significato del *koan* per mezzo di una dimostrazione, da scoprirsi intuitivamente.[42]

Il periodo di prosperità che si ebbe col decimo e undicesimo secolo fu accompagnato da un senso di "perdita spirituale", che a sua volta diede origine a un incremento dello studio dei grandi maestri T'ang. I loro aneddoti furono in seguito raccolti in antologie come il *Pi-yen Lu* (1125) e il *Wu-men kuan* (1229). L'uso di questi aneddoti per il metodo *koan* ebbe inizio con Yüan-wu (1063-1135) e col suo discepolo Ta-hui (1089-1163) nella decima o undicesima generazione della discendenza di Lin-chi. Tuttavia, qualcosa che già principiava a rassomigliargli era stata impiegata da Huang-lung (1002-1069) al fine di trattare col suo seguito particolarmente vasto. Egli stabilì tre domande-prova, note come le "Tre Barriere di Huang-lung".

Domanda: Ognuno ha un luogo di nascita. Dove si trova il tuo luogo di nascita?
Risposta: Di primo mattino ho mangiato una pappa di riso. Ora ho fame un'altra volta.
Domanda: In che modo la mia mano assomiglia alla mano di Budda?
Risposta: Suonando il liuto sotto la luna.
Domanda: In che modo il mio piede è simile allo zoccolo di un asino?
Risposta: Quando un airone bianco si posa sulla neve, ha un colore diverso.[43]

Nessun dubbio che le risposte date fossero le risposte originali alle domande, ma più avanti il problema riguardava tanto la domanda quanto la risposta, poiché l'allievo era tenuto a discernere la relazione fra l'una e l'altra; il che non è molto evidente. Per ora è sufficiente dire che ogni *koan* ha un "punto" che rappresenta qualche aspetto dell'esperienza zen; che tale punto è spesso misterioso perché è molto più evidente di quanto ci si aspetti; e che i *koan* non riguardano soltanto il primario risveglio al Vuoto, ma anche le sue conseguenti manifestazioni nella vita e nel pensiero.

Il sistema dei *koan* si sviluppò nella scuola zen di Linchi (Rinzai) ma non senza contrasti. La scuola Soto trovò che era eccessivamente artificioso. Mentre i sostenitori del *koan* usavano questa tecnica come mezzo per incoraggiare l'opprimente "senso di dubbio" (*i ching*[ff]), ritenuto da loro un requisito essenziale per il *satori*, la scuola Soto argomentava che il *Koan* si prestava con troppa facilità proprio a quella ricerca del *satori* che lo fa dileguare, o – peggio – che induce a un *satori* artificiale. Gli aderenti alla scuola Rinzai sostengono talora che l'intensità del *satori* è proporzionale all'intensità del sentimento di dubbio, di cieca ricerca, che lo precede; ma per la scuola Soto ciò dimostra che un tale *satori* ha carattere dualistico, ed è perciò una mera reazione emotiva artificiale. Il punto di vista Soto era invece che il vero *dhyana* risiede nell'azione non motivata (*wu-wei*), nel "sedere solo per sedere" o nel "camminare solo per camminare". Per queste ragioni, le due scuole divennero note rispettivamente come zen *k'an-hua* (zen che osserva gli aneddoti) e zen *mo-chao* (zen silenziosamente illuminato).

La scuola Rinzai dello zen fu introdotta in Giappone nel 1191 dal monaco della setta T'ien-t'ai Eisai (1141-1215), che fondò monasteri a Kyoto e a Kamakura sotto il patronato imperiale. La scuola Soto fu introdotta nel 1227 da un ingegno eccezionale, Dogen (1200-1253), che fondò il grande monastero di Eiheiji, rifiutando tuttavia di accettare i favori imperiali. Si dovrebbe tener conto che lo zen arrivò in Giappone poco dopo l'inizio dell'era Kamakura, quando il dittatore militare Yoritomo e i suoi seguaci *samurai* avevano strappato il potere dalle mani della nobiltà, allora in declino. Questa coincidenza storica fornì alla classe militare dei *samurai* un tipo di buddismo che li conquistò per le sue qualità pratiche e mondane e per l'immediatezza e semplicità d'approccio. Sorse così una speciale pratica di vita, chiamata *bushido*, il Tao del guerriero, che in sostanza è l'applicazione dello zen all'arte della guerra. L'incontro della dottrina pacifista del Budda con l'arte della guerra ha sempre costituito un enigma per buddisti di altre scuole. Esso pare implicare il divorzio completo del risveglio dalla moralità. Ma si deve tener conto del fatto che, nella sua essenza, l'esperienza buddista è una liberazione da convenzioni di ogni specie, comprese le convenzioni morali. D'altra parte, il buddismo non è una rivolta contro le convenzioni; e in una società dove la casta militate sia parte integrante della struttura convenzionale e il ruolo del militare una necessità accettata, il buddismo darà al guerriero la possibilità di svolgere il suo compito come buddista. II culto medievale della cavalleria non dovrebbe costituire un enigma minore per il cristiano amante della pace.

Il contributo dello zen alla cultura giapponese non s'è affatto limitato al *bushido*. Lo zen è penetrato in quasi tutti gli aspetti della vita di quel popolo: architettura, poesia, pittura, giardinaggio, atletica, professioni e mestieri; ha pervaso il linguaggio e il pensiero di ogni giorno della gente più ordinaria. Infatti, per l'ingegno di alcuni monaci, come Dogen, Hakuin e Bankei; di poeti come Ryokan e Basho; e di un pittore come Sesshu, lo zen è divenuto straordinariamente accessibile alla mente comune.

Dogen, in particolare, ha reso un servizio incalcolabile alla sua terra natale. La sua immensa opera, lo *Shobogenzo* ("Tesoro dell'Occhio della Vera Dottrina"), fu scritta in vernacolo e trattò ogni aspetto del buddismo, dalla sua disciplina formale alle sue più profonde intuizioni. La sua dottrina di tempo, mutamento e relatività è spiegata con l'ausilio delle immagini poetiche più efficaci; e ci si deve solo rammaricare che nessuno finora abbia avuto il tempo e il talento per tradurre quest'opera dal giapponese. Hakuin (1685-1768) ricostituì il sistema dei *koan*, e si dice che abbia istruito allo zen non meno di ottanta successori. Bankei (1622-1693) trovò un metodo di presentazione dello zen così facile e così semplice che sembrò perfino troppo buono per essere vero. Egli parlò a vaste assemblee di contadini e di braccianti agricoli, ma nessuna persona "importante" pare abbia osato seguirlo.[44]

Frattanto, lo zen continuò a prosperare in Cina fino al tempo della dinastia Ming (1368-1643), quando le divisioni fra le varie scuole buddiste cominciarono a scomparire, e la popolare scuola della Pura Terra, col suo facile metodo consistente nell'invocare il nome di Amitabha, prese a fondersi con la pratica *koan*, e infine ad assorbirla. Alcune comunità zen pare siano sopravvissute fino a oggi; ma, per quanto m'è stato possibile studiarle, la loro dottrina è rivolta sia al Soto che alle preoccupazioni più "occultiste" del buddismo tibetano. In entrambi i casi, la loro visione dello zen appare connessa a una dottrina alquanto complessa e discutibile sull'anatomia psichica dell'uomo, che parrebbe derivare dalle idee alchimistiche del taoismo.[45]

La storia dello zen cinese pone un problema di grande interesse. Tanto lo zen Rinzai quanto lo zen Soto, come li troviamo oggidì nei monasteri giapponesi, danno un'importanza enorme allo *za-zen* o meditazione seduta, una pratica seguita per molte ore al giorno, che attribuisce gran peso alla correttezza della posizione e al modo di respirare. Praticare lo zen è, con ogni intento e proposito, praticare lo *za-zen*, cui la scuola Rinzai aggiunge il *sanzen*, le visite periodiche al maestro (*roshi*) per sottoporgli la propria interpretazione del *koan*. Tuttavia, lo *Shen-hui Ho-chang I-chi* riporta la seguente conversazione fra Shen-hui e un certo Ch'eng:

> Il maestro chiese al maestro dhyana Ch'eng: "Quale metodo si deve praticare per scoprire la propria natura?".
> "È anzitutto necessario applicarsi alla pratica di sedere a gambe incrociate in *samadhi*. Una volta ottenuto il *samadhi*, si deve, per mezzo del *samadhi*, ridestare in sé il *prajna*. Col *prajna* si può scoprire la propria natura."

(*Shen-hui*) "Quando si pratica il *samadhi* non è questa un'attività deliberata dalla mente?"
(*Cheng*) "Sì."
(*Shen-hui*) "Allora questa deliberata attività della mente è l'attività di una coscienza limitata, e come può, questa, guidare a scoprire la propria natura?"
(*Cheng*) "Per scoprire la propria natura è necessario praticare il *samadhi*. Come si potrebbe vedere altrimenti?"
(*Shen-hui*) "Tutta la pratica del *samadhi* è fondamentalmente una concezione sbagliata. Come si può, praticando il *samadhi*, conseguire il *samadhi*?" (1.111)

Abbiamo già menzionato l'incidente fra Ma-tsu e Huai-jang, in cui il secondo paragonò lo star seduti in meditazione a lucidare una mattonella per farne uno specchio. In un'altra occasione Huai-jang disse:

Addestrare te stesso a sedere in meditazione (*za-zen*) significa addestrare te stesso a essere un Budda seduto. Se ti eserciti nello *za-zen* (dovresti saperlo) lo zen non è né sedere né giacere. Se ti eserciti a essere un Budda seduto (dovresti saperlo) il Budda non è una forma fissa. Poiché il Dharma non ha (fissa) dimora, non è il caso di far scelte. Se tu (rendi te stesso) un Budda seduto, questo è precisamente uccidere il Budda. Se aderirai alla posizione seduta, non raggiungerai il principio (dello zen).[46 gg]

Questa appare la coerente dottrina di tutti i maestri T'ang, da Hui-neng a Lin-chi. Nel loro insegnamento non ho mai trovato qualche istruzione o raccomandazione su quel tipo di *za-zen* che è oggi la principale occupazione dei monaci zen.[47] "Al contrario, questa pratica è talvolta apertamente disapprovata, come nei due brani ora citati.

Si potrebbe supporre che lo *za-zen* fosse una regola così normale per la vita dei monaci zen, che le nostre fonti non si prendono neppure la briga di discuterne; e che l'insegnamento da parte del maestro fosse riservato agli allievi progrediti che, per avere conseguito un'alta padronanza dello *za-zen*, fossero in condizione di procedere oltre. Ciò tuttavia non si accorda con i riferimenti all'enorme numero di uditori laici e clericali che assistevano a certi sermoni; poiché sarebbe un po' fantasioso supporre che la Cina fosse gremita di perfetti yogi. Spesso i sermoni iniziano affermando, in modo sbrigativo e disinvolto, che tali insegnamenti si addicono a chi sia già bene esercitato nelle virtù buddiste. Ma questo potrebbe solo voler dire che si addicono a gente matura, che sia già in grado di dominare le comuni convenzioni sociali e morali, e perciò non corre pericolo di servirsi del buddismo come pretesto di rivolta contro la morale comune.

D'altro canto, si potrebbe pensare che il tipo di *za-zen* soggetto a critiche sia lo *za-zen* praticato con uno scopo, al fine di ottenere la Buddità, anziché "sedere solo per sedere". Ciò si accorderebbe con l'obiezione mossa dalla scuola Soto alla scuola Rinzai, sul metodo di questa di coltivare lo stato di "grande dubbio" mediante il *koan*. Sebbene il Soto non sia del tutto equanime nei confronti del Rinzai a tale riguardo, questa sarebbe certamente un'interpretazione plausibile della dottrina dei primi maestri. Tuttavia, diverse volte è espressa l'idea che lo stare a lungo seduti non sia molto meglio dell'essere morti. V'è, naturalmente, un luogo adatto a sedere (come a stare in piedi, a camminare, a giacere); però immaginare che lo star seduti racchiuda una speciale virtù significa "attaccamento alla forma". Così nel *T'an ching* Hui-neng dice:

Un vivo che siede e non giace,
Un morto che giace e non siede!
Costoro non sono, dopotutto, che immonde carcasse. (8)[hh]

Anche nello zen giapponese si incontra occasionalmente una pratica zen che esalta non tanto lo *za-zen*, quanto l'uso del lavoro ordinario quale mezzo di meditazione. Questo fu certamente vero a proposito di Bankei,[48] e tale principio è sottinteso nell'uso comune di alcune arti come la "cerimonia del tè", il suonare il flauto, la pittura, il tirare d'arco, la scherma e il *ju-jutsu* come modi per praticare lo zen. Forse, quindi, l'esagerata accentuazione dello *za-zen* negli ultimi tempi non è che un aspetto della trasformazione dei monasteri zen in scuole di addestramento per ragazzi. Costringerli a star seduti tranquilli per ore e ore sotto lo sguardo fisso dei sorveglianti muniti di bastoni, è certo un metodo sicuro per tenerli lontani dai pericoli.

Tuttavia, per quanto eccessiva possa essere stata la pratica dello *za-zen* in Estremo Oriente, non va escluso che una certa dose di "star seduti solo per star seduti" sia la miglior cosa al mondo per le menti balzane e i corpi agitati degli europei e degli americani. Purché naturalmente non se ne servano come di un metodo per trasformarsi in Budda.

Parte seconda

Principi e pratica

Capitolo primo

"Vuoto e meraviglioso"

L'inizio della più antica poesia zen dice:

*La perfetta Via (*Tao*) è priva di difficoltà,*
Salvo che evita di preferire e di scegliere.
Solo quando siate liberi da odio e da amore
Essa si svela in tutta la sua chiarezza.
Una distinzione sottile come un capello
E cielo e terra sono separati!
Se volete raggiungere la perfetta verità,
Non preoccupatevi del giusto e dell'ingiusto.
Il dissidio fra giusto ed ingiusto
È la malattia della mente.[1 a]

Il problema non è di sforzarsi di ridurre al silenzio i sentimenti e di coltivare una serena indifferenza. È di vedere al di là dell'universale illusione che ciò che è piacevole o buono può essere strappato da ciò che è penoso o male. Era un primo principio nel taoismo che:

Al mondo tutti sanno il bello che è bello
e per contrapposto il brutto
tutti sanno il bene che è bene
e per contrapposto il male
perciò essere o non essere si producono (a vicenda)
il difficile e il facile si completano (a vicenda)
il lungo e il corto si caratterizzano (a vicenda)
l'alto e il basso si differenziano (a vicenda)
il suono e il tono si accordano (a vicenda).[2]

Percepire questo equivale a percepire che il bene senza il male è come il sopra senza il sotto, e che proporsi l'ideale di ottenere il bene è come cercare di evitare la sinistra volgendosi costantemente a destra. Si è quindi costretti a girare in cerchio.[3]

La logica di questo concetto è così semplice che si è tentati di considerarla troppo semplice. La tentazione è di tanto più forte di quanto questa logica stravolge la più appassionata illusione della mente umana: che nel corso del tempo ogni cosa possa migliorare. Giacché è opinione generale che se questo non fosse possibile la vita dell'uomo sarebbe priva di scopo. L'unica alternativa a una vita di continuo progresso è sentita come un'esistenza scialba, statica e morta, così povera di gioia e così vana che tanto varrebbe sopprimerci. La stessa nozione di questa "unica alternativa" rivela come la mente sia saldamente vincolata a un criterio dualistico, e come sia arduo pensare in altri termini che non siano buono o cattivo, o una confusa mescolanza dei due.

Nondimeno lo zen è una liberazione da questo modello, e il suo apparentemente malinconico punto di partenza è di capire la vanità della scelta, l'assurdità della sensazione che la vita possa essere migliorata da una costante selezione del "bene". Si deve iniziare con la "conquista del senso della relatività", e col riconoscimento che la vita non è un pretesto per afferrare e per guadagnare, come se fosse qualcosa cui uno s'accosta dall'esterno, al pari di una pizza o di un barile di birra. Avere successo significa sempre fallire, nel senso che più uno ha successo in qualche cosa, e maggiore è il bisogno di continuare ad avere successo. Mangiare è sopravvivere per aver fame.

L'illusione di migliorare sorge in momenti di contrasto come quando ci si rivolta dalla sinistra alla destra su di un letto duro. La posizione è "migliore" finché dura il contrasto, ma a lungo andare la seconda posizione comincia a dar fastidi come la prima. Così si compra un letto più comodo e, per un po', si dorme in pace. Ma la soluzione del problema lascia uno strano vuoto nella propria coscienza, un vuoto presto colmato dalla sensazione di un altro intollerabile contrasto, fin qui inavvertito e altrettanto opprimente, altrettanto frustrante come il problema del letto duro. Il vuoto sorge perché la sensazione di comodità può essere mantenuta solo in relazione alla sensazione di scomodità, così come un'immagine è visibile all'occhio solo in virtù di uno sfondo contrastante. Il bene e il male, il piacevole e il penoso sono così inseparabili, così identici nella loro differenza – come le due parti di una moneta – che:

il bello è brutto, e il brutto è bello,

o, come nelle parole di una poesia dello *Zenrin Kushu*[4]:

Ricevere guai è ricevere buona fortuna;
Ricevere consenso è ricevere opposizione.[b]

Un'altra poesia esprime il concetto con un'immagine più vivace:

Al crepuscolo il gallo annunzia l'aurora;
A mezzanotte, il sole risplendente.[c]

Lo zen non dichiara, per questa ragione, che mangiare quando si ha fame è così futile che tanto vale languire, e non è così disumano da affermare che quando abbiamo prurito non dovremmo grattarci. La disillusione della ricerca del bene non implica, come sua necessaria alternativa, il male della stasi, poiché la situazione umana assomiglia a quella di "pulci su di una piastra che scotta". Nessuna delle alternative offre una soluzione, poiché la pulce che cade deve saltare, e la pulce che salta deve cadere. Scegliere è assurdo perché non vi è scelta.

Alla dualistica maniera del pensiero parrà quindi che il punto di vista dello zen è quello del fatalismo come opposto alla libera scelta. Quando fu chiesto a Mu-chou: "Noi ci vestiamo e mangiamo ogni giorno, e come sfuggiremo al bisogno di indossare degli abiti e di mangiare del cibo?". Egli rispose: "Ci vestiamo; mangiamo". "Non capisco," replicò il monaco. "Se non capisci indossa i tuoi abiti e mangia il tuo cibo."[5] [d] Interrogato su come sfuggire il "caldo", un altro maestro indirizzò l'interrogatore al luogo dove non c'è né caldo né freddo. Quando gli fu chiesto di spiegarsi, egli replicò: "In estate sudiamo; in inverno rabbrividiamo". O, come dice una poesia:

Quando fa freddo, ci raccogliamo intorno al focolare dinanzi al [fuoco che arde;
Quando fa caldo, ci sediamo sulla riva del torrente montano nei [boschetti di bambù.[6] [e]

E da questo punto di vista si può:

Scorgere il sole in mezzo alla pioggia;
Attingere limpida acqua dal centro del fuoco.[f]

Ma il punto di vista non è fatalistico. Non è semplicemente sottomissione all'inevitabilità del sudare quando fa caldo, del rabbrividire quando fa freddo, del mangiare quando si ha fame, e del dormire quando si è stanchi. La sottomissione al fato implica qualcuno che si sottometta, qualcuno che sia l'impotente marionetta delle circostanze, e per lo zen una tale persona non esiste. La dualità di soggetto e oggetto, del conoscente e del conosciuto, è vista così relativa, così reciproca, così inscindibile come ogni altra cosa. Noi non sudiamo *perché* fa caldo; il sudore *è* il caldo. È esattamente lo stesso affermare che il sole è luce a motivo degli occhi quanto affermare che gli occhi vedono la luce a motivo del sole. Il punto di vista è inconsueto perché è nostra salda convinzione pensare che il caldo viene prima e poi – per causalità – il corpo suda. Presentare il concetto in modo inverso è strabiliante, come dire "formaggio e pane" invece di "pane e formaggio". Così si esprime lo *Zenrin Kushu*:

Il fuoco non aspetta il sole per essere caldo,
Né il vento la luna, per essere fresco.

Questa sconcertante e all'apparenza illogica inversione del senso comune può forse chiarirsi con la favorita immagine zen della "luna nell'acqua". Il fenomeno luna-nell'acqua è reso congeniale all'esperienza umana. L'acqua è il soggetto, e la luna l'oggetto. Quando non vi è acqua non vi è luna-nell'acqua, e lo stesso quando non c'è luna. Ma quando sorge la luna, l'acqua non è lì in attesa di ricevere la sua immagine, e la luna non aspetta a proiettare il suo riflesso che ci sia una minuscola goccia d'acqua. Poiché la luna non ha intenzione di proiettare il suo riflesso, e l'acqua non accoglie la sua immagine di proposito. L'evento è causato tanto dall'acqua quanto dalla luna, e come l'acqua manifesta lo splendore della luna la luna rivela la chiarità dell'acqua. Un'altra poesia nello *Zenrin Kushu* dice:

> *Gli alberi mostrano la forma corporea del vento;*
> *Le onde danno vitale energia alla luna.*[g]

Per usare parole meno poetiche, l'esperienza umana è determinata tanto dalla natura della mente e dalla struttura dei sensi quanto dagli oggetti esterni che la mente rivela. Gli uomini si sentono vittime o marionette della loro esperienza per il fatto che essi separano "se stessi" dalla loro mente, ritenendo che la natura della mente-corpo sia qualcosa di involontariamente sovrapposto a "loro". Pensano che non hanno chiesto di nascere, non hanno chiesto di essere dotati di un organismo sensitivo per essere frustrati dall'alternarsi di piacere e pena. Ma lo zen ci chiede di scoprire "chi" è che "ha" questa mente, e "chi" fu che non chiese di nascere prima che padre e madre ci concepissero. Di qui si dimostra che l'intero senso di isolamento soggettivo, di essere uno cui fu "data" una mente e a cui succedono delle esperienze, è un'illusione di cattiva semantica, la suggestione ipnotica di un ripetuto errore di pensiero. Poiché non esiste un "me stesso" separatamente dalla mente-corpo che conferisce una struttura alla mia esperienza. È altrettanto ridicolo parlare di questa mente-corpo come di qualcosa che "accolse" passivamente e involontariamente una certa struttura. Essa *è* quella struttura, e prima che sorgesse la struttura non esisteva mente-corpo.

Il nostro problema è che il potere del pensiero ci pone in grado di costruire simboli indipendentemente dalle cose stesse. Questo implica l'attitudine di creare un simbolo, un'idea di noi stessi prescindendo da noi stessi. Poiché l'idea è tanto più comprensibile della realtà, il simbolo tanto più stabile del fatto, noi impariamo a identificarci con la nostra idea di noi stessi. Di qui la soggettiva sensazione di un "sé" che "ha" una mente, di un soggetto intimamente isolato cui le esperienze capitano involontariamente. Con il suo tipico amore per il concreto, lo zen pone in rilievo che il nostro prezioso "io" è solo un'idea, abbastanza utile e legittima se vista per quello che è, ma disastrosa se identificata con la nostra vera natura. L'innaturale goffaggine di un certo tipo di coscienza di sé affiora quando siamo coscienti del conflitto o contrasto fra l'idea di noi stessi da un lato, e l'immediato concreto sentimento di noi stessi dall'altro.

Quando non siamo più identificati con l'idea di noi stessi, l'intero rapporto fra soggetto e oggetto, conoscente e conosciuto, subisce un cambiamento improvviso e rivoluzionario. Diviene un rapporto reale, una mutualità in cui il soggetto crea l'oggetto proprio nella stessa misura che l'oggetto crea il soggetto. Il conoscente non si sente più indipendente dal conosciuto; lo sperimentatore non si sente più appartato dall'esperienza. Di conseguenza l'intera nozione dell'ottenere qualcosa "dalla" vita, del ricercare qualcosa "dalla" esperienza diviene assurda. In altre parole, diventa di una chiarezza lampante che nel fatto concreto io non possiedo altro me stesso che la totalità delle cose di cui sono cosciente. Questa è la dottrina Hua-yen (Kegon) della rete tempestata di gioielli, dello *shih-shih wu ai* (in giapponese *ji ji mu ge*), dove ogni gioiello contiene il riflesso di tutti gli altri.

Il senso dell'isolamento soggettivo è anche basato sull'incapacità di vedere la relatività degli eventi volontari e involontari. Questa relatività è facilmente avvertita mediante l'osservazione del proprio fiato, poiché con un lieve cambiamento di punto di vista è facile avvertire che "io respiro" altrettanto come "esso respira me". Noi sentiamo che le nostre azioni sono volontarie quando seguono a una decisione, e involontarie quando si compiono senza decisione. Ma se la stessa decisione fosse volontaria, ogni decisione dovrebbe essere preceduta da una decisione di decidere (in una regressione infinita che fortunatamente non avviene). È curioso che, se dovessimo decidere di decidere, non saremmo liberi di decidere. Noi siamo liberi di decidere perché la decisione "avviene". Decidiamo proprio senza avere là più pallida intelligenza di come decidiamo. Di fatto, il decidere non è né volontario né involontario. "Ottenere il senso" di questa relatività significa trovare un'altra strana trasformazione della nostra totale esperienza, che può essere descritta in due modi: io sento che sto decidendo ogni cosa che accade, ovvero sento che tutto ciò che presuppone la mia decisione sta accadendo spontaneamente. Poiché una decisione – la più libera delle mie azioni – si attua come un singulto dentro di me o come un uccello che canta al di fuori di me.

Un tal modo di vedere le cose è vividamente descritto da un moderno maestro zen, il defunto Sokei-an Sasaki:

> Un giorno cancellai tutte le nozioni dalla mia mente. Rinunciai a ogni desiderio. Scartai tutte le parole con le quali pensavo e me ne rimasi in pace. Mi sentivo quasi mancare, come se fossi trasportato entro qualcosa, o come se stessi toccando un potere a me ignoto... e sst! Entrai. Persi la linea di confine del mio corpo fisico. Conservavo la pelle, s'intende, ma sentivo di essere al centro del cosmo. Parlavo, ma le mie parole avevano perduto il loro significato. Vedevo gente venire verso di me, ma tutti erano lo stesso uomo. Tutti erano me stesso! Non avevo mai conosciuto questo mondo. Avevo creduto di essere stato creato, ma ora dovevo cambiare opinione: non ero mai stato creato; io ero il cosmo; nessun individuo sig. Sasaki esisteva.[7]

Parrebbe, allora, che lo sbarazzarsi della distinzione soggettiva fra "me" e la "mia esperienza" – attraverso la visione che la mia idea di me stesso non è me stesso – equivalga a scoprire l'effettivo rapporto fra me stesso e il mondo "esterno". L'individuo, da un lato, e il mondo, dall'altro, sono semplicemente i limiti astratti o i termini di una concreta realtà che è "fra" loro, come la concreta moneta è "fra" le astratte superfici euclidee delle sue due facce. Analogamente, la realtà di tutti gli "inseparabili opposti" (vita e morte, bene e male, piacere e pena, guadagno e perdita) è quel "fra" per il quale non abbiamo parole.

L'identificazione dell'uomo con la sua idea di se stesso gli comunica uno specioso e precario senso di permanenza. Difatti tale idea è relativamente fissa, essendo fondata su memorie del suo passato accuratamente scelte, memorie che hanno un carattere permanente. La convenzione sociale incoraggia la fissità dell'idea, perché la vera utilità dei simboli dipende dalla loro stabilità. La convenzione perciò lo incoraggia ad associare la sua idea di se stesso con ruoli e stereotipi egualmente astratti e simbolici, che lo aiuteranno a formarsi un'idea del suo ego definita e intelligibile. Ma a mano a mano che egli si identifica con l'idea fissa, diviene consapevole della "vita" come di qualcosa che scorre dietro di lui, sempre più rapida col passare degli anni, via via che la sua idea si fa più rigida, più sorretta dalle memorie. Più egli tenta di afferrare il mondo, più lo avverte come un processo in movimento.

Una volta Ma-tsu e Po-chang si trovavano fuori a passeggiare, quando scorsero alcune oche selvatiche volare sopra di loro.

"Che cosa sono?" chiese Ma-tsu.

"Sono oche selvatiche," disse Po-chang.

"Dove stanno andando?" domandò Ma-tsu.

"Sono già volate via," replicò Po-chang.

D'improvviso Ma-tsu afferrò Po-chang per il naso e glielo torse fino a farlo urlare di dolore.

"Come," tuonò Ma-tsu, "avrebbero potuto volar via?"

Questo fu il momento del risveglio di Po-chang.[8]

La relatività di tempo e moto è uno degli argomenti principali dello *Shobogenzo* di Dogen, dove egli scrive:

> Se osserviamo la riva mentre stiamo navigando in barca, ci pare che la spiaggia si muova. Ma se guardiamo più vicino alla barca stessa, sappiamo allora che è la barca a muoversi. Quando noi guardiamo l'universo in confusione di corpo e di mente, spesso acquistiamo l'errata credenza che la nostra mente sia costante. Ma se noi pratichiamo (lo zen) e ritorniamo a noi stessi, vediamo che ci eravamo sbagliati.
> Quando la legna da ardere diventa cenere, giammai questa ritorna a essere legna da ardere. Ma non dovremmo dedurne che ciò che ora è cenere era dapprima legna da ardere. Quanto dovremmo capire è che, secondo la dottrina del buddismo, la legna da ardere resta alla posizione di legna da ardere... Vi sono fasi anteriori e fasi posteriori, ma queste fasi sono chiaramente distinte.
> Lo stesso è della vita e della morte. Così noi diciamo nel buddismo che il Non-nato è anche il Non-morituro. La vita è una posizione temporale. La morte è una posizione temporale. Sono come inverno e primavera, e nel Buddismo non consideriamo che l'inverno *diventa* primavera, o che la primavera *diventa* estate.[9]

Dogen qui si studia di esprimere lo strano senso di momenti senza tempo che sorge quando non si cerca più di resistere al flusso degli eventi, la peculiare calma e auto-sufficienza degli istanti che si succedono quando la mente sta, per così dire, procedendo con loro e non tenta di arrestarli. Una visione simile è espressa così da Ma-tsu:

> Un *sutra* dice: "È soltanto un gruppo di elementi che convergono a formare questo corpo". Quando esso ha origine, soltanto questi elementi hanno origine. Quando finisce soltanto questi elementi finiscono. Ma quando questi elementi sorgono, non dite: "Io sto sorgendo"; e quando finiscono, non dite: "Io sto finendo". Così, pure, coi nostri pensieri di prima, di dopo, e di ora (ovvero, esperienze): i pensieri si susseguono l'un l'altro senza essere congiunti. Ognuno è assolutamente tranquillo.[10 h]

Il buddismo ha frequentemente paragonato il corso del tempo al moto apparente di un'onda, in cui soltanto l'acqua si muove su e giù, creando l'illusione di un "pezzo" di acqua in movimento sulla superficie. È analoga illusione che vi sia un "io" costante che si muove attraverso esperienze successive, costituendo un nesso fra di loro in modo tale che il giovane diviene l'uomo che diviene l'anziano che diviene il cadavere.

Connessa, allora, con la ricerca del bene è la ricerca del futuro, l'illusione per la quale noi siamo incapaci di essere felici senza un "futuro lusinghiero" per il simbolico io. Il progresso verso il bene è perciò misurato sulla lunghezza della vita umana, dimenticando che nulla è più relativo del nostro senso della lunghezza del tempo. Una poesia zen dice:

La gloria del mattino che risplende per un'ora
Non differisce in sostanza dal pino gigante,
Che vive mille anni.

Soggettivamente, un insetto sente senza dubbio che il suo breve periodo di qualche giorno è una durata di vita ragionevolmente lunga. Una tartaruga, con la sua durata di parecchie centinaia di anni, sentirebbe soggettivamente lo stesso. Non tanto tempo fa la vita media dell'uomo era di circa quarantacinque anni. Oggi va dai sessantacinque ai settanta anni, ma soggettivamente gli anni sono più veloci, e la morte, quando viene, arriva sempre troppo presto. Come disse Dogen:

I fiori muoiono quando ci rattrista perderli;
Le male erbe spuntano quando ci rattrista vederle crescere.

Questo è perfettamente naturale e umano, e nessuna contrazione e distensione di tempo farà sì che sia diverso.

Al contrario, la misurazione del merito e del successo in termini di tempo e l'insistente ricerca di promesse per l'avvenire rendono impossibile vivere liberamente tanto nel presente come nel "lusinghiero" futuro, quando esso arriva. Poiché nulla esiste se non il presente, e se non ci si può vivere, non si può vivere in nessun luogo. Lo *Shobogenzo* dice:

Quando un pesce nuota, procede sempre nuotando, e l'acqua non ha fine. Quando un uccello vola, va innanzi volando, e non vi è fine al cielo. Dai tempi più antichi non vi fu mai pesce che nuotasse fuori dell'acqua, né uccello che volasse fuori del cielo. Pure, quando il pesce ha bisogno di un po' d'acqua, ne usa solo un poco; e quando ne ha bisogno di molta, ne usa molta. Così la sommità del loro capo è sempre al margine esterno (del loro spazio). Se mai un uccello vola al di là di quel margine, muore, e così anche per il pesce. Dall'acqua il pesce trae la sua vita, e dal cielo l'uccello. Ma questa vita è fatta dall'uccello e dal pesce. Al tempo stesso, l'uccello e il pesce sono fatti dalla vita. Così vi sono il pesce, l'acqua, e la vita, e tutti e tre si creano a vicenda.
Tuttavia se vi fosse un uccello che prima desiderasse esaminare la dimensione del cielo, o un pesce che prima volesse esaminare l'estensione dell'acqua, e poi cercare di volare o di nuotare, essi non troverebbero mai il loro cammino nel cielo o nell'acqua.[11]

Questa non è la filosofia del non guardare dove si va; è la filosofia del non rendere il luogo dove si va così più importante del luogo dove si è, che non vi sia alcun punto nell'andare.

La vita dello zen, perciò, inizia con la sconfessione di mete che in realtà non esistono – il buono senza il cattivo, la gratificazione di un io che è solo un'idea, e il domani che non viene mai. Poiché tutte queste cose sono un inganno di simboli che pretendono di essere realtà, e andarne alla ricerca è come camminare diritti contro un muro sul quale un pittore abbia dipinto, per convenzione di prospettiva, un passaggio aperto. In breve, lo zen *inizia* al punto dove non c'è più nulla da cercare, nulla da guadagnare. Lo zen non è da considerarsi come un sistema di auto-miglioramento, o come un mezzo per divenire Budda. Come dice Lin-chi, "se un uomo ricerca il Budda, quest'uomo perde il Budda".

Infatti tutte le idee di auto-miglioramento e di divenire o di conseguire qualcosa nel futuro si riferiscono solamente alla nostra immagine astratta di noi stessi. Inseguirle significa dare ulteriore realtà a quest'immagine. D'altro lato, il nostro io vero, non concettuale, è già il Budda, e non ha bisogno di migliorare. Nel corso del tempo esso può evolversi, ma non si critica un uovo perché non è un pollo; ancor meno si critica un maiale perché possiede un collo più tozzo della giraffa. Una poesia *Zenrin* dice:

Nel paesaggio di primavera non v'è né alto né basso;
I rami fioriti crescono naturalmente, alcuni lunghi, altri corti.[i]

Quando Ts'ui-wei fu interrogato sul significato del buddismo, rispose: "Aspettate che *non* vi sia nessuno nei dintorni, e ve lo dirò". Un po' più tardi il monaco gli si avvicinò di nuovo, dicendo: "Non c'è nessuno adesso. Rispondetemi, vi prego". Ts'ui-wei lo condusse fuori nel giardino e ispezionò il boschetto dei bambù, senza parlare. Il monaco seguitava a non capire, così alla fine Ts'ui-wei disse: "Ecco un bambù alto; eccone uno basso!".[12] O, come dice un'altra poesia dello *Zenrin*:

Una cosa lunga è il lungo Corpo di Budda;
Una cosa corta è il corto Corpo di Budda.[j]

Il significato dello zen è dunque chiamato *wu-shih* (in giapponese *buij*) ovvero "nulla di speciale", poiché come il Budda afferma nel *Vajracchedika*:

Io non ottenni alcunché dalla suprema, perfetta illuminazione e proprio per questa ragione essa è detta "suprema, perfetta illuminazione". (22)

L'espressione *wu-shih* ha pure il senso di cosa perfettamente naturale e priva di affettazione, in cui non c'è "baccano" o "faccenda". Il conseguimento del *satori* è spesso suggerito dall'antica poesia cinese:

Il Monte Lu in fitta pioggia; il Fiume Che in alta marea.
Prima di andarci, l'acuto desiderio non mi faceva dormire!
Io andai e tornai... Non era nulla di speciale:
Il Monte Lu in fitta pioggia; il Fiume Che in alta marea.

Secondo il detto famoso di Ch'ing-yüan:

> Prima che per trent'anni avessi studiato lo zen, vedevo le montagne come montagne e le acque come le acque. Quando giunsi a una conoscenza più profonda, vidi che le montagne non sono montagne e le acque non sono acque. Ma ora che ho raggiunto la vera sostanza del conoscere, sono in pace. Poiché ora vedo le montagne ancora una volta come montagne, e le acque come acque.[13 k]

La difficoltà dello zen è, naturalmente, di spostare la propria attenzione dall'astratto al concreto, dal simbolico io alla propria vera natura. Fintanto che ci limitiamo a parlarne, fintanto che rivolgiamo nella nostra mente le idee intorno a "simbolo" e "realtà" o seguitiamo a ripetere "io non sono la mia idea di me stesso", questo è ancora semplice astrazione. Lo zen creò il metodo (*upaya*) della "indicazione diretta" allo scopo di sfuggire a questo circolo vizioso, al fine di volgere il reale alla nostra immediata attenzione. Leggendo un libro difficile non è di alcun giovamento pensare "*dovrei* concentrarmi", poiché si pensa alla concentrazione invece di pensare a ciò che il libro ha da dire. Così pure, nello studiare o nel praticare lo zen, non è di minimo aiuto pensare allo zen. Rimanere irretiti in idee e parole intorno allo zen significa, come dicono gli antichi maestri, "puzzare di zen".

Per questa ragione i maestri parlano dello zen il meno possibile, e ci gettano immediatamente agli occhi la sua concreta realtà. Questa realtà è la quiddità (*tathata*) del nostro mondo naturale, non verbale. Se la vediamo proprio com'è, non v'è nulla di buono, nulla di cattivo, nulla di intrinsecamente lungo o breve, nulla di soggettivo e nulla di oggettivo. Non esiste alcun simbolico io da scordare, nessun bisogno di un'idea di concreta realtà da ricordare.

Un monaco chiese a Chao-chou: "Per quale ragione il primo patriarca venne dall'Occidente?". (Questa è una domanda formale che sollecita la risposta al problema centrale dell'insegnamento di Bodhidharma, ossia dello zen stesso.)

Chao-chou rispose: "Il cipresso nel cortile".

"State cercando," disse il monaco, "di dimostrarlo per mezzo di una realtà oggettiva?"

"Nient'affatto," ribatté il maestro.

"Per quale ragione, allora, il primo patriarca venne dall'Occidente?"

"Il cipresso nel cortile!"[14]

Notate come Chao-chou spinge il monaco a frustate fuori dalla sua concettualizzazione della risposta. Quando a T'ung-shan fu chiesto: "Che cos'è il Budda?" egli rispose: "Tre libbre di lino!". Su questo Yüan-wu commenta:

> Varie risposte sono state date da differenti maestri alla domanda, "Che cosa è il Budda?"... Nessuna, comunque, può superare quella di T'ung-shan, "Tre libbre di lino," nella sua irrazionalità che annulla ogni passaggio speculativo. Taluni commentano che T'ung-shan stava pensando al lino in quel momento, donde la risposta.
> ...Altri pensano che, siccome l'interrogatore non era consapevole d'essere egli stesso il Budda, T'ung-shan gli rispose in questa maniera indiretta. Questi commentatori somigliano tutti a cadaveri, perché sono completamente incapaci di intendere la vivente verità. Ve ne sono ancora altri che prendono le "tre libbre di lino" per Budda. Quali sconsiderate e fantastiche osservazioni fanno![15]

I maestri sono risoluti nel tagliar corto a ogni teorizzazione e a ogni speculazione su queste risposte. La "indicazione diretta" fallisce interamente nei suoi disegni se richiede o stimola un commento concettuale.

Fa-yen chiese al monaco Hsüan-tzu perché non gli avesse mai rivolto domande sullo zen. Il monaco spiegò che aveva già raggiunto la comprensione a opera di un altro maestro. Incitato da Fa-yen a spiegarsi, il monaco spiegò che quando aveva chiesto al suo insegnante: "Che cosa è il Budda?" aveva ricevuto la risposta: "Ping-ting T'ung-tzu viene a chiedere fuoco!".

"Una buona risposta!" disse Fa-yen. "Ma sono sicuro che non la capisco."

"Ping-ting," spiegò il monaco, "è il dio del fuoco. Per lui andare a cercar fuoco è come per me cercare il Budda. Io sono il Budda di già, e nessuna domanda è necessaria."

"Proprio come pensavo!" rise Fa-yen. "Non l'hai afferrata."

Il monaco fu così offeso che lasciò il monastero, ma più tardi si pentì e ritornò, umilmente chiedendo spiegazione.

"Domandami," disse Fa-yen.

"Che cosa è il Budda?" interrogò il monaco.

"Ping-ting T'ung-tzu viene a chiedere fuoco!"[16]

Il punto di questo *mondo* è forse indicato meglio da due poesie sottoposte dal buddista della Pura Terra Ippen Shonin al maestro zen Hoto, tradotte da Suzuki dalle *Massime di Ippen*. Ippen fu uno di coloro che studiarono lo zen per trovare un accostamento fra lo zen e la scuola della Pura Terra, nota per la sua pratica di ripetere il nome di Amitabha. In giapponese, la formula è "*Namu Amida Butsu!*". Ippen dapprima presentò questi versi:

Quando il Nome è proferito,
Non vi è né il Budda
Né l'io!
Na-mu-a-mi-da-bu-tsu
La voce sola è udita.

Hoto sentì che tale poesia non esprimeva compiutamente il punto, ma concesse la sua approvazione quando Ippen gli sottopose una seconda poesia:

Quando il nome è proferito,
Non vi è né il Budda
Né l'io!
Na-mu-a-mi-da-bu-tsu,
Na-mu-a-mi-da-bu-tsu![17]

Po-chang aveva tanti discepoli che dovette aprire un secondo monastero. Per trovare un maestro adatto, egli convocò i suoi monaci e pose davanti a loro una brocca, dicendo:

"Senza chiamarla brocca, ditemi cos'è".

Il capo monaco disse: "Non potresti chiamarla pezzo di legno".

A questo punto il cuoco del monastero buttò via con un calcio la brocca e se ne andò. Al cuoco fu dato l'incarico del nuovo monastero.[18] Vale la pena ora di citare una delle prediche di Nan-ch'üan:

> Prima che il mondo si manifestasse (*Valga*), non v'erano nomi. Appena il Budda arriva nel mondo, vi sono nomi, e così noi ci afferriamo alle forme. Nel grande Tao non v'è assolutamente nulla di profano o di sacro. Se vi sono nomi, ogni cosa è classificata entro limiti e confini. Perciò il vecchio Occidente del Fiume (ossia, Ma-tsu) disse: "Non è mente; non è Budda; non è cosa".[191]

Questo, naturalmente, riflette la dottrina del *Tao Te ching* che:

> Il senza nome è l'inizio del cielo e della terra;
> Il nominato è la madre delle diecimila cose. (1)

Ma l'"anonimo" di Lao-tzu e il "*kalpa* del vuoto" di Nan-ch'üan prima della manifestazione del mondo non sono antecedenti al mondo convenzionale delle cose nel tempo. Sono la quiddità del mondo proprio com'è ora, e che i maestri zen additano direttamente. Il cuoco di Po-chang viveva ben desto in quel mondo e rispose al problema del maestro nei suoi termini anonimi e concreti.

Un monaco chiese a Ts'ui-wei: "Per quale ragione il primo patriarca venne dall'Occidente?".

Ts'ui-wei rispose: "Passami il posa-mento".

Non appena il monaco glielo passò, Ts'ui-wei lo prese e glielo scaraventò addosso.[20]

Un altro maestro stava prendendo il tè con due suoi discepoli quando all'improvviso gettò il suo ventaglio a uno di loro, dicendo: "Che cos'è questo?". Il discepolo aprì il ventaglio e si fece vento. "Non c'è male," fu il commento. "Ora a te," egli proseguì passando il ventaglio all'altro discepolo, il quale subito lo chiuse e si grattò il collo. Ciò fatto, lo aperse di nuovo, vi pose sopra un pezzo di torta e l'offerse al maestro. Questo fu considerato anche meglio, poiché quando mancano nomi il mondo non è più "classificato entro limiti e confini".

V'è, senza dubbio, un certo parallelismo fra queste dimostrazioni e il punto di vista della semantica korzybskiana. V'è il medesimo rilievo dato all'importanza di evitare confusioni fra parole e segni, da un lato, e il mondo "inesprimibile", infinitamente variabile, dall'altro. Le classificazioni dei principi semantici spesso rassomigliano a tipi di *mondo*. Il prof. Irvin Lee, della Northwestern University, era solito esporre davanti alla classe una scatola di fiammiferi, chiedendo: "Che cos'è questo?". Gli studenti erano soliti cadere ingenuamente nella trappola e dire: "Una scatola di fiammiferi!". A questo punto il prof. Lee soleva dire: "No, no! È *questo*", gettando alla scolaresca la scatola di fiammiferi, e aggiungendo: "*Scatola di fiammiferi* è un rumore. È *questo* un rumore?".

Comunque sembrerebbe che Korzybski pensasse all'"inesprimibile" mondo come a una molteplicità di eventi infinitamente differenziati. A chi insistesse che nel mondo esistono reali differenze, un maestro zen potrebbe presentare la propria mano e dire: "Senza pronunziar parola, dimostra la differenza fra le mie dita". È subito chiaro che "identità" e "differenza" sono astrazioni. Lo stesso si potrebbe dire di tutte le categorizzazioni del mondo concreto (anche lo stesso "concreto"), poiché termini come "fisico", "materiale", "oggettivo", "reale", ed "esistenziale" sono simboli astratti in sommo grado. In verità, più si tenta di definirli, più si scopre che sono privi di significato.

Il mondo della "quiddità" è vuoto e un po' ingrato perché trae la mente fuori del pensiero, facendo ammutolire il chiacchierio della definizione, così che non ci rimane nulla da dire. Tuttavia è ovvio che non siamo messi a confronto con il nulla in senso letterale. È vero che, quando siamo incalzati dalla fretta, ogni tentativo di afferrare il nostro mondo ci lascia a mani vuote. Di più, quando cerchiamo di essere sicuri almeno di noi stessi, come soggetti conoscenti, noi scompariamo. Non possiamo trovare un io scisso dalla mente; e non possiamo trovare una mente separatamente da quelle esperienze che la mente – ora scomparsa – si sforzava di ghermire. Come dice la metafora suggestiva di R.H. Blyth, quando eravamo proprio sul punto di colpire la mosca, la mosca è volata via posandosi sullo scacciamosche. In termini di immediata percezione, quando cerchiamo le cose non v'è null'altro che la mente e quando cerchiamo la mente non v'è null'altro che le cose. Per un momento restiamo paralizzati perché sembra che ci manchi una base per l'azione, un terreno sotto i piedi per spiccare un salto. Eppure nulla è cambiato, e nel momento seguente ci troviamo liberi di agire, di parlare, e di pensare come non mai, seppure in uno strano e miracoloso mondo nuovo dal quale "io" e "altro", "mente" e "cose" sono scomparsi. Dice Te-shan:

> Soltanto quando non hai nessuna cosa nella mente e non hai mente nelle cose tu sei sgombro e spirituale, vuoto e meraviglioso.[21 m]

La meraviglia può soltanto esser descritta come la specialissima sensazione di libertà d'azione che sorge quando il mondo non è più sentito come una specie d'ostacolo che ci si erge contro. Essa non è libertà nel crudo senso di "sbarazzarsi di ogni controllo" e di comportarsi con sfrenato capriccio. È la scoperta della libertà nei compiti più ordinari, poiché quando il senso di isolamento soggettivo svanisce, il mondo non è più sentito come un oggetto intrattabile.

Yün-men una volta disse: "La nostra scuola vi lascia andare per qualsiasi strada. Uccide e porta alla vita, come più vi piace".

Un monaco allora chiese: "In che modo essa uccide?".

Il maestro replicò: "L'inverno va e la primavera viene".

"Che significa," chiese il monaco, "l'inverno va e la primavera viene?"

Il maestro disse: "Con un bastone in spalla voi percorrete questa e quella via, Est o Ovest, Sud o Nord, percuotendo i tronchi selvatici a vostro piacimento".[22 n]

Il passaggio delle stagioni non è subìto passivamente, ma "avviene" in modo così libero come uno vaga nei campi, colpendo i vecchi tronchi con un bastone. In un contesto cristiano ciò potrebbe interpretarsi come il sentimento di onnipotenza, d'essere come Dio, che dirige ogni avvenimento. Tuttavia occorre ricordare che nel pensiero taoista e buddista non v'è concezione di un Dio che deliberatamente e consapevolmente governi l'universo. Lao-tzu disse del Tao:

Merito compiuto senza pretese
nutre gli esseri senza impadronirsene. (34)
L'eterno Tao non agisce
e riesce in tutto. (37)

Per usare le immagini di una poesia tibetana, ogni azione, ogni evento viene spontaneamente dal vuoto "come dalla superficie di un limpido lago guizza d'improvviso un pesce". Quando questa immagine viene attribuita tanto alle azioni previste e abituali, quanto a quelle sorprendenti e inattese, si può convenire con il poeta zen P'ang-yun:

Facoltà miracolosa e meravigliosa attività!
Tiro l'acqua dal pozzo e spacco la legna![23 o]

Capitolo secondo

"Sedendo quietamente, senza far nulla"

Sia nella vita sia nell'arte le culture dell'Estremo Oriente apprezzano più di ogni altra cosa la spontaneità o la naturalezza (*tzu-jan*), cioè quell'inequivocabile tono di sincerità che distingue l'azione che non sia studiata e predisposta. Infatti un uomo suona come una campana senza timpano se pensa e agisce con una mente divisa a metà, di cui una parte sta per conto suo per ostacolare, controllare, o ammirare. Ma in verità la mente, o la vera natura, dell'uomo non può dividersi. Secondo una poesia dello *Zenrin*, essa è:

Come una spada che taglia, ma non può tagliare se stessa;
Come un occhio che vede ma non può vedere se stesso.[a]

L'illusione della frattura proviene dal tentativo della mente di essere insieme se stessa e l'idea di sé, in una fatale confusione di fatto e simbolo. Per far cessare l'illusione, la mente deve rinunciare a sforzarsi di agire su di sé, sulle proprie correnti di esperienza, dall'angolo visuale dell'idea di sé che noi chiamiamo l'ego. Questo è espresso in un'altra poesia dello *Zenrin*:

Sedendo quietamente, senza far nulla,
Viene la primavera, e l'erba cresce da sé.[b]

Questo "da sé" è il modo naturale di agire della mente e del mondo; come quando gli occhi vedono da sé; e le orecchie da sé odono; e la bocca s'apre da sé, senza che le dita debbano forzarla.

Come soggiunge lo *Zenrin*:

> *Le montagne azzurre sono da sé montagne azzurre;*
> *Le bianche nubi sono da sé nuvole bianche.*[c]

Nel suo amore per la naturalezza, lo zen è ovviamente l'erede del taoismo, e la sua idea di azione spontanea come "attività meravigliosa" (*miao-yung*[d]) è precisamente quella che i taoisti espressero mediante la parola *te*, che vuol dire "virtù" con una sfumatura di potere magico: ma né nel taoismo né nello zen essa ha qualcosa da spartire con la magia nel senso vistoso di compiere "miracoli" sovrumani. La "magica" o "meravigliosa" qualità dell'azione spontanea è invece quella di essere perfettamente umana, senza tuttavia rivelare alcun segno di volizione.

Una tale qualità è estremamente sottile (un altro significato di *miao*), ed è difficilissimo tradurla in parole. Si narra la storia di un monaco zen che pianse all'annuncio della morte di un suo stretto congiunto. Quando uno dei suoi condiscepoli obbiettò che era molto strano per un monaco far mostra di un attaccamento così personale, egli replicò: "Non essere sciocco! Io piango perché ho voglia di piangere". Il grande Hakuin rimase sconcertato quando agli inizi dei suoi studi zen s'imbatté nel caso del maestro Yen-t'ou, di cui si diceva che aveva mandato urla acutissime quando fu assassinato da un bandito.[1] Pure, questo dubbio si dissolse al momento del suo *satori*, e nei circoli zen la sua fine è ricordata come una morte particolarmente ammirevole per il suo sfoggio di emozione umana. D'altro lato, l'abate Kwaisen e i suoi monaci accettarono di farsi bruciar vivi dai soldati di Oda Nobunaga, sedendo calmi in atteggiamento di meditazione. Tale contraddittoria "naturalezza" sembra molto misteriosa, ma forse la chiave dell'enigma si trova nella massima di Yün-men: "Nel camminare, camminate. Sedendo, sedete. Soprattutto non tentennate". Poiché la qualità essenziale della naturalezza è la sincerità della mente indivisa che non oscilla fra alternative. Così, quando Yen-t'ou urlò, era un urlo di tale potenza che fu udito per miglia attorno.

Ma sarebbe un grosso errore supporre che tale naturale sincerità si realizzi con l'osservare un precetto tanto futile come: "Qualunque cosa in tua mano trovi da compiere, compila con tutte le tue forze". Quando Yen-t'ou urlò non urlava *allo scopo* di essere naturale, né egli stabilì di urlare e poi di attuare la decisione con tutta l'energia della sua volontà. V'è totale contraddizione nella naturalezza progettata e nella sincerità intenzionale. Questo è coprire – non scoprire – la "mente originale". Così, cercare di essere naturali è un'affettazione. Come dice una poesia dello *Zenrin*:

Non puoi ottenerlo pensandoci;
Non puoi ottenerlo non pensandoci.[e]

Ma tale precetto, assurdamente complesso ed elusivo, sorge da un errore elementare nell'uso della mente. Quando si capisce questo, v'è paradosso o difficoltà. L'errore – è ovvio – sta nel tentativo di dividere la mente contro se stessa, ma per capirlo con chiarezza dobbiamo penetrare più a fondo nella "cibernetica" mentale, base della sua azione auto-correttrice.

Naturalmente il fatto che la mente umana sia in grado, per così dire, di starsene in disparte dalla vita e di riflettervi sopra, sappia essere consapevole della propria esistenza e criticare i suoi stessi processi, fa parte della sua più autentica essenza. Poiché la mente somiglia a un sistema di *feedback*.* Questo è un termine usato nella meccanica delle comunicazioni per indicare uno dei principi fondamentali dell'"automazione", per cui le macchine diventano autoregolate. Il *feedback* fa sì che una macchina possa essere informata degli effetti della propria azione in modo da poterla modificare. Forse l'esempio più familiare è il termostato elettrico, il quale regola il calore di una casa. Disponendo un limite superiore e un limite inferiore di tempera-

* Il termine, che non ha un esatto equivalente in italiano, potrebbe tradursi con "azione retroattiva". [*N.d.T.*]

tura, un termometro è collegato in modo che accenderà la caldaia del termosifone quando è raggiunto il limite inferiore, e la spegnerà quando è raggiunto il limite superiore. La temperatura della casa è tenuta così entro i limiti desiderati. Il termostato insomma provvede la caldaia del termosifone di una sorta di organo sensitivo (analogia estremamente rudimentale con l'autocoscienza umana).[2]

L'adattamento più appropriato di un sistema di *feedback* presenta sempre un problema meccanico complesso. Infatti la macchina originale, vale a dire la caldaia del termosifone, è adattata secondo il sistema di *feedback*, ma questo a sua volta ha bisogno di adattamento. Perciò la costruzione di un sistema meccanico sempre più automatico richiederà l'uso di una serie di sistemi di *feedback* – un secondo per correggere il primo, un terzo per correggere il secondo, e così via. Ma vi sono degli ovvi limiti a una serie siffatta, perché oltre un certo punto il meccanismo sarà "frustrato" dalla sua stessa complessità. Per esempio, potrebbe occorrere tanto tempo al dato per passare attraverso la serie di sistemi di controllo da non giungere alla macchina originaria in tempo utile. Analogamente, quando gli esseri umani pensano con cura troppo minuziosa a un'azione da intraprendere, non possono decidere di agire tempestivamente. In altre parole, non è possibile correggere indefinitamente i propri mezzi di auto-correzione. Dev'esservi subito al termine della linea una fonte d'informazione che è l'autorità finale. Un difetto di fiducia nella sua autorità renderà impossibile l'agire, e il sistema resterà paralizzato.

Il sistema potrà essere paralizzato anche in altro modo. Ogni sistema di *feedback* ha bisogno di un margine di "ritardo" o di errore. Se cerchiamo di realizzare un termostato assolutamente preciso (cioè, se portiamo vicinissimi il limite superiore e il limite inferiore della temperatura, nel tentativo di mantenerla costantemente a venti gradi) l'intero sistema scoppia. Poiché se i limiti superiore e inferiore coincidono, coincideranno anche i segnali per spegnere e per accendere. Se venti gradi è tanto il limite superiore quanto quello inferiore, il segno "via" sarà anche il segno "alt";

"sì" implicherà "no" e "no" implicherà "sì". Di conseguenza il meccanismo partirà "tremando", accendendosi e spegnendosi, accendendosi e spegnendosi, finché non andrà in pezzi. Il sistema è troppo sensibile e palesa sintomi che assomigliano all'ansietà umana. Difatti un essere umano, quando è così cosciente di sé, così autocontrollato da non potersi abbandonare, trema e oscilla fra opposti. Questo è precisamente il significato zen di procedere sempre in giro sulla "ruota di nascita-e-morte", poiché il *samsara* buddista è il prototipo di tutti i circoli viziosi.[3]

Ora, la vita umana consiste principalmente e originariamente di azione: significa vivere nel concreto mondo della quiddità. Ma noi abbiamo il potere di controllare l'azione mediante la riflessione, cioè pensando, paragonando il mondo effettivo con memorie o "riflessioni". Le memorie sono organizzate in immagini più o meno astratte: parole, segni, forme semplificate, e altri simboli che possono essere passati rapidamente in rassegna l'uno dopo l'altro. Da tali memorie, riflessioni, simboli la mente costruisce la sua idea di sé. Ciò corrisponde al termostato (la fonte di informazione sulla propria azione passata, in base alla quale il sistema corregge se stesso). La mente-corpo deve, è naturale, confidare in quelle informazioni al fine di agire, poiché dal tentativo di ricordare se abbiamo ricordato ogni cosa con precisione si produrrà facilmente la paralisi.

Ma per mantenere nella memoria la provvista d'informazioni, la mente-corpo deve continuare ad agire "in proprio". Non deve attaccarsi troppo al suo ricordo. Occorre un "ritardo" o una distanza fra la fonte di informazione e la fonte di azione. Ciò *non* significa che la fonte di azione deve esitare prima di accettare le informazioni. Significa che non deve identificarsi con la fonte di informazione. Abbiamo visto che la caldaia del termosifone, quando risponda troppo da vicino al termostato, non può procedere senza tentare di arrestarsi, o arrestarsi senza tentare di procedere. Ciò è proprio quanto accade all'essere umano, alla mente, quando il desiderio di certezza e di sicurezza suggerisce una identificazione fra la mente e l'immagine che essa ha di sé. Non può lasciarsi andare. Sente che non dovrebbe fare ciò che sta facendo, e che dovrebbe fare ciò che non sta facendo. Sente che non dovrebbe essere ciò che è, ed essere invece ciò che non è. Per di più, lo sforzo di rimanere sempre "buono" o "felice" è come tentare di mantenere il termostato a venti gradi costanti rendendo il limite inferiore identico al limite superiore.

L'identificazione della mente con la propria immagine è perciò paralizzante perché l'immagine è fissa – è passata e finita. Ma è un'immagine fissa di se stessi in movimento! Restarle fedele equivale così a trovarsi in costante contraddizione e conflitto. Di qui la massima di Yün-men: "Nel camminare, camminate. Sedendo, sedete. Soprattutto non tentennate". In altre parole, la mente non può agire senza rinunciare all'impossibile tentativo di controllarsi oltre a un certo punto. Essa deve abbandonarsi, tanto nel senso di confidare nella propria memoria e riflessione, quanto nel senso di agire spontaneamente, per proprio conto, nell'ignoto.

È questo il motivo per cui lo zen sembra spesso prendere le parti dell'azione contro la riflessione, per cui si descrive come "non-mente" (*wu-hsin*) o "non-pensiero" (*wu-nien*), e per cui i maestri dimostrano lo zen dando repentine e impremeditate risposte alle domande. Quando a Yün-men fu chiesto il segreto ultimo del buddismo, egli replicò: "Budino di mele!". E il maestro giapponese Takuan dice:

> Quando un monaco domanda: "Che cosa è il Budda?" il maestro può levare il pugno; quando gli viene chiesto: "Qual è l'idea fondamentale del buddismo?" egli può esclamare, anche prima che l'interrogatore finisca la frase: "Un ramo fiorito di susino", ovvero: "Il cipresso nel cortile". Il fatto è che la mente che risponde non "si ferma" in nessun posto, ma risponde per via diretta senza darsi pensiero della proprietà della risposta.[4]

Questo permette alla mente di agire per proprio conto.

Ma la riflessione è anche azione, e Yün-men avrebbe potuto anche dire: "Nell'agire, agite. Nel pensare, pensate. Soprattutto non tentennate". In altre parole, se uno sta per riflettere, che rifletta, ma non rifletta sul riflettere. Tuttavia lo zen sarebbe d'accordo che la riflessione sulla riflessione è anche azione purché, nel farla, noi si rifletta soltanto, e non si tenda a farsi trasportare nell'infinita regressione dei tentativi di restare sempre al di sopra o all'esterno del livello sul quale si sta agendo. A questo modo lo zen è anche una liberazione dal dualismo di pensiero e azione, dato che esso pensa come agisce, con il medesimo carattere di abbandono e di confidenza. Il senso del *Wu-hsin* non è in nessun modo un'esclusione anti-intellettualistica del pensiero. *Wu-hsin* è azione su di un livello qualunque, fisico o psichico, senza tentare *contemporaneamente* di osservare e di controllare l'azione dall'esterno. Questo tentativo di agire e simultaneamente di pensare all'azione è precisamente l'identificazione della mente colla sua idea di sé. Implica la stessa contraddizione della dichiarazione che dichiara qualcosa su di sé – "Questa dichiarazione è falsa".

Lo stesso dicasi del rapporto fra sentimento e azione: il sentimento arresta l'azione, e arresta se stesso come forma di azione, quando si fa cogliere in questa medesima attitudine a osservare o sentire se stesso indefinitamente – come quando, nel mezzo del divertimento, esamino me stesso per vedere se sto sfruttando al massimo l'occasione. Non contento di gustare il cibo, sto anche cercando di assaporare la mia lingua. Non contento di sentirmi felice, desidero sentire me stesso che si sente felice, così da essere sicuro di non perdere nulla.

Sia il confidare nelle nostre memorie, sia il confidare che la mente agisca da sola si riduce all'identica cosa: in ultima analisi, noi dobbiamo agire e pensare, vivere e morire, attingendo da una fonte che sta al di là di tutta la "nostra" conoscenza e controllo. Ma questa fonte siamo noi stessi, e quando ce ne rendiamo conto essa non ci sovrasta più come un oggetto minaccioso. Nessuna dose di prudenza o di esitazione, nessuna dose di introspezione o di indagine dei nostri moventi, può modificare il fatto che la mente è:

Come un occhio che vede ma non può vedere se stesso.

In conclusione, l'unica alternativa a un'orrenda paralisi è balzare nell'azione noncuranti delle conseguenze. L'azione, in questo spirito, può essere giusta o sbagliata rispetto ai modelli convenzionali. Ma la nostra decisione sul livello convenzionale dev'essere sostenuta dalla convinzione che qualunque cosa si faccia, e qualunque cosa ci "accada", è fondamentalmente "giusta". In altre parole, dobbiamo entrarvi senza doppiezza mentale, senza l'*arrière-pensée* di rammarico, esitazione, dubbio, o autorecriminazione. Così quando a Yün-men fu chiesto: "Che cosa è il Tao?" egli rispose semplicemente: "Cammina! (*ch'u*[f])".

Ma l'agire "senza secondi pensieri", senza doppiezza mentale, non è per niente un mero precetto che si possa imitare. Poiché non ci è possibile realizzare questo genere di azione finché non ci sia chiaro, al di là di qualsiasi ombra di dubbio, che in effetti è impossibile fare qualsiasi altra cosa. Come dice Huang-po:

> Gli uomini hanno paura di dimenticare la propria mente, temendo di cadere nel vuoto con niente a cui potersi aggrappare. Non sanno che il vuoto non è in realtà il vuoto ma il vero regno di Dharma... Non può essere cercato o inseguito, compreso da saggezza o cognizione, spiegato in parole, toccato materialmente (ossia, oggettivamente) o raggiunto da un'impresa meritoria. (14)[5]

Ora questa impossibilità di "afferrare la mente con la mente", una volta che la si è realizzata, è la non-azione (*wu-wei*), il "seder quietamente, senza fare nulla" per cui "viene la primavera e l'erba cresce da sé". Non v'è necessità per la mente di cercare di abbandonarsi, o di cercare di non cercare. Questo introduce ulteriori artificiosità. Nondimeno, come fatto di strategia psicologica, non c'è neppure bisogno di cercare di evitare le artificiosità. Nella dottrina del maestro giapponese Bankei (1622-1693), la mente che non afferra se stessa è chiamata il "Non-nato" (*fusho*[g]), ossia la mente che non sorge o compare nel regno della conoscenza simbolica.

Un laico domandò: "Io apprezzo moltissimo il vostro insegnamento sul Non-nato, ma per forza di abitudine i secondi pensieri (*nien*) tendono a tornare, e quando si è confusi da loro è difficile essere in perfetto accordo col Non-nato. Come posso fare completo assegnamento su di esso?".
Bankei disse: "Se tenti di fermare i secondi pensieri che sorgono, allora la mente che produce l'arresto e la mente che si arresta si dividono, e non v'è possibilità di pace per la mente. Così farai meglio a credere semplicemente che in sostanza non esistono secondi pensieri. Tuttavia a motivo dell'affinità karmica, questi pensieri sorgono e svaniscono temporaneamente attraverso quello che vedi e quello che odi, ma sono privi di sostanza". (2)
"Spazzar via i pensieri che sorgono è lo stesso che lavar via il sangue col sangue. Noi restiamo impuri perché ci laviamo col sangue, seppure il sangue che vi era prima se n'è andato, e se noi continuiamo a questo modo l'impurità non scomparirà mai. Questo procede dall'ignoranza della natura non-nata, non evanescente, e non confusa della mente. Se prendiamo il secondo pensiero per effettiva realtà, noi continuiamo a procedere intorno alla ruota di nascita-e-morte. Dovresti capire che tale pensiero è solo una temporanea costruzione mentale e non tentare di trattenerlo o di respingerlo. Lascialo solo così come si presenta e come finisce. Esso è simile a un'immagine riflessa in uno specchio. Lo specchio è terso e riflette qualunque cosa gli capiti innanzi, eppure nessuna immagine rimane appiccicata allo specchio. La mente Budda (ossia, la mente reale, non-nata) è diecimila volte più limpida di uno specchio e più ineffabilmente meravigliosa. Nella sua luce tutti i pensieri del genere svaniscono senza traccia. Se tu poni la tua fede in questo modo di comprensione, per quanto veementi quei pensieri possano essere, non faranno del male." (4)[6]

Questa è anche la dottrina di Huang-po, che ripete:

Si è creduto nell'esistenza di qualcosa che si realizza o raggiunge fuori della mente, e di conseguenza la mente viene usata per cercarla, non avendo capito che la mente e l'oggetto della sua ricerca sono una cosa sola. La mente non può essere usata dalla mente a cercare qualcosa, poiché, anche dopo il passaggio di milioni di kalpa, il giorno del successo non potrà mai venire. (10)[7]

Non si deve dimenticare il contesto sociale dello zen. Esso è principalmente una via di liberazione per coloro che hanno superato le norme della convenzione sociale, del condizionamento dell'individuo da parte del gruppo. Lo zen è una medicina per i sinistri effetti di questo condizionamento, per la paralisi mentale e per l'ansietà che provengono da un'eccessiva coscienza di sé. Lo si deve guardare contro lo sfondo di società regolate dai principi del confucianesimo, con il loro greve accento sulla convenzione sociale e su un rituale minuziosamente formalista. In Giappone, inoltre, esso dev'essere considerato in riferimento alla rigida educazione richiesta nell'addestramento della casta *samurai*, e alla tensione emotiva cui i *samurai* erano sottoposti in tempi di guerra costante. Quale medicina per queste condizioni, lo zen non cerca di sovvertire le stesse convenzioni, ma le dà invece per scontate: si notino, per esempio, certe manifestazioni dello zen come il *cha-no-yu* o "cerimonia del tè" in Giappone. Lo zen potrebbe quindi rivelarsi una medicina assai pericolosa in un contesto sociale in cui la convenzione sia debole o, all'estremo opposto, dove esista uno spirito di aperta rivolta contro la convenzione, pronto a sfruttare lo zen per scopi distruttivi.

Tenendo ben presente quanto s'è detto, possiamo osservare la libertà e la naturalezza dello zen nella sua reale cornice. Il condizionamento sociale favorisce l'identificazione della mente con un'idea fissa di sé come mezzo di auto-disciplina, e di conseguenza l'uomo pensa di sé quale "io", l'ego. Per questa ragione il centro mentale di gravità si sposta dalla mente spontanea o originale all'immagine dell'ego. Una volta che ciò sia accaduto, il vero centro della nostra vita psichica è identificato con il meccanismo di autocontrollo. Diviene allora quasi impossibile vedere come "io" possa allentare la "mia" tensione, dato che io risulto essere precisamente il mio sforzo abituale di mantenere il dominio su di me. Mi trovo completamente incapace di una qualsiasi azione mentale che non sia intenzionale, affettata, insincera. Perciò qualunque cosa faccia per abbandonarmi, per rilassarmi, sarà una forma travestita dello sforzo abituale di tenermi controllato. Non mi è possibile essere intenzionalmente non intenzionale o di proposito spontaneo. Non appena diviene importante per me essere spontaneo, l'intenzione di essere così si rafforza; non mi riesce di sbarazzarmene, e tuttavia è la sola cosa che si avvera da sola. È come se qualcuno mi avesse dato una medicina con l'avvertimento che non agirà sul mio organismo se, prendendola, penserò a una scimmia.

Mentre sono lì a ricordarmi di dimenticare la scimmia, mi trovo in una situazione di "doppio legame", in cui il "fare" equivale al "non fare", e viceversa. "Sì" implica "no", e "via" implica "alt". A questo punto lo zen interviene e mi chiede: "Se non puoi evitare di ricordare la scimmia, lo fai di proposito?". In altre parole, ho intenzione di essere intenzionale, ho il proposito di essere munito di propositi? D'improvviso io capisco con lucida chiarezza che il mio vero intendimento è spontaneo, ovvero che la mia azione di controllare me stesso – l'ego – scaturisce dal mio io non controllato e naturale. Nel medesimo istante tutte le macchinazioni dell'ego si riducono a zero: esso rimane annientato nella sua stessa trappola. Io constato che è in effetti impossibile non essere spontaneo. Poiché ciò che non posso evitare di fare lo sto facendo con spontaneità, ma se al tempo stesso cerco di controllarlo, lo interpreto come una costrizione. Come disse un maestro zen: "A questo punto non ti resta altro che farti una bella risata".

Succede allora che l'intero carattere della coscienza è mutato, e mi sento in un mondo nuovo, nel quale tuttavia è chiaro che sono sempre vissuto. Non appena riconosco che la mia azione, volontaria e intenzionale, avviene spontaneamente, "di per sé", proprio come il respirare, l'udire e il sentire, non sono più imprigionato nella contraddizione del tentativo di essere spontaneo. Non v'è vera contraddizione, giacché il "tentare" è "spontaneità". Rendendomi conto di questo, la sensazione di costrizione, di impedimento, di arresto svanisce. È proprio come se mi fossi accanito in una gara di forza fra le mie due mani, dimenticandomi che entrambe mi appartenevano. Non rimangono più ostacoli alla spontaneità, quando ogni tentativo è riconosciuto come inutile. Come si vede, la scoperta che gli aspetti sia volontari che involontari della mente sono del pari spontanei, cagiona la fine immediata del dualismo fisso fra la mente e il mondo, fra il conoscente e il conosciuto. Il nuovo mondo in cui mi ritrovo possiede una straordinaria trasparenza, o assenza di barriere, cosicché io stesso mi sento diventato lo spazio vuoto nel quale ogni cosa avviene.

Qui dunque sta il nocciolo della ripetuta asserzione che "tutti gli esseri sono nel *nirvana* fin dall'inizio", che "ogni dualismo è frutto di erronea immaginazione", che "la mente comune è il Tao", e che perciò la ricerca di un accordo è priva di significato. Come dice il *Cheng-tao Ke*:

> *Come il vuoto cielo esso non ha confini,*
> *Esso è anche qui, ovunque profondo e chiaro.*
> *Quando cerchi di conoscerlo, non riesci a vederlo.*
> *Non puoi appropriartene,*
> *Ma non puoi perderlo.*
> *Nel fatto di non poterlo raggiungere, lo raggiungi.*
> *Quando taci, esso parla;*
> *Quando tu parli, tace.*
> *La grande porta è spalancata a concedere elemosine,*
> *E nessuna folla ne ostruisce l'accesso.* (34)[h]

Fu per questa visione che al momento del suo *satori* Hakuin esclamò: "Che miracolo! Che miracolo! Non v'è nascita-e-morte da sfuggire, non v'è una conoscenza suprema da emulare!".[8] O come nelle parole di Hsiang-yen:

> *Di colpo scordai ogni mia conoscenza,*
> *Non v'è ragione per la disciplina artificiosa,*
> *Poiché agendo secondo il mio volere, io manifesto l'antica Via.*[9] [i]

Paradossalmente, nulla è più artificioso che la nozione di artificio. È tanto impossibile opporsi allo spontaneo Tao quanto vivere in altro tempo da ora, o in altro luogo da qui. Quando un monaco domandò a Bankei che cosa pensasse dell'auto-disciplina per raggiungere il *satori*, il maestro disse: "Il *satori* è il contrario di confusione. Dato che ogni persona è la sostanza del Budda, (in realtà) non esiste ragione di confusione. Che cosa si ottiene mediante il *satori?*".[10]

Vedendo dunque che non v'è possibilità alcuna di derogare dal Tao, si viene a somigliare all'uomo "accomodante" di Hsüan-chüeh, il quale:

Non evita i pensieri falsi né cerca il vero,
Poiché l'ignoranza è in realtà la natura di Budda,
E questo illusorio, mutevole, vacuo corpo è il Dharmakaya.[11]

Si smette di cercare di essere spontanei quando si vede che questo tentativo non è necessario, e solo allora si avvera la spontaneità. I maestri zen sovente esprimono questa condizione con l'espediente di eludere una domanda e poi, quando l'interrogatore si volge per andare via, chiamarlo d'improvviso per nome. Appena questi naturalmente replica: "Sì?" il maestro esclama: "Là si trova!".

Al lettore occidentale può sembrare che tutto questo sia una specie di panteismo, un tentativo di cancellare ogni conflitto con l'asserire che "ogni cosa è Dio". Ma per lo zen tale concezione è un cammino tortuoso, privo di autentica naturalezza, giacché nasconde l'uso dell'idea artificiosa che "ogni cosa è Dio" oppure "ogni cosa è il Tao". Lo zen annulla questo concetto mostrando che, al pari di ogni altro, esso non è necessario. La vita spontanea non si realizza basandosi sulla ripetizione di pensieri o di affermazioni, ma rendendosi conto che nessun accorgimento del genere è necessario. Lo zen descrive tutti i mezzi e i metodi per realizzare il Tao alla stregua di "zampe su di un serpente", ossia appendici del tutto inutili.

Da un punto di vista logico questo ragionamento sembrerà una pura assurdità e, in un certo senso, è vero. Ma dal punto di vista del buddismo, la realtà stessa manca di significato, giacché non è un segno che indichi qualcosa al di là di sé. Giungere alla realtà – alla "quiddità" – equivale a procedere oltre il *karma*, oltre l'azione consequenziale: significa entrare in una vita che è completamente priva di scopo. Nondimeno, per lo zen come per il taoismo questa è l'autentica vita dell'universo, che è completa a ogni istante e non ha bisogno di giustificarsi anelando a qualcosa di altro da sé. Come dice una poesia dello *Zenrin*:

Se non credi, guarda il settembre, guarda l'ottobre!
Le foglie gialle che cadono, che cadono, e riempiono la
[montagna ed il fiume.[j]

Rendersi conto di questo vuol dire essere come i due amici di cui parla un'altra poesia dello *Zenrin*:

Incontrandosi, ridono senza fine:
Il boschetto, le molte foglie cadute![k]

Alla mentalità taoista, la nostra vita, priva di scopo, vuota, non ispira nulla di deprimente. Al contrario, suggerisce la libertà delle nubi e dei corsi d'acqua montani, che non si perdono in mille rigagnoli, dei fiori nei burroni profondi e impenetrabili, invisibili agli occhi di tutti, e della risacca degli oceani che incessantemente lambisce la sabbia.

Inoltre, l'esperienza zen è più spesso una conclusione che una premessa. Non va mai usata come primo gradino in un processo di ragionamento etico o metafisico, giacché le conclusioni traggono a essa piuttosto che da essa. Come la beatifica visione del cristianesimo, è un "quale del quale non esiste un più quale" (il vero fine dell'uomo), non è cosa da usarsi per qualche altro fine. I filosofi non riconoscono facilmente che v'è un punto dove il pensiero – come la bollitura di un uovo – deve arrestarsi. Tentare di formulare l'esperienza zen come proposizione – "ogni cosa è il Tao" – e poi analizzarla e trarne conclusioni significa perderla completamente. Come la crocefissione, essa è "per gli Ebrei (i moralisti) un impedimento, e per i Greci (i logici) un'assurdità". L'affermazione che "ogni cosa è il Tao" coglie quasi il nocciolo del problema, ma proprio al momento di toccarlo, le parole si dissolvono nell'assurdo. Poiché noi ci troviamo a un limite in cui le parole si affievoliscono, implicando in ogni circostanza un significato che le oltrepassa – e qui non v'è un significato ulteriore.

Lo zen non commette l'errore di usare l'esperienza secondo cui "tutte le cose sono di un'unica quiddità" come premessa per un'etica di fratellanza universale. Al contrario, Yüan-wu dice:

> Se sei un vero uomo, puoi svignartela col bue del contadino, o strappare via il cibo a un uomo che muoia di fame.[121]

Queste parole vogliono semplicemente dire che lo zen si trova al di là del punto di vista etico, le cui norme vanno ricercate, non nella realtà stessa, ma nel mutuo accordo degli esseri umani. Quando cerchiamo di renderlo universale o assoluto, l'etica ne annulla l'esistenza, poiché ci è impossibile vivere un sol giorno senza distruggere la vita di qualche altra creatura.

Se si considera lo zen come avente la stessa funzione di una religione occidentale, si cercherà naturalmente di trovare una relazione fra la sua esperienza centrale e il progresso dei rapporti sociali. Ma questo in effetti significa mettere il carro davanti ai buoi. Il fatto è che un'esperienza o una pratica di questo genere è semmai l'oggetto di una vita sociale progredita. Nella cultura dell'Estremo Oriente i problemi dei rapporti umani appartengono alla sfera del confucianesimo piuttosto che dello zen, ma dal tempo della dinastia Sung (959-1278) lo zen ha favorito in modo considerevole il confucianesimo ed è stato la fonte principale dell'introduzione dei principi di Confucio in Giappone. Esso ne scorse l'importanza per creare il tipo di matrice culturale in cui lo zen potesse fiorire senza venire a conflitto con l'ordine sociale, perché l'etica del confucianesimo è, per generale ammissione, umana e relativa, non divina e assoluta.

Sebbene profondamente "inconseguente", l'esperienza zen ha conseguenze nel senso che può essere applicata in qualsiasi direzione e a qualsiasi attività umana, imprimendo sempre al comportamento un carattere ben preciso. Le note caratteristiche della vita spontanea sono *mo chih ch'u*[m] o "procedere senza esitazione", *wu-wei*, che può essere qui inteso come assenza di scopi, e *wu-shih*, mancanza di affettazione ovvero semplicità.

L'esperienza zen, mentre non implica una condotta specifica di azione, giacché manca di scopi e di motivi, si volge senza esitare a qualunque cosa si presenti per essere compiuta. *Mo chih ch'u* è la mente che funziona senza ostacoli, senza "tentennamenti" fra alternative diverse, e gran parte dell'insegnamento zen consiste nel porre di fronte all'allievo dilemmi che egli deve risolvere senza fermarsi a deliberare e a "scegliere". La risposta a una data circostanza deve seguire con l'immediatezza del suono che sorge dall'atto di battere le mani, o come scintille da una pietra focaia percossa dall'acciarino. L'allievo non avvezzo a tale tipo di risposta sarà dapprima confuso, ma via via che acquisterà fede nella sua mente "originale" o spontanea non solo risponderà facilmente, ma le stesse risposte acquisiranno una sorprendente appropriatezza. È un po' come la dote di umorismo improvvisato dell'attore professionista, che è sempre all'altezza di qualsiasi situazione.

Il maestro può iniziare una conversazione col discepolo rivolgendogli una serie di comunissime domande su quisquilie, alle quali il discepolo risponde con perfetta spontaneità. Ma d'improvviso egli dirà: "Quando l'acqua del bagno scorre giù nel tubo di scarico, gira nella direzione delle sfere dell'orologio o in direzione inversa?". Come l'allievo si arresta di fronte a una domanda così inaspettata, e forse cerca di rammentarsi in che verso scorre l'acqua, il maestro grida: "Non pensare! Agisci! In questo senso..." e gira la mano in aria. O forse, meno soccorrevole, può dire: "Hai risposto a un'infinità di mie domande con piena naturalezza e facilità, ma dove trovi difficoltà ora?".

Allo stesso modo l'allievo è libero di sfidare il maestro, e ci si può immaginare che nei tempi in cui l'insegnamento dello zen era meno formale, i membri delle comunità zen si siano divertiti moltissimo nel tendersi trappole a vicenda. In una certa misura questo genere di rapporto sussiste ancora, a dispetto della grande solennità del colloquio *sanzen* nel corso del quale si riceve il *koan* e si risponde. Il defunto Kozuki Roshi stava intrattenendo a un tè due monaci americani quando casualmente disse: "E che cosa sanno lor signori dello zen?". Subito uno dei monaci gettò il suo ventaglio in faccia al maestro. Ma questi nello stesso istante chinò lievemente il capo da una parte, e il ventaglio trapassò la carta *shoji* dietro di lui, mentre egli scoppiava in una fragorosa risata.

Suzuki ha tradotto una lunga lettera del maestro zen Takuan sulla relazione dello zen con l'arte della scherma, e questa è certo la miglior fonte letteraria di ciò che lo zen significhi con *mo chih ch'u*, "l'andare diritti senza fermarsi".[13] Sia Takuan che Bankei posero l'accento sul fatto che la mente "originale" o "non-nata" opera costantemente miracoli anche nell'individuo più comune. Anche se un albero ha innumerevoli foglie, la mente le assimila tutte d'un subito senza essere "fermata" da alcuna di loro. Spiegando questo a un monaco visitatore, Bankei disse: "Per provare che la tua mente è la mente di Budda, osserva come tutto ciò che sto dicendo penetra in te senza che si perda una singola cosa, anche se non mi sforzo di ficcartelo in capo".[14] Interrogato insistentemente da un importuno monaco Nichiren che seguitava ad affermare di non riuscire a capire una parola, Bankei gli chiese di venire più vicino. Il monaco fece alcuni passi avanti. "Ancora più vicino," disse Bankei. Il monaco si fece più vicino. "Come mi capisci bene!" disse Bankei.[15] In altre parole, il nostro organismo naturale svolge le attività più mirabilmente complesse senza la minima esitazione o deliberazione. Ora, anche il pensiero cosciente è basato sull'intero sistema di funzionamento spontaneo, ragion per cui non esiste in realtà alcuna alternativa alla totale confidenza nella sua attività. L'io di ciascuno *è* questa attività.

Lo zen non è soltanto un culto dell'azione impulsiva. L'argomento del *mo chih ch'u* non riguarda l'eliminazione del pensiero riflessivo ma l'eliminazione del "bloccarsi" sia dell'azione sia del pensiero, così che la risposta della mente è sempre come una palla in un torrente montano, "un pensiero dopo l'altro senza esitazione". Qualcosa di analogo si ritrova nella pratica psicoanalitica delle libere associazioni, impiegata come tecnica per sbarazzarsi degli ostacoli al libero flusso del pensiero dall'"inconscio". Poiché v'è tendenza a confondere il "bloccarsi" – meccanismo puramente ostruttivo – col soffermarsi su una risposta, ma la differenza fra le due cose la si nota facilmente in un puro processo di "pensiero" come l'addizione di una colonna di cifre. Molte persone trovano che certe combinazioni di numeri, come 8 e 5 o 7 e 6, provocano una sensazione di resistenza che causa l'arresto del processo. Essendo sempre una sensazione sgradevole, si tende allora a fissarsi sul blocco, di modo che la condizione si muta in quella specie di tremito oscillante caratteristico del complicato sistema di *feedback*. Il rimedio più semplice consiste nel sentirsi liberi di bloccare, di modo che non si resta fissati al blocco. Quando ci si sente liberi di bloccare, il "bloccarsi" si elimina automaticamente da sé. È come montare in bicicletta. Quando si parte inclinandosi a sinistra, non si resiste alla caduta (ossia, al blocco) girando a destra. Si gira la ruota a sinistra, e l'equilibrio è ristabilito. Il principio è qui, naturalmente, il medesimo che evadere dalla contraddizione dei "tentativi di essere spontanei", accogliendo il "tentativo" come "spontaneo", ossia non resistendo al blocco.

"Bloccarsi" è forse la migliore traduzione del termine zen *nien*[n] come esso si presenta nella frase *wu-nien*, "nessun pensiero" o, meglio, "nessun secondo pensiero". Takuan rileva che questo è il vero significato, nel buddismo, di "attaccamento", come quando si dice che un Budda è libero da attaccamenti mondani. Ciò non significa che egli sia un "Budda di pietra" privo di sentimenti, di emozioni, di sensazioni di fame o di pena. Significa che egli non si arresta dinanzi a nulla. In tal modo è tipico dello stile di azione zen contenere un massimo di fiducia, di abbandono allo slancio. Lo zen entra in ogni cosa con generosità e libertà senza l'obbligo di tenere un occhio su di sé. Non confonde la spiritualità col pensare a Dio mentre si sbucciano patate. La spiritualità zen consiste proprio nello sbucciare le patate. Dice Lin-chi:

> Quando è tempo di vestirsi, indossate i vostri abiti. Quando dovete camminare, camminate. Quando dovete sedere, se-

dete. Non abbiate un solo pensiero nella mente di inseguire la Buddità... Voi siete soliti parlare del vostro stato di perfetta disciplina nei vostri sei sensi e in tutte le vostre azioni, ma a mio parere tutto questo fa *karma*. Inseguire il Budda (la natura) e inseguire il Dharma è esattamente fare *karma*, che porta agl'inferni. Cercare (di essere) Bodhisattva è pure fare *karma*, e così studiare i *sutra* e i commentari. Budda e i patriarchi sono gente senza tali artificiosità... Dovunque è detto che v'è un Tao che si deve coltivare e un Dharma che si deve realizzare. Ma quale Dharma voi dite si deve realizzare e quale Tao si deve coltivare? Che cosa vi manca nel cammino che state compiendo ora? Che cosa volete aggiungere a dove siete?[16] [o]

Come dice un'altra poesia dello *Zenrin*:

Non v'è nulla che equivalga a indossare abiti e mangiare cibo.
Al di fuori di questo non vi sono né Budda né Patriarchi.[p]

Questo è il carattere del *wu-shih*, della naturalezza senza alcun artifizio o espediente per essere naturale, come il pensiero dello zen, del Tao, o del Budda. Tali pensieri non si escludono: semplicemente cadono, quando si sia vista la loro inutilità. "Dove c'è il Budda non indugiare, e dove il Budda manca passa oltre."[17]

Come replica, infatti, lo *Zenrin*:

Essere consapevoli della mente originale, dell'originale natura:
È proprio questa la grande malattia dello Zen![q]

Come "il pesce nuota nell'acqua ma non si cura dell'acqua, l'uccello vola nel vento ma non sa del vento", così la vita vera dello zen non ha bisogno di "sollevare le onde quando non tira vento", non ha bisogno di ammettere una religione o una spiritualità come qualcosa sopra e più in alto della vita stessa. Questo è il motivo per cui il saggio Fa-yung non ricevette più offerte di fiori dagli uccelli dopo avere avuto il suo colloquio con il quarto patriarca, poiché la sua santità non "si levava più come un pollice severo". Di un uomo così lo *Zenrin* dice:

Entrando nella foresta non agita l'erba;
Entrando nell'acqua non la increspa.[r]

Nessuno lo nota perché egli non nota se stesso.

Si dice sovente che tenersi ancorati alla propria personalità è come avere una spina nella pelle, e che il buddismo è una seconda spina che serve per estrarre la prima. Quando questa è fuori, entrambe le spine sono tolte di mezzo. Ma nell'istante in cui il buddismo, filosofia o religione, diventa una diversa maniera per tenersi aggrappati a se stessi mediante la ricerca di una sicurezza spirituale, le due spine divengono una sola – e come si farà a estrarle? Questo, come disse Bankei, equivale a "cancellare il sangue col sangue".

Perciò nello zen non v'è né io né Budda cui potersi aggrappare, non v'è bene da acquisire e non v'è male da evitare, non v'è pensiero da sradicare e non v'è mente da purificare, non corpo che perisca né anima da salvare. In un colpo solo tutta l'armatura di astrazioni è ridotta in frantumi. Come dice lo *Zenrin*:

Per salvare la vita, bisogna distruggerla.
Quando è completamente distrutta, si vive per la prima volta in [pace.[s]

Una sola parola sistema cielo e terra;
Una sola spada spiana il mondo intero.[t]

Di questa "sola spada" Lin-chi disse:

Se un uomo coltiverà il Tao, il Tao non agirà – da tutti i lati le male condizioni si leveranno a gara. Ma quando la spada della saggezza (*prayna*) si snuda, non v'è cosa che rimanga.[18] [u]

La "spada di *prayna*" che recide le astrazioni è quella "indicazione diretta" per la quale lo zen evita gli imbrogli della religiosità e va diritto al cuore. Così, quando il governatore Lang domandò a Yao-shan: "Che cosa è il Tao?" il maestro indicò in alto il cielo e in basso una brocca d'acqua vicino a lui. E a Lang, che gli chiedeva spiegazione, replicò: "Una nuvola nel cielo e l'acqua nella brocca".

Capitolo terzo

Lo za-zen e il koan

V'è un detto zen che suona: "la realizzazione originale è una pratica meravigliosa" (in giapponese, *honsho myoshu*[a]). Ciò significa che non va fatta distinzione fra la realizzazione del risveglio (*satori*) e il culto dello zen nella meditazione e nell'azione. Per quanto sia lecito supporre che la pratica dello zen è un mezzo che ha per fine il risveglio, le cose non stanno così. Difatti la pratica dello zen non è vera pratica fin quando si riprometta un fine, e quando non si prefigge un fine allora è risveglio, la vita senza scopo, auto-sufficiente dell'"eterno presente". Praticare lo zen in previsione di un fine significa tenere un occhio sulla pratica e un altro sul fine; ossia mancare di concentrazione, mancare di sincerità. Espresso diversamente: non si pratica lo zen per divenire Budda; lo si pratica perché si è Budda fin dall'inizio (e questa "originale realizzazione" è il punto di partenza della vita zen). L'originale realizzazione è il "corpo" (*t'i*[b]) e la pratica meravigliosa è l'"uso" (*yung*[c]), e le due cose corrispondono rispettivamente a *prajna*, saggezza, e *karuna*, l'attività compassionevole del risvegliato Bodhisattva nel mondo di nascita-e-morte.

Nei due capitoli precedenti abbiamo trattato la realizzazione originale. In questo e nel seguente noi torniamo alla pratica o attività (in primo luogo, alla vita di meditazione, e, in secondo luogo, alla vita di lavoro e ricreazione quotidiani).

Abbiamo visto che, qualunque sia stata la pratica dei maestri T'ang, le moderne comunità zen, sia Soto che Rinzai, attribuiscono la massima importanza alla meditazione o "zen seduto" (*za-zen*). Può sembrare tanto strano quanto irrazionale che uomini forti e intelligenti debbano semplicemente sedere, calmi, per ore e ore. La mentalità occidentale sente che cose del genere sono non soltanto innaturali, ma costituiscono anche un grande sciupio di tempo utile, per quanto proficue come esercizio di pazienza e fortezza. Sebbene l'Occidente abbia la sua tradizione contemplativa nella chiesa cattolica, la vita dello "star seduti e contemplare" ha perduto il suo interesse, poiché non si apprezza nessuna religione che non "migliori il mondo" e non è facile intendere come il mondo possa migliorare standosene immobili. Pure dovrebbe essere evidente che l'azione senza saggezza, senza una chiara consapevolezza del mondo qual è in realtà, non può migliorare nulla. Inoltre, come l'acqua torbida si chiarifica meglio lasciandola immobile, si potrebbe argomentare che le persone quietamente sedute senza far nulla stanno arrecando uno dei maggiori giovamenti a un mondo in tumulto.

Non c'è davvero nulla di innaturale nello star seduti a lungo quietamente. I gatti lo fanno; e anche i cani e altri animali ancora più nervosi. Lo fanno i cosiddetti popoli primitivi (come gli indiani americani, e i contadini di quasi ogni nazione). È un'arte molto difficile per chi ha sviluppato l'intelletto sensitivo a tal punto che non può fare a meno di prevedere il futuro, e così deve tenersi in un continuo turbine di attività per raccogliere gli indizi. Ma pare che non essere capaci di sedere e di osservare mentalmente in completo riposo equivalga a non essere capaci di avere un'esperienza completa del mondo in cui viviamo. Poiché non si conosce il mondo semplicemente pensandoci e occupandosene: si deve anzitutto sperimentarlo direttamente, e prolungare l'esperienza senza balzare alle conclusioni.

L'attinenza dello *za-zen* allo zen appare ovvia quando si ricordi che lo zen vede la realtà direttamente, nella sua "quiddità". Per vedere il mondo qual è concretamente, non diviso da categorie e astrazioni, si deve certamente guardarlo con una mente che non pensi a esso, vale a dire, che non formi simboli. Perciò lo *za-zen* non è sedere con una mente neutra che escluda tutte le impressioni dei sensi interni ed esterni. Non è "concentrazione" nel senso corrente di limitare l'attenzione a un singolo oggetto sensibile, come a una macchia di luce o alla punta del proprio naso. È semplicemente una quieta consapevolezza, senza commenti, di qualunque cosa si verifichi qui e ora. Questa consapevolezza è accompagnata dalla più intensa sensazione di "nondifferenza" fra se stessi e il mondo esterno, fra la mente e il suo contenuto: i vari suoni, le varie visioni, e le altre impressioni del mondo circostante. Naturalmente, questa sensazione non sorge dallo sforzo di provarla; viene proprio da sé, quando si è seduti e si contempla senza uno scopo nella mente, perfino senza lo scopo di liberarsi dello scopo.

Nel *sodo* o *zendo* (aula dei monaci o aula di meditazione) di una comunità zen, non v'è alcun particolare che possa distrarre la mente sulle cose circostanti. V'è una lunga stanza con ampie piattaforme da entrambi i lati dove i monaci dormono e meditano. Le piattaforme sono coperte di *tatami*, spesse stuoie di paglia, e i monaci siedono in due file l'uno di faccia all'altro. Il silenzio che vi regna, più che interrotto, è reso più profondo da rumori occasionali provenienti da un vicino villaggio, dal suono dolce e intermittente di campane che rintoccano da altre parti del monastero, e dal cinguettio degli uccelli fra gli alberi. Oltre a questo v'è soltanto la sensazione della fredda, pura aria montana, e l'odore "di bosco" di uno speciale tipo di incenso.

Molta importanza è attribuita alla posizione fisica dello *za-zen*. I monaci siedono su pesanti cuscini imbottiti, tenendo le gambe incrociate e i piedi, con le piante rivolte verso l'alto, posati sulle cosce. Le mani riposano sul grembo, la sinistra sulla destra, con le palme verso l'alto e i pollici che si toccano. Il corpo è mantenuto eretto, ma non rigido, e gli occhi sono lasciati aperti in modo che lo sguardo cada sul pavimento poco innanzi. Il respiro è regolato in maniera che sia lento senza sforzo, con più energia nell'espirazione, e il suo impulso più dal ventre che dal petto. Questo ha l'effetto di spostare il centro di gravità all'addome così che l'intera posizione ha un senso di stabilità, come si facesse parte del suolo su cui si sta seduti. Il lento, agevole respiro dal ventre opera sulla coscienza come un mantice, e le dona una serena, splendida chiarezza. Si consiglia al principiante di avvezzarsi alla quiete senza far nulla di più che contare i suoi respiri da uno a dieci, di continuo; finché la sensazione di sedere in silenzio diviene del tutto facile e naturale.

Mentre i monaci stanno così seduti, due assistenti camminano lentamente avanti e indietro fra le panche, ciascuno recando un *keisaku* o bastone di "ammonimento", rotondo a un capo e appiattito dall'altro (simbolo della spada di *prajna* del Bodhisattva Manjusri). Non appena essi vedono un monaco appisolato o seduto in posizione scorretta, si fermano davanti a lui, si inchinano cerimoniosamente, e lo percuotono sulle spalle. Si afferma che questa non è una "punizione" ma un "massaggio rinvigorente" per eliminare la rigidezza dei muscoli delle spalle e richiamare la mente a uno stato di vigilanza. Tuttavia, i monaci con i quali ho discusso questa pratica pare abbiano verso di essa lo stesso forzato umorismo che in genere si associa con la disciplina corporale dei convitti per ragazzi. Inoltre, la regola *sodo* afferma: "Al tempo del servizio mattutino, chi sonnecchia dev'essere trattato severamente con il *keisaku*".[1]

A intervalli, la posizione seduta è interrotta per una rapida marcia in fila intorno al pavimento fra le due piattaforme, allo scopo di scrollare dalle membra la pigrizia. I periodi di *za-zen* sono anche interrotti per lavorare nei campi del monastero, per pulire i locali, per i servizi nel santuario grande o "Sala di Budda" e per altri compiti, come pure per i pasti e per brevi ore di sonno. In certi periodi dell'anno lo *za-zen* è mantenuto quasi costantemente dalle 3 e 30 del mattino fino alle 10 di sera, e queste lunghe tirate si chiamano *sesshin*, o "raccoglimento". Ogni aspetto della vita dei monaci è guidato secondo un preciso, per quanto non ostentato, rituale, che conferisce all'atmosfera del *sodo* un'aria lievemente militaresca. Le pratiche rituali sono segnalate e accompagnate da circa una dozzina di tipi differenti di campane, battagli e gong di legno, battuti secondo ritmi diversi ad annunciare l'ora dello *za-zen*, dei pasti, dei servizi, delle conferenze, o dei colloqui *sanzen* con il maestro. Lo stile ritualistico o cerimonioso è così tipico dello zen che forse è necessaria qualche spiegazione, in una civiltà che tende ormai ad associare tale stile all'affettazione o alla superstizione. Nel buddismo i quattro principali atteggiamenti dell'uomo (camminare, stare in piedi, sedere e giacere) sono chiamati le quattro "dignità", poiché sono le posizioni assunte dalla natura di Budda nel suo corpo umano (*nirmanakaya*). Lo stile ritualistico dello svolgimento delle proprie attività quotidiane è perciò una celebrazione del fatto che "l'uomo comune è un Budda" ed è, inoltre, uno stile che viene quasi spontaneo a un uomo che faccia ogni cosa con presenza totale di mente. Così, se in qualcosa di così semplice e consueto come accendere una sigaretta si è pienamente consapevoli, e si vede la fiammella, le volute del fumo e la regolazione del respiro come le cose più importanti dell'universo, a un osservatore parrà che l'azione abbia uno stile ritualistico.

Il carattere proprio dell'"agire come un Budda" è posto in rilievo particolare nella scuola Soto, dove tanto lo *za-zen* quanto il giro delle attività quotidiane non sono visti affatto come mezzi rivolti a un fine ma come la realizzazione effettiva della Buddità. Così afferma Dogen nello *Shobogenzo*:

> Senza guardare innanzi a ogni momento del domani, tu devi solo pensare a questo giorno e a quest'ora. Poiché il domani è difficile e incerto e arduo da conoscere, tu devi pensare a seguire la via del buddismo mentre oggi sei vivo. Tu devi concentrarti sullo zen, praticare lo zen senza perdere tempo, pensando che vi sia soltanto questo giorno e quest'ora. Dopo di ciò, tutto diviene veramente facile. Devi dimenticarti del bene e del male della tua natura, della forza o debolezza delle tue facoltà.[2]

Nello *za-zen* non dev'esserci nessuna preoccupazione di conseguire il *satori* né di evitare nascita-e-morte, nessuna lotta per qualcosa di futuro.

Se viene la vita, ecco la vita. Se viene la morte, ecco la morte. Non esiste ragione alcuna perché siate sotto il loro controllo. Non riponete in loro nessuna speranza. Questa vita e questa morte sono la vita del Budda. Se cercate di respingerle rinnegandole, voi perdete la vita del Budda.[3]

I tre "mondi" di passato, presente e futuro non sono, come di solito si ritiene, situati a irraggiungibili distanze.

Il cosiddetto passato è sulla cima del cuore; il presente è la sommità del pugno; e il futuro è dietro il cervello.[4]

Ogni tempo è qui in questo corpo, che è il corpo di Budda. Il passato esiste nella sua memoria e il futuro nella sua anticipazione, e l'uno e l'altro esistono ora; poiché, quando il mondo è scrutato direttamente e con chiarezza, il tempo passato e il tempo futuro non si possono ritrovare in nessun luogo.

Questo è pure l'insegnamento di Bankei:

Voi siete innanzitutto Budda; non è la prima volta che sarete dei Budda. Non esiste una minima cosa che possa definirsi errore nella vostra mente innata... Se avete il benché minimo desiderio di essere migliori di quanto siate realmente, se vi eccitate appena alla ricerca di qualcosa, voi state già procedendo contro il Non-nato.[5]

Una tale interpretazione della pratica zen è pertanto un po' difficile da conciliare con la disciplina che ora prevale nella scuola Rinzai, e che consiste nel "superamento" di una serie graduale di circa cinquanta problemi *koan*. Molti maestri Rinzai insistono parecchio sulla necessità di suscitare un intenso spirito di ricerca, un costrittivo senso di "dubbio" per il quale divenga quasi impossibile dimenticare il *koan* che si sta cercando di risolvere. Naturalmente, ciò conduce a una buona misura di confronto fra i gradi raggiunti dai vari individui; e un riconoscimento assai definito e formale è attribuito alla "graduatoria" finale del processo.

Giacché i particolari formali della disciplina *koan* costituiscono uno dei pochi autentici segreti rimasti nel mondo buddista, è difficile valutarli rettamente senza aver sperimentato l'addestramento. D'altro lato, chi è stato iniziato è obbligato a non parlarne, salvo che in termini piuttosto generici. La scuola Rinzai ha sempre vietato la pubblicazione delle risposte formalmente accettabili ai vari *koan*, perché il nocciolo della disciplina sta nella loro scoperta senza aiuti dall'esterno, per intuizione. Conoscere le risposte senza averle così scoperte equivarrebbe a studiare la carta geografica senza fare il viaggio. Mancando la vera emozione della scoperta, le risposte nude e crude sembrano piatte e deludenti, ed è ovvio che nessun maestro competente sarebbe ingannato da uno che desse tali risposte senza un genuino sentimento.

Non v'è ragione, tuttavia, perché il processo debba implicare tutte le scempiaggini sui "gradi di conseguimento", su chi ha "superato" e su chi non ha "superato" o su chi è o non è un Budda "genuino" secondo tali moduli formali. Tutte le istituzioni religiose affermate sono oppresse da queste assurdità, che generalmente sfumano in una sorta di estetismo, in una passione eccessiva per il culto di uno "stile" speciale, le cui sottigliezze distinguono le pecore dalle capre. Da tali moduli un esteta liturgico è in grado di distinguere i sacerdoti cattolici romani dagli anglicani, confondendo i manierismi della tradizione con i segni soprannaturali della vera o falsa partecipazione alla successione apostolica. Talora, comunque, il culto di uno stile tradizionale può essere ammirevole, come quando una scuola di professionisti o di artisti si tramanda di generazione in generazione certi segreti di mestiere o certi artifizi tecnici per i quali si fabbricano oggetti di particolare bellezza. Tuttavia anche così uno stile può diventare facilmente piuttosto affettato e pretenzioso, e in quel momento preciso tutto il suo "zen" è perduto.

Il sistema *koan* come esiste oggidì è in larga misura opera di Hakuin (1685-1768), un maestro straordinario e immensamente versatile, che gli diede un'organizzazione sistematica, in modo che il corso completo di studio zen nella scuola Rinzai è diviso in sei stadi. Vi sono dapprima cinque gruppi di *koan*[d]:

1) *Koan hosshin* o *dharmakaya* per il quale si "varca la porta di ingresso dello zen".

2) *Koan kikan* o "abile barriera", che ha a che fare con l'espressione effettiva dello stato realizzato mediante il primo gruppo.

3) *Koan gonsen* o "investigazione delle parole", che ha probabilmente a che fare con l'esprimere in parole la comprensione dello zen.

4) *Koan nanto* o "difficile da penetrare".

5) *Koan goi* o "cinque ordini" basato sui cinque rapporti di "signore" e "servitore" o di "principio" (*li*) e "cosa-evento" (*shih*), in cui lo zen è affine allo Hua-yen o filosofia *avatamsaka*.

Il sesto stadio è uno studio dei precetti buddisti e delle regole della vita monacale (*vinaya*) alla luce della comprensione zen.[6]

Normalmente, questo corso di ammaestramento richiede circa trent'anni. Ma non tutti i monaci zen lo seguono fino in fondo. Il corso completo è richiesto soltanto per coloro che devono ricevere l'*inka* o "sigillo di approvazione" del loro maestro, di modo che possano loro stessi divenire maestri (*roshi*), versati a fondo in tutti gli "abili mezzi" (*upaya*) per insegnare lo zen agli altri. Come tante altre cose di questo tipo, il sistema è buono nella misura che lo si rende tale, e i suoi patentati sono tanto alti Budda quanto Budda bassi. Non si dovrebbe ritenere che una persona che ha superato un *koan* sia necessariamente un essere umano "trasformato" il cui carattere e la cui pratica di vita differiscono radicalmente da com'erano prima. Né si dovrebbe pensare che il *satori* sia un singolo, improvviso balzo dalla coscienza comune alla "suprema perfetta illuminazione" (*anuttara samyak sambodhi*). Il *satori* in realtà designa il modo subitaneo e intuitivo di penetrare qualcosa, sia esso ricordare un nome dimenticato o discernere i più profondi principi del buddismo. Si insiste a cercare, ma non si trova. Si rinunzia, e la risposta viene da sé. Così vi possono essere molte occasioni di *satori* nel corso dell'ammaestramento, grandi e piccoli *satori*, e la soluzione di molti *koan* dipende da nulla più che una specie di artificio che fa intendere lo stile particolare dello zen nel trattare i principi buddisti.

Le idee occidentali sui fini del buddismo sono troppo spesso deformate dall'idea dell'"Oriente misterioso", e dalle sensazionali fantasie che sono apertamente circolate negli scritti teosofici durante l'ultima decade dell'Ottocento e la prima del Novecento. Tali fantasie non erano basate su studi di prima mano del buddismo ma sulla interpretazione letterale di passaggi mitologici nei *sutra* dove i Budda e i Bodhisattva sono abbelliti di miracoli innumerevoli e di attributi sovrumani. Allo stesso modo, non va fatta confusione fra i maestri zen e i "mahatma" teosofici: gli affascinanti "Maestri di Saggezza" che vivono nelle roccaforti montane del Tibet e praticano le arti occulte. I maestri zen sono del tutto umani. S'ammalano e muoiono; conoscono la gioia e il dolore; hanno ire e malumori e altre piccole "debolezze" di carattere proprio come ogni altro, e non sono ignari dell'amore né di un rapporto pienamente umano con il sesso opposto. La perfezione dello zen consiste nell'essere perfettamente e semplicemente umani. La diversità dell'esperto di zen dalla categoria comune di uomini sta nel fatto che questi sono – in un modo o nell'altro – in lotta con la propria umanità, e tentano di essere angeli o demoni.[7] Una poesia *doka* di Ikkyu dice:

> *Noi mangiamo, espelliamo, dormiamo, e ci leviamo;*
> *Questo è il nostro mondo.*
> *Tutto quel che dopo ci resta da fare –*
> *È di morire.*[8]

L'ammaestramento *koan* implica concetti tipicamente asiatici del rapporto fra maestro e allievo, che sono completamente dissimili dai nostri. Nelle culture dell'Asia, infatti, questa è una relazione particolarmente sacra nella quale il maestro è ritenuto responsabile del *karma* dell'allievo.

L'allievo, a sua volta, ha il dovere di concedere assoluta obbedienza e autorità al maestro e di rispettarlo quasi più del suo stesso padre carnale, il che, nei paesi dell'Asia, significa molto. Per un giovane monaco zen il *roshi* perciò rappresenta il simbolo della più alta autorità patriarcale, e questi in genere recita la sua parte a perfezione, essendo normalmente un uomo di età avanzata, fiero e "ardito" nell'aspetto e, quando sia paludato e seduto per il colloquio *sanzen*, di altissima presenza e dignità. In questo ruolo egli costituisce un simbolo vivente di tutto ciò che fa temere di essere spontanei, di tutto ciò che ingenera la più penosa e imbarazzata coscienza di sé. Egli assume questo ruolo come *upaya*, come abile accorgimento, per sfidare il discepolo a trovare abbastanza "nerbo" per essere perfettamente naturale in presenza di tale formidabile archetipo. Se l'allievo sa comportarsi così, è un uomo libero che nessuno sulla terra riuscirà a mettere in imbarazzo. Si deve inoltre considerare che nella cultura giapponese l'adolescente e il giovane sono particolarmente sensibili al ridicolo, che è liberamente usato quale mezzo per conformare il giovane alla convenzione sociale.

Alla normale concezione asiatica del rapporto maestro-allievo lo zen aggiunge qualcosa di suo, nel senso che lascia la formazione del rapporto alla completa iniziativa dell'allievo. La posizione-base dello zen è di non aver nulla da dire, nulla da insegnare. La verità del buddismo è così evidente di per sé, così ovvia che viene, semmai, celata dai tentativi di spiegarla. Perciò il maestro non "aiuta" l'allievo in nessun modo, dato che aiutare sarebbe in realtà ostacolare. Al contrario, egli esce dalla sua strada per collocare ostacoli e barriere sul sentiero del discepolo. Perciò, i commenti di Wu-men ai vari *koan* nel *Wu-men kuan* conducono intenzionalmente fuori strada; i *koan*, nel complesso, sono definiti "glicini" o "grovigli", e certi gruppi particolari "abili barriere" (*kikan*) e "difficili da penetrare" (*nanto*). Questo è come stimolare la crescita di una siepe con la potatura, poiché naturalmente l'intento fondamentale è aiutare, ma l'allievo zen non conosce realmente lo zen finché non lo scopra da sé. Il proverbio cinese "ciò che entra dal cancello non è tesoro familiare" è inteso dallo zen nel significato che tutto quello che qualcun altro ti dice non è tua cognizione personale. Il *satori*, come spiegò Wu-men, viene soltanto dopo che si è esaurito il proprio pensiero, solo quando si è convinti che la mente non può afferrare se stessa. Come dice un altro *doka* di Ikkyu:

Una mente che cerchi altrove
Il Budda,
È stoltezza
Nel vero centro della stoltezza.

Poiché:

Il mio io di molto tempo fa,
Non-esistente in natura;
Nessun luogo dove andare quando si è morti,
Assolutamente nulla.[9]

Il tipo *hosshin* preliminare di *koan* inizia, perciò, a ostacolare l'allievo avviandolo nella direzione esattamente opposta a quella verso la quale dovrebbe guardare. Solo che lo fa abilmente, così da dissimulare lo stratagemma. Ognuno sa che la natura di Budda è "dentro" di sé e che non va cercata all'esterno, di modo che nessun allievo si lascerebbe ingannare se gli fosse detto di cercarla andando in India o leggendo un certo *sutra*. Al contrario, gli si dice di cercarla in se stesso. Peggio ancora, lo si incoraggia a cercarla con l'intera energia del proprio essere, non abbandonando mai la ricerca né di giorno né di notte, sia durante lo *za-zen*, sia lavorando o mangiando. Lo si incoraggia, di fatto, a rendersi completamente ridicolo, a continuare a rigirarsi come un cane che tenti di acchiapparsi la coda.

Così, i primi normali *koan* sono il "Volto Originario" di Huineng, il "*Wu*" di Chao-chou, o la "Mano Sola" di Hakuin. Al primo colloquio *sanzen*, il *roshi* istruisce l'allievo, accolto con riluttanza, alla scoperta del suo "volto originario" o "aspetto", cioè, la sua natura basilare, com'era prima che suo padre e sua madre lo concepissero. Gli si dice di ritornare quando l'abbia scoperta, e di recare qualche prova della scoperta. Nel frattempo non gli si dà nessuna occasione di discutere il problema con gli altri o di chiedere il loro aiuto. Unendosi agli altri monaci nel *sodo*, lo *jikijitsu* o "capo monaco" probabilmente lo istruirà sui primi rudimenti dello *za-zen*, mostrandogli come sedere e forse incoraggiandolo a ritornare al *roshi* per un *sanzen* non appena possibile e a non perdere una sola occasione di ottenere la giusta visione del suo *koan*. Meditando il problema del suo "volto originario", egli continua così a cercare di immaginare che cosa egli fosse prima della nascita o che cosa egli sia, ora, nel vero centro del proprio essere; quale sia insomma la realtà fondamentale della sua esistenza, indipendentemente dalla sua estensione nel tempo e nello spazio.

Egli presto scopre che il *roshi* non dimostra nessuna pazienza nei riguardi di risposte filosofiche o altrimenti verbose. Poiché il *roshi* vuole una dimostrazione. Vuole qualcosa di concreto, qualche solida prova. L'allievo perciò comincia a portare delle "prove di realtà" come pietre, foglie e rami, grida, gesti, qualsiasi cosa e ogni cosa che gli riesca di immaginare. Ma tutto è risolutamente respinto finché l'allievo, incapace di immaginare di più, arriva all'esaurimento del suo spirito: a questo punto egli si sta certamente avviando sulla giusta traccia. L'allievo "sa che non sa".

Quando il *koan* iniziale è il "*Wu*" di Chao-chou, si chiede all'allievo di scoprire perché Chao-chou rispose "*Wu*" o "No" alla domanda: "Un cane possiede la natura di Budda?". Il *roshi* chiede che gli venga dimostrato questo "no". Un proverbio cinese dice che "una mano sola non fa battimano",[e] e perciò Hakuin chiese: "Qual è il suono di una mano?". Ossia, puoi udire ciò che non fa rumore? Puoi ricavare qualche suono da quest'unico oggetto che non ha nulla da battere? Puoi ottenere qualche "nozione" sulla tua vera natura? Che domanda cretina!

Con tali mezzi l'allievo è portato infine a sentirsi completamente stupido: quasi fosse incorporato in un mostruoso blocco di ghiaccio, incapace di muoversi o di pensare. Egli davvero non sa nulla; il mondo intero, lui compreso, è una massa enorme di puro dubbio. Ogni cosa che egli ode, tocca, o vede è tanto incomprensibile quanto il "nulla" o "il suono di una mano". Al *sanzen* rimane perfettamente muto. Cammina o siede tutto il giorno in un "vivo stupore", conscio di ogni cosa che avviene intorno a lui, rispondendo meccanicamente secondo le circostanze, ma totalmente deluso di tutto.

Dopo qualche tempo passato in questo stato, arriva il momento che il blocco di ghiaccio improvvisamente si scioglie, che questa vasta massa di inintelligibilità diviene improvvisamente sensibile. Il problema di chi o di che cosa sia diventa manifestamente assurdo: una domanda che, fin dall'inizio, non significava proprio nulla. Non v'è nessuno ormai che gli domandi o gli risponda. Pure, al tempo stesso, tale manifesta insensatezza sa ridere e parlare, mangiare e bere, correr su e giù, guardare la terra e il cielo; e tutto questo senza sentire che esiste un problema, che vi sia, nel suo centro, una specie qualsiasi di nucleo psicologico. Non esiste un nucleo, perché "la mente che cerca di conoscere la mente" o "l'io che cerca di controllare l'io" è stato scacciato dall'esistenza e rivelato per ciò che era sempre stato, un'astrazione. E quando tale denso nucleo svanisce non c'è più la sensazione di un duro nocciolo di individualità che si contrappone minaccioso al resto del mondo. A questo punto al *roshi* basta una semplice occhiata sull'allievo per sapere che questi è ora pronto per intraprendere il suo corso di ammaestramento zen con profonda serietà.

Non è proprio così paradossale come sembra affermare che l'addestramento zen può iniziarsi solo quando è compiuto. Difatti si tratta semplicemente del principio fondamentale mahayana che *prajna* guida a *karuna*, che il risveglio non è veramente conseguito se non sottende anche la vita del Bodhisattva, la manifestazione dell'"uso meraviglioso" del Vuoto a vantaggio di tutti gli esseri senzienti.

A questo punto il *roshi* comincia a presentare all'allievo dei *koan* che richiedono atti o giudizi impossibili come:

"Estrai dalla tua manica le quattro divisioni di Tokyo".

"Ferma quella nave sul lontano oceano."

"Fa' cessare quel rintocco di remota campana."

"Una ragazza sta attraversando la strada. È la sorella più giovane o più anziana?"

Tali *koan* sono un po' più evidentemente "maliziosi" che i primi problemi introduttivi, e mostrano all'allievo che ciò che è dilemma per il pensiero non presenta barriere all'azione. Un tovagliolo di carta diventa facilmente le quattro divisioni di Tokyo, e l'allievo risolve il problema della sorella minore o maggiore ancheggiando per la stanza come una ragazza. Infatti nella sua assoluta quiddità la ragazza è proprio *quella*, e solo relativamente è "sorella" "maggiore" o "minore". Si può forse capire perché un uomo che aveva praticato lo *za-zen* per otto anni abbia detto a R.H. Blyth che "lo zen non è altro che un gioco di parole"; poiché, in base al principio di estrarre la spina con la spina, lo zen trae la gente dal garbuglio in cui si trova confondendo le parole e le idee con la realtà.

La pratica continuata dello *za-zen* fornisce ora all'allievo una mente limpida, sgombra, entro la quale egli può gettare il *koan*, come un ciottolo in uno stagno, e osservare semplicemente che cosa la propria mente ne faccia. Alla fine di ogni *koan*, il *roshi* di solito chiede che l'allievo gli presenti qualche verso dallo *Zenrin Kushu* che esprima il punto del *koan* appena risolto. Vengono adottati anche altri libri e il defunto Sokei-an Sasaki, che lavorò negli Stati Uniti, trovò che un manuale indicatissimo allo scopo era *Alice nel Paese delle Meraviglie*! Via via che il lavoro procede, *koan* fondamentali si alternano a *koan* sussidiari che indagano le implicazioni dei primi e danno all'allievo una perfetta conoscenza attiva di ogni tema della visione buddista dell'universo, presentando l'intero corpo di comprensione in modo tale che egli lo conosce nelle ossa e nei nervi. Con tali mezzi egli impara a reagire istantaneamente e risolutamente alle situazioni della vita quotidiana.

Il gruppo finale di *koan* riguarda i "Cinque Ordini" (*goi*), una veduta schematica dei rapporti fra la conoscenza relativa e la conoscenza assoluta, fra cose-eventi (*shih*) e il principio che ne sta alla base (*li*). Il creatore dello schema fu T'ung-shan (807-869), ma esso è il risultato dei contatti dello zen con la scuola Hua-yen (in giapponese Kegon), e la dottrina dei Cinque Ordini è strettamente affidata a quella del quadruplice *Dharmadhatu*.[10] Gli ordini sono spesso raffigurati nelle posizioni relative di padrone e servitore o di anfitrione e ospite, che si riferiscono rispettivamente al principio-base e alle cose-eventi. In tal modo abbiamo:

1) Il padrone guarda giù al servitore.
2) Il servitore guarda su al padrone.
3) Il padrone.
4) Il servitore.
5) Il padrone e il servitore conversano assieme.

Ci limiteremo a dire che i primi quattro corrispondono ai quattro *Dharmadhatu* della scuola Hua-yen, per quanto la relazione sia un po' complessa, e il quinto corrisponde alla "naturalezza". In altre parole, si può considerare l'universo, il *Dharmadhatu*, da una pluralità di punti di vista egualmente validi: come molteplice, come uno, come uno e molteplice, e come né uno né molteplice. Ma la posizione finale dello zen è che esso non assume uno speciale punto di vista, eppure è libero di assumere ogni punto di vista a seconda delle circostanze. Dice Lin-chi:

> Talvolta sottraggo l'uomo (cioè, il soggetto) ma non sottraggo le circostanze (ossia l'oggetto). Talvolta sottraggo le circostanze ma non sottraggo l'uomo. Talvolta sottraggo tanto l'uomo quanto le circostanze. Talvolta non sottraggo né l'uomo né le circostanze.[11 f]

E talvolta, può aver aggiunto, non faccio niente di speciale (*wu-shih*).[12]

L'addestramento *koan* giunge alla sua conclusione nello stadio della perfetta naturalezza o libertà sia nel mondo assoluto sia nel mondo relativo; tuttavia, poiché questa libertà non si oppone all'ordine convenzionale ma è piuttosto una libertà che "sostiene il mondo" (*lokasamgraka*), la fase finale dello studio è il rapporto dello zen con le regole della vita sociale e monastica. Yun-men una volta chiese: "In un mondo così libero, perché rispondete alla campana e indossate le vesti cerimoniali?".[13] A questa domanda si addice la risposta data da un altro maestro in un contesto del tutto differente: "Se esiste una ragione qualsiasi, potete tagliarmi la testa!". Infatti l'atto morale è effettivamente morale solo quando è libero, senza la spinta di un motivo o di una necessità. Questo è pure il significato più profondo della dottrina cristiana del libero arbitrio; poiché agire "in unione con Dio" è agire, non per la costrizione del timore o dell'orgoglio, non per la speranza di una ricompensa, ma per amore disinteressato del "motore immobile".

Dire che il sistema *koan* presenta determinati pericoli o svantaggi vuol dire soltanto che qualsiasi cosa può essere male adoperata. Essendo una tecnica molto sofisticata e per di più socializzata, il *koan* si presta all'affettazione e all'artificiosità. Ma lo stesso vale per qualsiasi tecnica, anche quando è così atecnica come il metodo di Bankei del non-metodo. Anch'esso può diventare un feticcio. Tuttavia è importante saper riconoscere i punti deboli, e pare che nell'addestramento *koan* ce ne siano due.

Il primo sta nell'insistere che il *koan* sia l'"unica via" per una genuina realizzazione dello zen. Naturalmente si può sostenere che lo zen, oltre e al di sopra dell'esperienza del risveglio, è semplicemente il ruolo di praticare il buddismo che il *koan* incorpora. Ma in questo caso la scuola Soto non è zen, e lo zen non si può trovare in altro posto che non sia la tradizione particolare del ramo Rinzai. Così definito, lo zen non possiede universalità e diviene esotico e culturalmente condizionato come il dramma del No o come la calligrafia cinese. Da un punto di vista occidentale, siffatto zen interesserà soltanto i fanatici di esotismo, e i romantici che giocano a fare i giapponesi. Non che vi sia qualcosa di intrinsecamente "cattivo" in tale atteggiamento romantico, poiché non esistono le culture "pure" e il prendere a prestito lo stile di altri popoli accresce sempre la varietà e il sapore della vita. Ma lo zen è ben di più che una raffinatezza culturale.

Il secondo, e più serio, svantaggio può scaturire dal contrasto del *satori* con l'intenso "sentimento di dubbio" che taluni esponenti del *koan* così deliberatamente incoraggiano. Ciò equivale infatti a favorire un *satori* dualistico. Asserire che la profondità del *satori* è proporzionale all'intensità della ricerca e della lotta che lo precede significa confondere il *satori* con le sue appendici puramente emotive. In altre parole: se si desidera provare una sensazione deliziosa di leggerezza ai piedi, si può sempre andare in giro con del piombo nelle scarpe, e poi cavarsele. Il senso di sollievo sarà certamente proporzionale alla durata di tempo in cui le scarpe sono state calzate e al peso del piombo. Il che equivale al vecchio trucco dei fautori di rinnovamento religioso, i quali fanno provare ai loro seguaci un intenso sollievo emotivo, prima insinuando in loro un acuto senso di peccato, e poi risolvendolo attraverso la fede in Gesù. Ma tali "sollievi" non durano, e fu di un *satori* siffatto che Yung-peng disse: "Il monaco che ha un *satori* va all'inferno diritto come una freccia".[14]

Il risveglio implica quasi necessariamente un senso di liberazione perché fa finire l'abituale crampo psicologico del tentativo di afferrare la mente con la mente, che a sua volta genera l'ego con tutti i suoi conflitti e le sue difese. Col tempo, il senso di liberazione dilegua, ma non il risveglio, a meno che esso non sia stato confuso col senso di liberazione e non si sia tentato di sfruttarlo abbandonandosi all'estasi. In tal modo il risveglio è solo incidentalmente piacevole o estatico, e soltanto agli inizi è un'esperienza di intensa liberazione emotiva. Ma nell'intimo esso non è altro che la fine di un uso innaturale e assurdo della mente. Al di sopra e al di là, esso è *wu-shih* (niente di speciale), giacché il contenuto ultimo del risveglio non è mai un oggetto particolare di conoscenza o di esperienza. La dottrina buddista dei "Quattro Invisibili" dice che il vuoto (*sunya*) sta al Budda come l'acqua sta al pesce, l'aria all'uomo, e la natura delle cose alla mente che va oltre la delusione.

Dovrebbe essere chiaro che ciò che noi siamo non sarà mai, nella sua sostanza fondamentale, un distinto oggetto di conoscenza. Qualunque cosa noi possiamo conoscere (vita e morte, luce e tenebre, pieno e vuoto), saranno sempre gli aspetti relativi di qualcosa di altrettanto inconcepibile quanto il colore dello spazio. Risvegliarsi non vuol dire conoscere questa realtà. Una poesia dello *Zenrin* s'esprime così:

> *Come le farfalle si posano sui fiori appena sbocciati,*
> *Bodhidharma dice, "Io non so".*[g]

Risvegliarsi è conoscere ciò che la realtà non è. È cessare di identificare se stessi con un oggetto qualsiasi di conoscenza. Proprio come ogni affermazione sulla sostanza fondamentale o sull'energia della realtà non può essere che priva di significato, così qualunque affermazione riguardo a ciò che "io sono" alle profonde radici del mio essere è il non plus ultra della follia. L'inganno sta nella falsa premessa metafisica alla radice del senso comune; è l'inconscia ontologia ed epistemologia dell'uomo medio, la sua tacita presunzione che egli sia un "qualcosa". Presumere che "io sono nulla", sarebbe, naturalmente, altrettanto sbagliato, dal momento che qualcosa e nulla, essere e non essere, sono concetti in reciproca relazione, e appartengono egualmente all'"ignoto".

Esiste un metodo di rilassamento muscolare che si basa sull'aumento della tensione dei muscoli in modo da avere una chiara percezione di che cosa *non* si deve fare.[15] In questo senso l'uso del *koan* iniziale può essere vantaggioso come mezzo per intensificare l'assurdo sforzo della mente di afferrare se stessa. Ma identificare il *satori* con il conseguente senso di liberazione, con il *senso* di rilassamento, è del tutto ingannevole, poiché il *satori* è il lasciarsi andare e non la "sensazione" di lasciarsi andare. L'aspetto cosciente della vita zen non è perciò *satori*, non è la "mente originale", ma ogni cosa che a uno è concesso di fare e di vedere e di sentire quando il crampo mentale si sia allentato.

Da questo punto di vista la semplice fede di Bankei nella "mente non-nata", come pure la dottrina di Shinran del *Nembutsu*, sono anch'esse aperture al *satori*. Per "lasciarsi andare" non è sempre necessario logorarsi nello sforzo di afferrare, fino a quando ciò divenga intollerabile. Esiste pure, contrapposto a tale metodo violento un *judo* (un "metodo gentile"), il metodo di notare che la mente, la realtà fondamentale, rimane spontanea e inafferrata, sia che si cerchi di afferrarla, sia che non si cerchi. Ciò che si fa o non si fa svanisce per pura e semplice irrilevanza. Pensare che si debba afferrare o non afferrare, lasciar andare o non lasciar andare, non è che nutrire l'illusione che l'ego sia reale, e che le sue macchinazioni costituiscano per il Tao un ostacolo effettivo. Accanto alla spontanea funzione della "mente nonnata" questi sforzi o non-sforzi sono decisamente nulli. Nel linguaggio più immaginoso di Shinran, si deve soltanto conoscere il "voto salvatore" di Amitabha e pronunciare il suo Nome, il *Nembutsu*, anche una volta sola, senza considerare se uno abbia fede o non ne abbia, se sia privo di desideri oppure no. Ogni preoccupazione del genere è l'orgoglio dell'ego. Come dice il mistico Shinshu Kichibei:

> Quando ogni idea di auto-potere fondato su valori morali e su misure disciplinari sia stata soppressa, nulla rimane in voi che si dichiari uditore, e proprio per questo motivo non perdete nulla di ciò che udite.[16]

Fin quando si pensa ad ascoltare, non si può udire distintamente e fin quando si pensa a tentare o non tentare di lasciarsi andare non si può lasciarsi andare. Nondimeno, che uno pensi ad ascoltare oppure no, le orecchie odono lo stesso e niente può impedire al suono di raggiungerle.

Il vantaggio del metodo *koan* è forse che, da un punto di vista generale, l'altro modo è troppo sottile, troppo equivocabile: specialmente da parte dei monaci che potrebbero usarlo come scusa per bighellonare attorno al monastero, vivendo delle donazioni dei devoti laici. Questo è quasi certamente il motivo per cui l'insistenza dei maestri T'ang sul "non cercare" lasciò il campo all'uso più intenso del *koan* come mezzo per esaurire le forze della volontà egoistica. Lo zen di Bankei, privo di metodo o di mezzi, non offre la minima base per una scuola o per una istituzione, dato che i monaci possono benissimo andare per la loro strada e darsi all'agricoltura o alla pesca. Di conseguenza, non viene lasciato alcun segno esterno dello zen; non v'è più un dito che indichi la luna della Verità e questo è indispensabile al Bodhisattva per la sua opera di liberazione di tutti gli esseri, anche se si corre il rischio di scambiare il dito per la luna.

Capitolo quarto

Lo zen nelle arti

Fortunatamente, ci è possibile non solo sentir parlare dello zen, ma anche vederlo. Dato che "una dimostrazione vale più di cento detti", l'espressione zen nelle arti ci fornisce uno dei modi più diretti per intenderlo. Ciò è tanto più vero in quanto le forme d'arte create dallo zen non sono simboliche come altri tipi di arte buddista, e come ogni arte "religiosa" in genere. I soggetti favoriti dagli artisti zen, pittori e poeti, noi potremmo definirli naturali, concreti e profani. Anche quando si volgono al Budda, o ai patriarchi e maestri dello zen, essi li dipingono in un modo particolarmente immediato e umano. Inoltre, le arti dello zen non sono esclusivamente o principalmente descrittive. Persino in pittura, l'opera d'arte è considerata non solo come rappresentazione della natura, ma come fosse – di per sé – opera di natura. La vera tecnica, infatti, implica l'arte della mancanza di arte, della naturalezza; o di ciò che Sabro Hasegawa ha definito l'"accidente controllato", in modo che i dipinti siano composti con la stessa naturalezza delle rocce e delle erbe che servono da modello.

Questo non significa che le forme d'arte dello zen siano affidate al puro caso, come se si intingesse una serpe nell'inchiostro e la si lasciasse strisciare su un foglio di carta. Il fatto è piuttosto che per lo zen non esiste dualismo né conflitto fra l'elemento naturale del caso e l'elemento umano del controllo. Le facoltà creative della mente umana non sono più artificiali delle azioni formative delle piante o delle api, così che dal punto di vista dello zen non è contraddizione asserire che la tecnica dell'arte è disciplina nella spontaneità e spontaneità nella disciplina.

Le forme d'arte del mondo occidentale sorgono da tradizioni spirituali e filosofiche in cui lo spirito è diviso dalla natura e discende dal cielo a operare su di essa come un'energia intelligente su di una materia inerte e refrattaria. Così, Malraux parla dell'artista che "conquista" il suo mezzo, come i nostri esploratori e i nostri scienziati parlano della conquista delle montagne o dello spazio. All'orecchio cinese e giapponese queste sono espressioni grottesche. Quando, infatti, voi compite una scalata è la montagna, non meno delle vostre gambe, che vi spinge verso l'alto; e quando voi dipingete sono il pennello, l'inchiostro e la carta che determinano il risultato altrettanto che le vostre mani.

Il taoismo, il confucianesimo, e lo zen sono espressioni di una mentalità che si sente completamente a suo agio in questo universo e che vede l'uomo come parte integrante delle cose che lo circondano. L'intelligenza umana non è un remoto spirito imprigionato, ma un aspetto dell'intero organismo complicato ed equilibrato del mondo naturale, i cui principi furono esplorati dapprima nel *Libro delle Mutazioni*. Anche il cielo e la terra sono parti di tale organismo, e la natura ci è insieme padre e madre, poiché il Tao, per il quale essa opera, si manifesta originariamente nello *yang* e nello *yin*, i principi maschile e femminile, positivo e negativo che, in equilibrio dinamico, mantengono l'ordine del mondo. L'intuizione che sta alle radici della cultura dell'Estremo Oriente è che gli opposti sono relativi, cioè fondamentalmente armonici. Il contrasto è solo superficiale, non essendovi un intimo contrasto quando le coppie di opposti sono in mutua interdipendenza. In tal modo, le nostre rigide divisioni di spirito e natura, soggetto e oggetto, bene e male, artista e mezzo sono del tutto aliene da questa cultura.

In un universo il cui fondamentale principio è la relatività piuttosto che il dissidio, non esiste uno scopo, non essendoci vittoria da ottenere né fine da conseguire. Poiché ogni fine, come dice la stessa parola, è un estremo, un opposto; ed esiste solo in relazione all'altro suo termine. Non esiste alcuna fretta, perché il mondo non procede verso nessuna meta. Si può benissimo "vivere a proprio agio" come la stessa natura; e nella lingua cinese "mutazioni" di natura e "agio" sono la medesima parola, *i*.[a] Questo è un primo principio nello studio dello zen e di qualsiasi arte dell'Estremo Oriente: la fretta e tutto ciò che essa comporta, è fatale. Non esiste infatti una meta da raggiungere. Nell'istante in cui si concepisce una meta, diviene impossibile praticare la disciplina dell'arte, padroneggiare l'intenso rigore della sua tecnica. Sotto l'occhio attento e critico di un maestro si può praticare la scrittura dei caratteri cinesi per giorni e giorni, mesi e mesi. Ma il maestro sorveglia come il giardiniere osserva la crescita di un albero, e desidera che il suo allievo si comporti come l'albero: un atteggiamento di crescita senza scopo, in cui non vi siano scorciatoie poiché ogni tappa del cammino è tanto un principio quanto un fine. Così, il più compiuto maestro non si congratula con se stesso per l'"arrivo" in misura maggiore del più maldestro principiante.

Per quanto sembri paradossale, la vita piena di scopi non ha contenuto, non ha senso. Continua ad affrettarsi e fallisce in ogni cosa. Non affrettandosi, la vita priva di scopo non perde nulla; poiché solo quando non v'è né meta né contesa i sensi umani sono pienamente ricettivi dinanzi al mondo.

L'assenza di fretta implica pure una certa mancanza di intromissione nel corso naturale degli eventi, specie quando si sente che il corso naturale segue principi che non sono estranei all'umana intelligenza. Come s'è visto, infatti, la mentalità taoista non produce o non forza nulla ma "fa crescere" tutto. Quando la ragione umana è vista come un'espressione dello stesso equilibrio spontaneo di *yang* e di *yin* al pari dell'universo naturale, l'azione dell'uomo sulle cose che lo circondano non è sentita come conflitto, come azione dall'esterno. In tal modo, la differenza tra forzare e far crescere non può esprimersi in termini di specifici orientamenti riguardo a ciò che si dovrebbe o non si dovrebbe fare, poiché la differenza si trova innanzi tutto nel carattere e nel sentimento dell'azione. La difficoltà di raccontare queste cose agli orecchi occidentali sta nel fatto che la gente frettolosa non è in grado di sentire.

Questo atteggiamento nelle arti è forse meglio espresso dalla pittura e dalla poesia. Per quanto sembri che le arti dello zen si limitino alle più raffinate espressioni di cultura, è opportuno rammentare che quasi ogni professione e mestiere è conosciuto in Giappone come un *do*, cioè, come un Tao o Via, non dissimile da ciò che in Occidente si era usi chiamare "mistero". In un certo senso, ogni *do* era a un tempo un metodo laico di insegnamento dei principi che sono incorporati nel taoismo, nello zen, e nel confucianesimo, proprio come la moderna massoneria è una sopravvivenza di tempi in cui l'arte del muratore costituiva un modo di iniziazione a una tradizione spirituale. Anche nella moderna Osaka taluni dei mercanti più anziani seguono un *do* o metodo di commercio basato sullo *shingaku*, un sistema di psicologia strettamente affine allo zen.

Dopo la persecuzione del buddismo cinese nell'845, lo zen fu per qualche tempo non solo la forma prevalente di buddismo, ma ebbe anche il più notevole influsso spirituale sullo sviluppo della cultura cinese. Questo influsso raggiunse il culmine durante la dinastia Sung meridionale (1127-1279) e durante questo periodo i monasteri zen divennero centri direttivi della cultura cinese. Eruditi laici, sia confuciani che taoisti, li frequentavano per periodi di studio, e i monaci zen a loro volta prendevano dimestichezza con gli studi classici della Cina. Dal momento che la scrittura e la poesia erano fra le principali occupazioni dei dotti cinesi, e poiché il modo cinese di dipingere è vicinissimo allo scrivere, i ruoli di erudito, artista e poeta non erano manifestamente separati. Il gentiluomo-dotto cinese non era uno specialista, ed era decisamente contrario alla mentalità del monaco zen di limitare i propri interessi e le proprie occupazioni a faccende puramente "religiose". Il risultato fu una straordinaria vicendevole fecondazione di ricerche filosofiche, erudite, politiche e artistiche, nelle quali il sentimento zen e taoista di "naturalezza" divenne la nota dominante. E fu durante questo periodo che Eisai e Dogen vennero dal Giappone per tornare con lo zen alla loro patria, per essere seguiti da una corrente continua di monaci-dotti giapponesi, bramosi di portare a casa non soltanto lo zen ma ogni altro aspetto della cultura cinese. Carichi interi di monaci, quasi fossero monasteri galleggianti, facevano servizio regolare dal Giappone alla Cina e viceversa, portando non solo *sutra* e opere classiche cinesi, ma anche tè, seta, vasi, incenso, dipinti, droghe, strumenti musicali, e ogni raffinatezza della cultura cinese, per non menzionare artisti e professionisti cinesi.

La pittura più affine alla sensibilità zen era di stile calligrafico, fatta con inchiostro nero su carta o su seta – di solito quadro e poesia insieme. L'inchiostro nero cinese permette una grande varietà di toni, resi secondo la quantità d'acqua, e l'inchiostro stesso varia enormemente in qualità e in "tinte" di nero. L'inchiostro è condensato in bastoncini, e si prepara versando un po' d'acqua in un piatto di pietra, sul quale si passa il bastoncino finché il liquido non sia della densità richiesta. Si scrive o si dipinge con un pennello dalla punta sottile infilato in un'asticciola di bambù, pennello che si tiene diritto senza posare il polso sopra la carta, e i cui soffici peli permettono la massima versatilità di tocco. Dato che il pennello ha un tocco così leggero e fluido e deve muoversi continuamente sul foglio assorbente se si vuole che l'inchiostro fluisca con regolarità, il suo controllo richiede un movimento libero della mano e del braccio come se l'artista stesse danzando piuttosto che scrivendo su carta. In breve, è uno strumento perfetto per l'espressione di una sicura spontaneità, e un solo tocco basta per "svelare" il carattere della persona a un esperto osservatore.

Può darsi che il *sumi-e*, come il giapponese definisce questo stile di pittura, sia stato portato a compimento ai tempi remoti della dinastia T'ang, dai maestri quasi leggendari Wu Tao-tzu (700-760 circa) e Wang-wei (698-759 circa). Tuttavia l'autenticità delle opere loro attribuite è assai dubbia, quantunque si possano datare al nono secolo e comprendano un dipinto così tipicamente zen come la cascata impressionistica attribuita a Wang-wei (una fragorosa corrente di pura forza, suggerita da pochi tocchi curvi e veloci del pennello fra due massi). La grande età formativa di questo stile fu indubbiamente la dinastia Sung (959-1279), ed è rappresentata da pittori come Hsia-kuei, Ma-yüan, Mu-ch'i e Liang-k'ai.

I maestri Sung erano più che altro pittori di paesaggi, creatori di una tradizione di "pittura naturalista", che difficilmente è stata superata altrove nel mondo. Essa infatti ci manifesta la vita della natura – montagne, acque, nebbie, rocce, alberi e uccelli – com'è sentita dal taoismo e dallo zen. È un mondo a cui l'uomo appartiene ma che egli non domina; un mondo sufficiente a se stesso, poiché non fu "fatto" per nessuno e non ha scopo in sé. Hsüan-chüeh disse:

Sul fiume, la luna che risplende; fra i pini, il vento che sospira;
Per tutta la notte così tranquilla – perché? E per chi?[1 b]

I paesaggi Sung non sono affatto così fantastici e stilizzati come spesso li giudicano i critici occidentali, poiché viaggiare per quei territori, in un paese montagnoso, immerso nella nebbia, significa vedere tali paesaggi a ogni svolta della strada, ed è cosa da nulla per il fotografo fare delle fotografie che assomiglino in tutto e per tutto a dipinti cinesi. Uno dei tratti più notevoli del paesaggio Sung, come del *sumi-e* in genere, è il vuoto relativo del disegno, un vuoto che appare tuttavia come parte della pittura, e non come sfondo non dipinto. Colmando solo un angolo, l'artista rende viva l'intera area del disegno. Ma-yüan, in particolare, era maestro in questa tecnica, che risulta quasi un "dipingere non dipingendo", o quello che lo zen talvolta definisce "suonare il liuto senza corde". Il segreto sta nel saper equilibrare la forma con il vuoto e, soprattutto, nel sapere quando si è "detto" abbastanza. Poiché lo zen non guasta né l'emozione estetica né l'emozione del *satori* gravandola di spiegazioni, di secondi pensieri e di commenti intellettuali. Inoltre, la figura così intimamente connessa al suo spazio vuoto suscita il sentimento del "Vuoto meraviglioso" dal quale, d'improvviso, l'evento si manifesta.

Di pari effetto è la maestria del pennello, dei tocchi varianti dalla delicata eleganza alla rude vitalità, dagli alberi minutamente particolareggiati agli arditi schizzi e alle masse composte secondo gli "accidenti controllati" dei peli sparsi del pennello e del foglio variamente inchiostrato. Gli artisti zen hanno conservato questa tecnica fino al giorno d'oggi nel cosiddetto stile *zenga* dei caratteri cinesi: circoli, rami di bambù, uccelli o figure umane tratteggiati con tocchi di pennello così immediati che seguitano a muoversi anche quando la pittura è compiuta. Dopo Mu-ch'i, il più grande maestro della rapida pennellata fu forse il monaco giapponese Sesshu (1421-1506) la cui meravigliosa tecnica comprendeva i più raffinati fondali di pini e uccelli, paesaggi montani che ricordano Hsia-kuei, e paesaggi che sono vivi quasi con violenza, per i quali egli si serviva non soltanto del pennello ma di manciate di paglia imbevuta di inchiostro per ottenere la trama precisa di "volanti fili di capelli".

L'occhio occidentale è colpito immediatamente dall'assenza di simmetria in queste pitture, dalla costante rinuncia a forme geometriche sia diritte che curve. La linea caratteristica del pennello è infatti seghettata, nodosa, irregolarmente ricurva, impetuosa, rapida, in ogni caso spontanea piuttosto che prevedibile. Anche quando il monaco o l'artista zen disegna un cerchio isolato (uno dei temi più comuni dello *zenga*), non solo esso è lievemente eccentrico e deforme, ma lo stesso carattere della linea è pieno di vita e di brio con gli schizzi e le macchie casuali dell'"aspro pennello". Poiché il circolo astratto o "perfetto" diventa concreto e naturale – un circolo vivo – così come le rocce e gli alberi, le nuvole e le acque appaiono all'occhio cinese tanto più simili a se stesse quanto più sono dissimili dalle forme intelligibili del geometra e dell'architetto.

La scienza occidentale ha reso la natura intelligibile in base alle sue simmetrie e regolarità, scomponendo le sue forme più capricciose nelle componenti di una forma regolare e misurabile. Di conseguenza noi siamo inclini a vedere la natura e a trattarla come un "ordine" dal quale è stato eliminato l'elemento della spontaneità. Ma quest'ordine è *maya*, e la "vera quiddità" delle cose non ha niente in comune con le aridità puramente concettuali dei perfetti quadrati, circoli, o triangoli, salvo che anch'essi non esistano per accidente spontaneo. Tuttavia questa è la ragione per cui la mente occidentale è costernata quando crollano le concezioni ordinate dell'universo, e quando si scopre che il comportamento fondamentale del mondo fisico è un "principio di incertezza". Noi troviamo che un mondo tale è privo di significato e inumano; ma se entrassimo in dimestichezza con le forme d'arte cinesi e giapponesi, potremmo arrivare a una stima completamente nuova di questo mondo, nella sua vivente, e in fondo inevitabile, realtà.

Mu-ch'i e Liang-k'ai fecero molti ritratti dei patriarchi e maestri zen, che essi rappresentano per lo più come pazzi dissoluti, accigliati, urlanti, oziosi, o atteggiati a un riso fragoroso dinanzi a foglie agitate dal vento. Come temi favoriti essi adottarono figure zen quali Han-shan e Shih-te, e il grassissimo dio popolare Pu-tai, che completavano un meraviglioso assortimento di felici vagabondi e bricconi scelti per rappresentare la splendida insensatezza e vacuità della vita zen. Lo zen e in una certa misura il taoismo appaiono come le uniche tradizioni che si sentano abbastanza sicure per satireggiare se medesime o le sole abbastanza inconsapevoli di sé da ridere non solo "della" propria religione ma "dentro" di essa. In queste pazze figure, gli artisti zen ritraggono qualcosa che è più di una semplice parodia della propria "*wu-shin*" o spensierata pratica di vita; infatti, come "il genio è strettamente congiunto alla pazzia", esiste un suggestivo parallelo fra il balbettio sconclusionato del pazzo felice e la vita senza scopo del saggio zen. Come dice una poesia dello *Zenrin*:

Le oche selvatiche non intendono proiettare il loro riflesso;
L'acqua non ha intenzione di ricevere la loro immagine.

Così, la vita senza scopo è il tema costante di ogni tipo di arte zen, esprimente la condizione ulteriore dell'artista che va chissà dove, in un tempo senza tempo. Tutti gli uomini hanno, occasionalmente, di questi attimi; ed è proprio in tali circostanze che essi afferrano quella visione fuggevole e intensa del mondo, che getta un bagliore così vivo sui deserti della memoria: l'odore di foglie bruciate in un brumoso mattino d'autunno, un volo di colombi assolati sullo sfondo di una nube temporalesca, il suono di un'invisibile cascata al crepuscolo, o il grido solingo di un uccello indistinto nel cuore di una foresta. Nell'arte dello zen ogni paesaggio, ogni schizzo di un bambù nel vento o di rocce desolate, è una eco di tali momenti.

Quando sia quieto e solitario, lo stato d'animo del momento è chiamato *sabi*.[c] Quando l'artista si sente depresso o malinconico, e in questo particolare vuoto dei sensi ha visione di qualcosa di piuttosto comune e modesto nella sua incredibile "quiddità", lo stato d'animo è detto *wabi*.[d] Quando il momento evoca una più intensa, nostalgica tristezza, connessa con l'autunno e con il dileguare del mondo, si parla di *aware*.[e] E quando la visione è la percezione improvvisa di qualcosa di misterioso e di strano, che allude a un ignoto impossibile a scoprirsi, lo stato d'animo è definito *yugen*.[f] Queste parole giapponesi assolutamente intraducibili denotano i quattro stati d'animo fondamentali del *furyu*,[g] vale a dire del "gusto" proprio dello zen nella sua percezione dei momenti senza scopo della vita.

Ispirato dai maestri Sung, il Giappone ha prodotto uno sciame intero di superbi pittori *sumi* la cui opera oggi è annoverata fra i più pregevoli tesori d'arte della nazione: Muso Kokushi (1275-1351), Cho Densu (m. 1431), Shubun (1414-1465), Soga Jasoku (m. 1483), Sesshu (1421-1506), Miyamoto Musashi (1582-1645), e molti altri. Interessanti opere furono anche dipinte dai grandi monaci zen Hakuin e Sengai (1750-1837): il secondo rivela un intuito istintivo per la pittura astratta così affine alla sensibilità del secolo ventesimo, che è facile capire perché tanti pittori contemporanei si interessino allo zen.

Verso l'inizio del secolo diciassettesimo, gli artisti giapponesi svilupparono uno stile ancora più suggestivo ed "estemporaneo" di *sumi-e*, chiamato *haiga*, come accompagnamento illustrativo ai poemi *haiku*. Tali *sumi-e* derivavano dagli *zenga*, le pitture non formali dei monaci zen che accompagnavano i versi dello *Zenrin Kushu* e le massime dei vari *mondo* e dei *sutra*. Gli *zenga* e gli *haiga* rappresentano la forma più "estrema" di pittura *sumi* – la più spontanea, primitiva e aspra, colma di tutti quegli "accidenti controllati" del pennello che esemplificano la meravigliosa casualità della stessa natura.

Dai tempi più antichi i maestri zen avevano dimostrato una predilezione per le brevi poesie gnomiche, a un tempo laconiche e dirette come le loro risposte alle domande sul buddismo. Molte di esse, come quelle che abbiamo tratto dallo *Zenrin Kushu*, contenevano aperti riferimenti allo zen e ai suoi principi. Tuttavia proprio come "Tre libbre di lino!" di T'ung-shan era una risposta colma di zen ma non sullo zen, così la poesia zen più espressiva è quella che "non dice nulla", che – in altri termini – non è filosofia o commentario *sulla* vita. Un monaco chiese a Feng-hsüeh: "Quando la parola e il silenzio sono entrambi inammissibili, come si può passare senza errore?". Il maestro replicò:

Io ricordo sempre Kiangsu nel mese di marzo
Il grido della pernice, la massa di fiori fragranti![2 h]

Anche qui, come nella pittura, vi è l'espressione di un momento di vita nella sua pura "quiddità" (sebbene sia un peccato dover dire così); e i maestri di frequente hanno citato a questo modo la poesia classica cinese, adottando distici o quartine che indicavano, e non dicevano di più.

L'usanza di trarre distici dalle antiche poesie cinesi per usarli come canzoni era coltivata anche nei circoli letterari, e all'inizio dell'undicesimo secolo Fujiwara Kinto compilò un'antologia di queste citazioni, insieme a brevi poesie *waka* giapponesi, dal titolo *Roeishu*, la *Raccolta di Chiare Canzoni*. Un tale uso della poesia esprime ovviamente lo stesso tipo di visione artistica che noi troviamo nelle pitture di Ma-yüan e Mu-ch'i, lo stesso uso dello spazio vuoto reso vitale con qualche tocco del pennello. In poesia lo spazio vuoto è l'alone di silenzio che una poesia di due versi richiede, un silenzio della mente in cui non si "pensa alla" poesia ma si prova davvero la sensazione che essa evoca, tanto più intensamente quanto più scarse sono le parole.

Verso il diciassettesimo secolo il Giappone ha portato a una vera perfezione questa poesia "senza parole" nello *haiku*, la poesia di sole diciassette sillabe che afferra il tema e subito lo lascia cadere. Ai non giapponesi gli *haiku* possono apparire non diversi da un inizio o da un titolo di poesia, e in una traduzione è impossibile rendere l'effetto del loro suono e ritmo. Comunque, la traduzione di solito può rendere l'immagine, e questo è ciò che importa. Naturalmente, ci sono molti *haiku* che sembrano ampollosi come quei dipinti giapponesi su vassoi laccati da esportazione a buon mercato. Ma l'ascoltatore non giapponese deve ricordare che un buon *haiku* è un ciottolo gettato nello stagno della mente dell'ascoltatore, il quale rievoca associazioni dalla ricchezza della sua stessa memoria. Esso invita l'ascoltatore a partecipare, invece di lasciarlo ammutolito di ammirazione mentre il poeta si pavoneggia.

Lo sviluppo dello *haiku* fu in larga misura opera di Basho (1643-1694), il cui sentimento per lo zen volle esprimersi in un tipo di poesia del tutto affine al *wu-shih* ("nulla di speciale"). "A scrivere un *haiku* – egli disse – basta un ragazzino alto un soldo di cacio." Le poesie di Basho infatti hanno la stessa ispirata obiettività dell'espressione di meraviglia di un fanciullino, e ci fanno riprovare quel medesimo sentimento di stupore che il mondo ci ispirò la prima volta.

Kimi hi take
Yoki mono miseru
Yukimaroge!

Tu accendi il fuoco;
Io ti mostrerò qualcosa di bello,
Una grossa palla di neve![3]

Basho scrisse i suoi *haiku* nel più semplice tipo di parlata giapponese evitando per istinto il linguaggio letterario e "intellettuale" e creando così uno stile che rese capaci le persone comuni di essere poeti. Bankei, suo contemporaneo, fece esattamente lo stesso per lo zen; infatti, come dice una delle poesie *doka* di Ikkyu:

Qualunque cosa si opponga
All'intelligenza e alla volontà della gente comune
Impedisce la Legge degli Uomini
E la Legge di Budda.[4]

Queste parole sono nello spirito della massima di Nanch'üan: "La mente comune è il Tao", dove "comune" significa "semplicemente umana" piuttosto che "volgare". Fu così che il diciassettesimo secolo vide una straordinaria diffusione della concezione zen in Giappone, che si estese dai monaci e dai *samurai* agli agricoltori e agli artigiani.

Il vero sentimento dello *haiku* si rivela in una poesia di Basho che, tuttavia, dice troppo per essere un vero *haiku*:

Com'è ammirevole
Chi non pensa "la vita fugge"
Quando vede il lampo!

Poiché lo *haiku* vede le cose nella loro "quiddità", senza commenti – una visione del mondo che il giapponese denomina *sono-mama*, "proprio com'è" o "proprio così".

Erbacce nel campo di riso
Tagliate e abbandonate proprio così –
Concime!

Nello zen l'uomo non possiede una mente distinta da ciò che egli sa e vede, e questo è accennato da Gochiku nello *haiku*:

La lunga notte;
Il suono dell'acqua
Dice quello che io penso.

E ancor più direttamente:

Le stelle sullo stagno;
Di nuovo l'acquazzone d'inverno
Scompiglia le acque.

Gli *haiku* e le poesie *waka* rendono forse più facilmente che la pittura la differenza sottile fra i quattro stati d'animo di *sabi*, *wabi*, *aware* e *yugen*. La quieta, intensa solitudine del *sabi* è manifesta in:

Su di un ramo avvizzito
Un corvo è appollaiato
Nella sera d'autunno.

Ma è meno ovvia e perciò più profonda in:

Con la brezza della sera,
L'acqua s'avvolge intorno
Alle zampe dell'airone.

Nella scura foresta
Cade una bacca:
Il suono dell'acqua.

Sabi, tuttavia, è solitudine nel senso buddista di distacco, la visione delle cose come avvengono "di per sé" in miracolosa spontaneità. A questo stato d'animo si accompagna quel senso di profonda, illimitata calma che discende con una lunga nevicata, assorbendo tutti i suoni in uno strato dopo l'altro di morbidezza.

Cade il nevischio:
Incommensurabile, infinita
Solitudine.

Wabi, l'inatteso riconoscimento della fiduciosa "quiddità" delle cose più comuni, in specie quando l'oscurità del futuro ha momentaneamente soppresso la nostra ambizione, è forse lo stato d'animo di:

Una porta di cespuglio,
E per serratura –
Questa lumaca.

Il picchio
Insiste sullo stesso punto:
Il giorno va morendo.

Desolazione d'inverno;
Nella tinozza dell'acqua piovana,
Saltellano i passeri.

Aware non è completa afflizione, e non è del tutto nostalgia nel comune senso di vivo desiderio che ritorni un passato assai caro. *Aware* è l'eco di ciò che è passato e di ciò che fu amato, e dà ai ricordi la risonanza che una grande cattedrale dà a un coro, di modo che senza quest'eco essi parrebbero più miseri.

Nessuno vive alla Barriera di Fuha;
La tettoia di legno è crollata;
Tutto quel che rimane
È il vento d'autunno.

La caligine della sera;
Pensando alle cose passate,
Come sono lontane!

Aware è il momento di crisi che sta fra il vedere la caducità del mondo con rimpianto e amarezza, e il vederla come la vera forma del Grande Vuoto.

Il ruscello si nasconde
Fra le erbe
Dell'autunno morente.

Le foglie cadendo,
Giacciono l'una sull'altra;
La pioggia sferza la pioggia.

Tale momento di trapasso è proprio sul punto di "trascorrere" nello *haiku* scritto da Issa per la morte del suo bambino:

Questo mondo come goccia di rugiada –
È forse una goccia di rugiada,
Eppure – eppure –

Yugen, che significa una specie di mistero, sfugge più di tutti a una descrizione, e le poesie devono parlare da sole.

Il mare imbrunisce;
Le voci delle anatre selvatiche
Sono fiocamente bianche.

L'allodola:
La sua voce da sola s'è spenta.
Senza lasciarsi dietro nulla.

Nella fitta nebbia,
Che cosa si grida
Fra il colle e la barca?

Guizza una trota;
Le nuvole si muovono
Nel letto del fiume.

O un esempio di *yugen* nelle poesie dello *Zenrin*:

Calato il vento, ancora cadono i fiori;
Il grido di un uccello: si fa più fondo il silenzio dei monti.[i]

Poiché la scuola zen ha fatto un uso costante di questi distici cinesi almeno dalla fine del secolo quindicesimo, l'apparizione dello *haiku* non deve stupire. L'influenza è di per sé evidente in questo *haiku* "*yugen*-a-rovescio" di Moritake. Lo *Zenrin* dice:

Lo specchio infranto non rifletterà più;
Il fiore caduto non salirà sul ramo.[j]

E Moritake:

Un fiore caduto
Che tornava sul ramo?
Era una farfalla.

Il connubio dello zen con la poesia deve inevitabilmente richiamare l'attenzione sul nome del monaco zen Soto ed eremita Ryokan (1758-1831). Sovente si pensa che un santo sia un uomo la cui sincerità gli attiri l'inimicizia del mondo, ma Ryokan rappresenta l'eccezione del santo che ognuno ama, forse perché egli era, più che buono, un adulto ritornato fanciullo. È facile subire l'impressione che l'amore dei giapponesi per la natura sia prevalentemente sentimentale, riposto su quegli aspetti della natura che sono "gentili" e "graziosi": le farfalle, i fiori di ciliegio, la luna d'autunno, i crisantemi, e i vecchi pini.[5] Ma Ryokan è anche il poeta dei pidocchi, delle pulci, e dell'essere fradici di pioggia fredda.

Nei giorni piovosi
Il monaco Ryokan
Si sente scoraggiato.

E questa veduta di "natura" è tutta d'un pezzo:

Il rumore dello strofinaccio
Sulla casseruola si fonde
Col verso delle raganelle.

In un certo senso Ryokan è un San Francesco giapponese, sebbene molto meno religioso. Egli è un semplicione vagabondo, che gioca innocentemente coi bambini, che vive in una capanna solitaria nella foresta, dal tetto sconnesso e dai muri tappezzati di poesie, nella sua ragnata scrittura meravigliosamente illeggibile, così apprezzata dai calligrafi giapponesi. Egli pensa ai pidocchi sul suo petto come a insetti nell'erba, ed esprime i più naturali sentimenti umani, tristezza, solitudine, smarrimento, o pietà, senza ombra di pudore o di orgoglio. Anche se lo derubano, è ancora ricco, perché:

Il ladro
L'ha lasciata –
La luna alla finestra.

E quando non c'è denaro:

Il vento porta
Abbastanza foglie morte
Per fare un falò.

Quando la vita è vuota se si guarda al passato e priva di scopo se si guarda al futuro, il vuoto è riempito dal presente, di solito ridotto a un capello, a un istante in cui non c'è tempo perché accada qualcosa. Il senso di un presente infinitamente esteso non è mai così vivo come nel *cha-no-yu*, l'arte del tè. A rigore, il termine significa qualcosa come "tè con acqua bollente", e attraverso quest'unica arte lo zen ha esercitato un'influenza incalcolabile sulla vita giapponese, giacché il *chajin*, ovvero "uomo del tè", è arbitro del gusto nelle molte arti sussidiarie che il *cha-no-yu* presuppone: architettura, giardinaggio, ceramica, lavorazione del metallo, laccatura, e arte di disporre i fiori (*ikebana*).

Da quando il *cha-no-yu* è diventato un elemento dell'educazione convenzionale di una giovane donna, lo si è reso oggetto di molte scempiaggini sentimentali, associandolo a pupattole vestite di broccato in stanze rischiarate dalla luna, affannate a fingere i più retorici sentimenti nei riguardi delle porcellane e dei fiori di ciliegio. Ma nell'austera purezza della scuola Soshu Sen l'arte del tè è un'espressione genuina dello zen che non richiede un'apparecchiatura più complicata di una ciotola, un pizzico di tè e un po' di acqua calda. Se non c'è nemmeno questo, il *chado* ("la pratica del tè") può essere praticato in qualunque luogo e con qualsiasi cosa, essendo identico allo zen stesso.

Se il cristianesimo è il vino e l'Islam il caffè, il buddismo è, con assoluta certezza, il tè. Il suo gusto lievemente amaro, che rasserena e chiarifica, gli dona quasi lo stesso carattere del risveglio, mentre l'amarognolo corrisponde alla piacevole ruvidezza del "tessuto grezzo" e al "sentiero di mezzo" fra il dolce e l'aspro. Assai prima dello sviluppo del *cha-no-yu*, il tè era usato dai monaci zen come uno stimolante per la meditazione, ed era quindi bevuto in uno stato d'animo di calma consapevolezza, che si prestava naturalmente a un tipo ritualistico di azione. D'estate rinfrescava e d'inverno riscaldava quei vagabondi monaci eremiti che amavano costruire capanne di erba e di bambù nelle foreste montane, o sulla sponda di torrenti rocciosi. Il totale vuoto e semplicità dell'eremitaggio taoista o zen ha stabilito lo stile non soltanto per il particolare tipo di edificio del *cha-no-yu*, ma per l'intera architettura domestica giapponese.[6]

La monastica "cerimonia del tè" fu introdotta in Giappone da Eisai, e sebbene differisca formalmente dal presente *cha-no-yu*, ne fu nondimeno l'origine, e sembra sia stata adottata per uso laico durante il quindicesimo secolo. In seguito il *cha-no-yu* fu perfezionato da Sen-no-Rikyu (1518-1591), e da lui discendono le tre principali scuole del tè ora fiorenti. Il tè da cerimonia non è la comune foglia di tè che viene immersa in acqua calda; è tè verde finemente polverizzato, sciolto in acqua calda per mezzo di un frullino di bambù finché non ne risulti ciò che uno scrittore cinese definì "la spuma della giada liquida". Il *cha-no-yu* è più apprezzato quando è limitato a un piccolo gruppo di convitati, o solo a due persone, ed era particolarmente amato dai *samurai* del tempo antico, come oggi dagli affannati uomini di affari, quale franca evasione dal turbine del mondo.[7]

L'edificio ideale per il *cha-no-yu* è una piccola capanna separata dalla dimora principale, posta nel suo stesso giardino. La capanna è pavimentata con *tatami*, o stuoie di paglia, con una buca per il fuoco; il tetto di solito è coperto di paglia di riso; e le pareti, come in tutte le case giapponesi, sono di carta *shoji* sorretta da una intelaiatura di legno. Una parte del locale è occupata da una nicchia o *tokonoma*, dove è esposto un quadro di pittura o calligrafia, assieme a una pietra, a un rametto di fiori, o a un altro oggetto d'arte.

L'atmosfera, per quanto formale, è stranamente riposante, e gli ospiti si sentono liberi di conversare o di osservare in silenzio secondo il loro desiderio. Il padrone di casa prepara lentamente un fuoco di carbone di legna, e con una specie di mestolo di bambù versa dell'acqua in una cuccuma squadrata di ferro brunito. Con lo stesso stile formale eppure indolente, egli porta gli altri oggetti necessari: un piatto con qualche pasticcino, la tazza e la scatola del tè, il frullino e un recipiente più grande per gli avanzi. Durante questi preparativi prosegue una casuale conversazione; e presto l'acqua della cuccuma comincia a bollire e a gorgogliare, di modo che gli ospiti fanno silenzio e ascoltano. Poco dopo, il padrone di casa serve il tè agli ospiti, a uno a uno, dalla stessa tazza, prendendone una certa quantità dalla scatola con una canna di bambù curvata a cucchiaio, versando l'acqua dalla cuccuma con il mestolo dal lungo manico, battendolo con il frullino sino a renderlo schiumoso, e ponendo l'unica tazza dinanzi al primo ospite, rivolta verso di lui dalla parte migliore.

Di solito la tazza usata per il *cha-no-yu* è di colore smorto, rozzamente rifinita, ricoperta di uno smalto che lascia libera la base – un fortunato difetto che ha sempre offerto opportunità infinite all'"accidente controllato". Prediletta è la comune tazza da riso coreana, una rustica terraglia contadina da cui i maestri del tè hanno scelto genuini capolavori di forma. Il recipiente per il tè è spesso d'argento opaco o di spessa lacca nera sebbene talvolta siano anche adoperati vecchi vasi da medicinali – semplici oggetti di uso riesumati dai maestri per la loro naturale bellezza. Un recipiente famoso, che una volta andò in pezzi, fu riparato con cemento aureo, e divenne assai più pregiato per la fortuita rete di sottili linee d'oro che ne ricoprì la superficie. Bevuto il tè, gli ospiti possono chiedere di esaminare tutti gli utensili adoperati, poiché ognuno di questi è stato creato o scelto con la massima cura, e spesso esibito per l'occasione a motivo di certe caratteristiche che potessero interessare particolarmente qualcuno degli ospiti.

Ogni accessorio del *cha-no-yu* è stato scelto secondo regole di gusto che gli uomini più sensibili in Giappone hanno meditato per secoli. Sebbene la scelta avvenga solitamente per intuito, un'accurata osservazione degli oggetti rivela proporzioni interessanti e inattese: opere di geometria spontanea, notevoli come la conchiglia a spirale del nautilo o la struttura di un cristallo di neve. Architetti, pittori, giardinieri e ogni genere di professionisti hanno lavorato in collaborazione con i maestri del *cha-no-yu*, come un'orchestra con il suo direttore, di modo che il loro "gusto zen" è passato negli oggetti di uso quotidiano creati dagli stessi artigiani. Questo gusto è evidente soprattutto nelle cose ordinarie, strumentali: suppellettili da cucina, carta *shoji*, zuppiere, teiere e tazze comuni, stuoie da pavimento, canestri, vasi e bottiglie, tessuti per gli abiti di ogni giorno, e un centinaio di altri semplici manufatti nei quali i giapponesi uniscono il buon gusto alla massima comodità. Lo spirito "zen" del *cha-no-yu* si manifesta principalmente nel carattere puramente profano del rituale, che non ha natura liturgica come la messa cattolica o le cerimonie elaborate del buddismo Shingon. Sebbene gli ospiti evitino nella loro conversazione argomenti politici, finanziari o commerciali, si ha talvolta una serena discussione su questioni filosofiche, per quanto i soggetti preferiti siano di arte e di natura. Va ricordato che il popolo giapponese ricorre a tali argomenti con la stessa prontezza e spontaneità con la quale noi discorriamo di sport o di viaggi, e che le loro conversazioni sulla bellezza naturale mancano di quell'artificiosità che si potrebbe ritrovare nella nostra cultura. Inoltre, essi non si sentono minimamente colpevoli per questa ammessa "evasione" dalla cosiddetta "realtà" degli affari e della competizione mondana. L'evasione da tali interessi è naturale e necessaria come il sonno, ed essi non provano né compunzione né imbarazzo nell'appartenere per un poco al mondo taoista dei liberi eremiti che vanno in giro per le montagne come nuvole sospinte dal vento, senza aver nulla da fare se non coltivare una fila di legumi, fissare la nebbia che s'addensa, e ascoltare il suono delle cascate. Taluni, forse, scoprono il segreto di congiungere i due mondi, di vedere le "dure realtà" della vita umana identiche all'opera senza scopo del Tao, eguali a un disegno di rami contro il cielo. Come dice Hung Tzu ch'eng:

> Se la tua mente non sarà agitata da venti e da onde, vivrai sempre tra montagne azzurre e verdi alberi. Se la tua vera natura possiede la forza creativa della Natura stessa, ovunque tu vada, vedrai i pesci guizzare e le oche svolazzare.[8]

Il tipo di giardino che si accompagna allo stile zen e al *cha-no-yu* non è, naturalmente, uno di quegli ornati paesaggi da imitazione con gru di bronzo e pagode in miniatura. L'intento dei migliori giardini giapponesi non è di rendere un'illusione realistica di paesaggio, ma semplicemente di suggerire l'atmosfera di "montagna e acqua" in un piccolo spazio, adattando il disegno del giardino in maniera da farlo apparire più aiutato che regolato dalla mano dell'uomo. Il giardiniere zen non vuole imporre la sua intenzione alle forme naturali, ma si preoccupa piuttosto di seguire la "intenzione priva di intenzione" delle forme stesse, anche se questo implica la massima cura e abilità. Di fatto, il giardiniere non cessa mai di potare, tosare, ripulire dalle erbacce, e regolare la crescita delle sue piante; ma compie queste azioni nello spirito di far parte del giardino stesso piuttosto che esserne un agente esterno. Non ostacola la natura perché egli stesso è natura, e coltiva come non stesse coltivando. Così, il giardino è a un tempo estremamente artificiale e straordinariamente naturale.

Tale spirito è manifesto al massimo grado nei grandi giardini di sabbia e rocce di Kyoto, di cui l'esemplare più famoso è il giardino di Ryoanji. Esso consiste di cinque gruppi di rocce disposte su di un rettangolo di sabbia rastrellata, protetto da un basso muro di pietra, e circondato di alberi. Fa pensare a una spiaggia naturale, o anche a una marina con isole rocciose, ma la sua incredibile semplicità evoca una serenità e chiarità di sensi così potente che può cogliersi perfino da una fotografia. L'arte maggiore che contribuisce alla creazione di tali giardini è il *bonseki*, che può a buon diritto definirsi l'arte di "allevare" le rocce. Esige difficili spedizioni alle spiagge, a montagne e fiumi, alla ricerca di forme di rocce che il vento e l'acqua abbiano modellato in vivi asimmetrici contorni. Queste rocce sono trasportate nel luogo del giardino, e disposte in modo che sembrino cresciute dove si trovano, così da essere riferite allo spazio circostante o all'area della sabbia come le figure sono poste in relazione allo sfondo nelle pitture Sung. Poiché la roccia deve aver l'aria di essere sempre stata nella stessa posizione, bisogna che sembri una cosa antica e muschiosa; e piuttosto che tentare di piantarvi sopra del muschio, viene dapprima situata in un luogo dove il muschio possa crescervi spontaneamente, e poi collocata nella sua posizione definitiva. Le rocce scelte dall'occhio sensibile di un artista *bonseki* sono classificate fra i più preziosi tesori nazionali del Giappone, ma non vengono toccate, eccetto che per rimuoverle, dalla mano dell'uomo.

I monaci zen amavano anche coltivare giardini che traessero vantaggio dalla posizione naturale: sistemare cioè rocce e piante lungo i margini di un ruscello, creando un'atmosfera meno formale che suggeriva l'impressione di una gola montana attigua agli edifici del monastero. Essi erano sempre parchi e riservati nell'uso del colore come lo erano stati i pittori Sung prima di loro, poiché masse di fiori con un'intensa varietà di colori si trovano di rado in natura. Sebbene asimmetrici, i giardini giapponesi hanno una forma chiaramente definibile e, diversamente da tanti giardini fioriti inglesi e americani, non somigliano a un brutto quadro a olio. Questo amore per la forma delle piante si riflette nell'arte della disposizione dei fiori dentro casa, dove piuttosto che raggruppare in mazzo colori diversi, si accentua il disegno dei singoli rami e foglie.

Ognuna delle arti che abbiamo trattato presuppone un tirocinio tecnico che segue gli stessi principi essenziali dell'ammaestramento zen. Il miglior resoconto in lingua occidentale di questo tirocinio è lo *Zen in the Art of Archery* di Eugen Herrigel, che è la storia dell'addestramento personale dell'autore sotto un maestro dell'arco giapponese. A quest'opera si dovrebbe aggiungere la già citata lettera sullo zen e la scherma (*kendo*) del maestro Takuan del secolo diciassettesimo, tradotta da Suzuki nel suo *Zen Buddhism and Its Influence on Japanese Culture*.

Il maggior problema di ciascuna di queste discipline è di portare l'allievo al punto donde egli possa realmente iniziare. Herrigel spese quasi cinque anni nel tentativo di trovare il giusto modo di allentare la corda, poiché si doveva compiere questo atto "senza intenzione", allo stesso modo che un frutto maturo rompe la sua buccia. Il problema di Herrigel era di risolvere il paradosso di esercitarsi con rigore senza mai "tentare", e di lasciare andare la corda tesa intenzionalmente senza intenzione. Il suo maestro lo incitava al tempo stesso a continuare a provare e riprovare, e a cessare di far sforzi. Poiché l'arte non si può imparare se la freccia non "si scaglia da sé", e la corda non è allentata *wu-hsin* e *wu-nien*, senza "mente" e senza scopo, o "scelta". Dopo tutti questi anni di pratica venne un giorno in cui la cosa si verificò, ma come, o perché, Herrigel non lo capì mai.

Lo stesso dicasi per imparare l'uso del pennello nella scrittura o pittura. Il pennello deve tratteggiare da sé. Ciò non può verificarsi se non si fa una pratica costante; non può neppure accadere se si compie uno sforzo. Allo stesso modo nella scherma non si deve prima decidere un colpo e poi tentare di attuarlo, poiché in tal caso la mossa sarà tardiva. Decisione e azione devono essere simultanei. Questo era il senso dell'immagine di Dogen della legna da ardere e della cenere, poiché affermare che la legna non "diviene" cenere equivale a dire che la legna non ha intenzione di essere cenere prima che sia effettivamente cenere, e a questo punto non è più legna da ardere. Dogen insisteva che i due stati fossero "chiaramente distinti", e così il maestro di Herrigel non voleva che egli "mischiasse" i due stati di tensione e di allentamento dell'arco. Herrigel fu addestrato a tendere la corda al punto di massima tensione e a fermarsi lì senza alcuno scopo, alcuna intenzione nella mente riguardo a che cosa fare subito dopo. Similmente, nel giudizio di

Dogen sullo *za-zen*, si deve stare seduti "solo per sedere" e non ci dev'essere l'intenzione di conseguire il *satori*.

Le visioni improvvise della natura che formano la sostanza dello *haiku* sorgono allo stesso modo, poiché non si trovano mai quando si cercano. Lo *haiku* artificioso si sente sempre come un pezzo di vita che è stato deliberatamente strappato via dall'universo mentre lo *haiku* genuino è venuto via da sé, e contiene l'intero universo.

Invero artisti e professionisti dell'Estremo Oriente hanno misurato, analizzato e classificato le tecniche dei maestri a un grado tale, che per deliberata imitazione possono quasi "ingannare, se possibile, perfino l'eletto". L'opera così elaborata è indistinguibile dai suoi modelli, proprio come arceri e spadaccini addestrati con metodi del tutto diversi possono eguagliare le gesta di *samurai* ispirati dallo zen. Ma i risultati finali non hanno nulla a che vedere con lo zen. Infatti, come s'è visto fin qui, lo zen non ha mete; è un viaggiare senza punto d'arrivo, senza un luogo dove andare. Viaggiare significa esser vivi, ma giungere in un luogo significa esser morti, poiché come dice il proverbio inglese, "viaggiare bene è meglio che arrivare".

Un mondo che tende sempre più a destinazioni senza viaggi, un mondo che si interessa soltanto di "arrivare in qualche posto" il più rapidamente possibile, diviene un mondo senza sostanza. Si può giungere in qualsiasi luogo e dappertutto; eppure, quanto più questo è possibile, tanto meno il qualsiasi luogo e il dappertutto meritano di essere raggiunti. I punti di arrivo sono, invero, troppo astratti, troppo euclidei perché se ne tragga piacere; e questo assomiglia a mangiare le punte estreme di una banana senza toccare ciò che si trova nel mezzo. Il senso, perciò, di queste arti è di praticarle piuttosto che di portarle a compimento. Ma più ancora, il vero piacere che procurano sta in ciò che si verifica inintenzionalmente durante la pratica, proprio come il piacere del viaggio non è tanto nel giungere al luogo desiderato, quanto nelle sorprese che capitano durante il percorso.

Le sorprese predisposte sono una contraddizione in termini come un *satori* intenzionale; e chiunque miri al *satori* assomiglia, in fin dei conti, a una persona che si mandi dei regali natalizi nel timore che gli altri se ne dimentichino. Si deve semplicemente badare al fatto che lo zen è interamente quella parte di vita che sfugge del tutto al nostro controllo, e che non ci risulterà mai accessibile per quanti sforzi o intrighi o stratagemmi compiamo, capaci di produrre solamente surrogati della cosa reale. Ma l'estrema parola dello zen non è un dualismo assoluto: il mondo un po' sterile dell'azione controllata da una parte e il mondo spontaneo dell'incontrollata sorpresa, dall'altra. Infatti, chi controllerà il controllore?

Siccome lo zen non implica un dualismo ultimo fra il controllore e il controllato, fra la mente e il corpo, lo spirituale e il materiale, esiste sempre nelle sue tecniche un aspetto "fisiologico". Sia esso praticato mediante lo *za-zen*, il *cha-no-yu* o il *kendo*, si attribuisce sempre grande importanza al modo di respirare. Il respiro non solo è uno dei due ritmi fondamentali del corpo; è anche il processo nel quale controllo e spontaneità, azione volontaria e azione involontaria trovano la loro identità più palese. Molto tempo prima delle origini della scuola zen, sia lo *yoga* indiano sia il taoismo cinese praticavano "la sorveglianza del respiro", col proposito non di forzarlo, ma di *lasciarlo* diventare lento e silenzioso nei limiti del possibile. Fisiologicamente e psicologicamente il rapporto fra respiro e "intuizione" non è ancora del tutto chiaro. Ma se noi consideriamo l'uomo come processo piuttosto che come entità, come ritmo piuttosto che struttura, è ovvio che respirare è qualcosa che l'uomo fa – e, in tal modo, è – costantemente. Perciò afferrare l'aria con i polmoni procede di pari passo con l'afferrarsi alla vita.

Il respiro cosiddetto "normale" è irregolare e affannoso. L'aria viene sempre trattenuta e non completamente liberata, poiché l'individuo sembra incapace di "lasciarle" compiere l'intera sua corsa attraverso i polmoni. L'individuo respira coercitivamente piuttosto che liberamente. La tecnica perciò inizia con l'incoraggiare una piena espirazione, rendendo più lieve il respiro come se il corpo venisse svuotato d'aria da una grande palla di piombo che affondasse attraverso il petto e l'addome e si posasse sul terreno. L'aspirazione può allora seguire come una semplice azione riflessa. L'aria non viene attivamente aspirata; le si consente di entrare; e poi, quando i polmoni siano comodamente riempiti, le si permette di uscire di nuovo, laddove l'immagine della palla di piombo le dà il senso dello "scivolar" fuori come cosa distinta dall'essere "spinta".

Si potrebbe anche giungere ad affermare che tale modo di respirare è lo zen stesso nel suo aspetto fisiologico. Nondimeno, come per ogni aspetto dello zen, il respiro è ostacolato da qualsiasi sforzo; e per questo motivo i principianti sviluppano sovente quell'ansia particolare di chi si sente incapace di respirare senza mantenere un controllo cosciente. Ma proprio come non è necessario cercare di accordarsi col Tao, cercare di vedere o di udire, così va ricordato che il respiro stesso avrà sempre cura di sé. Non si tratta di un "esercizio" di respirazione, quanto di una "sorveglianza e liberazione" del respiro; ed è sempre un grave errore intraprenderne la pratica nello spirito di una disciplina coercitiva da "praticarsi" avendo in mente una meta.

Questo modo di respirare non si applica solo a determinate circostanze. Al pari dello zen medesimo esso è adatto in ogni occasione; e in questo modo, come negli altri, ogni attività umana può diventare una forma di *za-zen*. L'applicazione dello zen all'attività non si limita alle arti formali, e dall'altro lato non esige la specifica "tecnica dello stare seduti" del vero e proprio *za-zen*. Il defunto dr. Kunihiko Hashida, assiduo studioso di zen e curatore delle opere di Dogen, non usò mai lo *za-zen* formale. Ma la sua "pratica zen" corrispondeva esattamente al suo studio della fisica; e per fare intendere il proprio atteggiamento egli era solito affermare che il compito della sua vita consisteva nel "fare della scienza" piuttosto che nello "studiare la scienza".

Ognuna a modo suo, le arti che lo zen ha ispirate danno viva espressione al carattere improvviso o istantaneo della sua visione del mondo. L'immediatezza delle pitture *sumi* e degli *haiku*, e la totale presenza di spirito richiesta nel *cha-no-yu* e nel *kendo*, manifestano la ragione vera per cui lo zen si è sempre definito il metodo del risveglio istantaneo. E non è esatto che il *satori* avvenga rapidamente e inaspettatamente, poiché la rapidità non ha niente a che fare con esso. La ragione è che lo zen è una liberazione dal tempo. Se infatti apriamo i nostri occhi e distinguiamo nettamente, risulta ovvio che non esiste altro tempo che questo istante, e che il passato e il futuro sono astrazioni senza una concreta realtà.

Finché ciò non sia diventato chiaro, sembra che la nostra vita sia tutta passato e futuro, e che il presente non sia niente di più di quel capello infinitesimale che li divide. Ne consegue la sensazione di "non aver tempo", di un mondo che s'affretta con tale rapidità che è trascorso prima che noi lo abbiamo goduto. Ma attraverso "il risveglio all'istante" si capisce che tale impressione è l'opposto della verità; è piuttosto il passato e il futuro che sono illusioni "effimere, e il presente che è eternamente reale. Noi scopriamo che la successione lineare del tempo è una convenzione del nostro pensiero verbale monodiretto, di una coscienza che interpreta il mondo affermandone piccoli pezzi e chiamandoli cose ed eventi. Ma ognuno di simili atti della mente esclude il resto del mondo; così che tale tipo di coscienza riesce a conseguire una visione approssimativa del tutto solo mediante una serie di atti di possesso, l'uno di seguito all'altro. Nondimeno la superficialità di questa coscienza è palese nel fatto che essa non può regolare, e non regola, nemmeno l'organismo umano. Poiché se la coscienza dovesse controllare il battito del cuore, il respiro, l'azione dei nervi, delle ghiandole, dei muscoli, e degli organi dei sensi, si aggirerebbe con furia selvaggia per il corpo interessandosi di una cosa dopo l'altra, senza aver tempo per nulla di diverso. Fortunatamente non ha questo incarico, e l'organismo è regolato dalla "mente originale" che sta fuori del tempo, e occupandosi della vita nella sua totalità, può fare tante "cose" in una volta.

Tuttavia, non è come se la coscienza superficiale fosse una cosa e la "mente originale" un'altra, poiché la prima è un'attività specializzata della seconda. Così la coscienza superficiale può destarsi all'eterno presente solo se cessa di afferrare. Ma ciò non accade se cerca di concentrarsi sul presente sforzo che riesce solo a far sembrare il momento ancora più elusivo e sfuggente, ancora più difficile da mettere a fuoco. La consapevolezza dell'"eterno ora" si attua per lo stesso principio della chiarezza nell'udire e nel vedere e dell'adeguata libertà del respiro. La limpida vista non ha nulla da spartire col tentativo di vedere; è semplicemente la certezza che gli occhi coglieranno ogni particolare da soli, poiché fintanto che rimangono aperti difficilmente si può impedire alla luce di raggiungerli. Allo stesso modo, non c'è difficoltà a essere pienamente consapevoli dell'eterno presente non appena ci si renda conto che non è possibile essere consapevoli di qualcos'altro – che in concreto non vi *è* né un passato né un futuro.

Compiere uno sforzo per concentrarsi sull'istante presuppone che esistano altri momenti. Ma questi non si possono trovare in nessun luogo, e in verità si sta così comodi nell'eterno presente come gli occhi e le orecchie rispondono alla luce e al suono.

Ora, tale eterno presente altro non è se non il fluire "senza tempo", inaffrettato del Tao:

Una marea che, muovendosi, sembra dormire,
Troppo colma per – suono o spuma.

Come disse Nan-ch'üan, cercare di accordarvisi equivale a deviare, sebbene di fatto non si possa deviare e non esista nessuno che devii. Così pure non si può sfuggire all'eterno presente cercando di prestarvi attenzione; e proprio questo fatto dimostra che, separato dal presente, non esiste alcun io che lo osservi e lo conosca – e tale è il motivo per cui Hui-k'o non riuscì a trovare la propria mente quando Bodhidharma gli chiese di mostrarla. Malgrado le perplessità e i problemi filosofici che ciò può suscitare, un solo chiaro sguardo è sufficiente per cogliere la sua inevitabile verità. V'è soltanto questo *ora*: non proviene da nessuna parte; non procede verso nessuna parte; non è permanente, ma non è non-permanente; si muove, eppure è sempre fermo; quando cerchiamo di ghermirlo sembra fuggir via; eppure è sempre qui e non si può sfuggirgli. E quando ci volgiamo a cercare l'io che conosce questo momento, troviamo che è scomparso insieme al passato. Perciò il sesto patriarca dice nel *T'an-ching*:

> In questo momento non v'è nulla che venga in essere. In questo momento non v'è nulla che cessi di essere. Così non v'è nascita-e-morte che debba concludersi. L'assoluta tranquillità (del *nirvana*) è il momento presente. Sebbene sia in questo momento, questo momento non ha limiti e quivi è eterno diletto. (7)[k]

Pure, quando il momento giunge, esso può definirsi "presente" solo in relazione a passato e futuro, o a qualcuno che lo consideri tale. Ma quando non c'è né passato né futuro, e nessuno per cui tale momento sia presente, che cos'è? Quando Fa-ch'ang stava per morire, uno scoiattolo sul tetto squittì. "È proprio questo," egli disse, "e null'altro."

Note

Parte prima

Capitolo primo

[1] La cultura moderna ha messo in discussione sia la data sia la storicità di Lao-tzu, ma non è facile giudicare se ciò sia qualcosa di più di una semplice moda, dato che si manifestano periodiche tendenze a formulare dubbi sull'esistenza dei grandi saggi o a discutere la misura della loro antichità. Dubbi analoghi sono sorti in merito a Gesù e a Budda. Vi sono alcuni argomenti seri in favore di una data più recente, ma sembra meglio mantenere la data tradizionale finché la prova della tesi contraria non divenga più persuasiva. Vedi FUNG YU-LAN (1), vol. I, pp. 170-176.

[2] FUNG YU-LAN (1), vol. I, pp. 379-380.

[3] Duyvendak avanza l'ipotesi che *tao* non avesse a quel tempo il significato di "parlare", e traduce così il brano: "La Via che può veramente considerarsi come la Via è tutt'altro che una via permanente". In realtà si arriva allo stesso significato, poiché ciò che Duyvendak indica con una "via permanente" è un concetto fisso del Tao (ossia, una definizione). Quasi tutti gli altri traduttori, e la maggior parte dei commentatori cinesi, assumono il secondo *tao* a significare "parlato".

[4] Questo fu scritto prima che avessi preso visione del secondo volume della autorevole opera di JOSEPH NEEDHAM, *Science and Civilization in China*, dove l'autore discute la natura organicistica della concezione, cinese e particolarmente taoista, dell'universo. Vedi specialmente parte 13, pp. 279 sgg. Needham richiama anche l'attenzione sulle differenze sostanziali fra le concezioni ebraico-cristiana e cinese di legge naturale; la prima derivante dalla "parola" di un legislatore, Dio, e la seconda da un rapporto di processi spontanei operanti in un modello organistico. Vedi parte 18, *f* e *h*, in particolare pp. 557-564 e 572-583.

[5] H.A. GILES, p. 345.

[6] T'ung-shan Liang-chieh. DUMOULIN e SASAKI, p. 74.

[7] LIN YUTANG, p. 129.

[8] *Unaffected* [in inglese il verso è: *Become unaffected*] è un tentativo di rendere *su*,[m] un carattere che originariamente si riferisce alla seta non

sbiancata o allo sfondo non dipinto in seta di un quadro. "L'umanità" si riferisce al principio centrale del confucianesimo di *jen*,[n] che generalmente significa "di cuore umano", sebbene sia ovvio che Lao-tzu si riferisca alla sua forma cosciente di sé e affettata.

[9] L. GILES, pp. 40-42. Da *Lieh-tzu*, II.

[10] H.A. GILES, p. 232.

[11] LIN YUTANG, p. 86.

[12] Il principio centrale zen della "non mente" o *wu-hsin* lo si trova di già in Chuang-tzu (22): *Il corpo asciutto come un orso, / La mente come cenere morta; / Questa è la vera sapienza, / Non la lotta per conoscere il perché; / Nel buio nell'oscurità, / L'incosciente (wu-hsin) non può far piani: / Che genere d'uomo è costui?* [H.A. GILES, p. 281.]

[13] H.A. GILES, p. 167.

[14] H.A. GILES, p. 242.

[15] Ch'u Ta-kao (1), p. 22.

[16] H.A. GILES, p. 351.

Capitolo secondo

[1] V. MONIEU-WILLIAMS, *Sansfrit-English Dictionary*, p. IX, Oxford, 1951.

[2] *Rigveda*, X. 90. La traduzione inglese è di R.T.H. Griffith. Purusha è la coscienza originale che sta dietro al mondo.

[3] *Brihadaranyaka Upanishad*, I. 4. 5.

[4] *Bhagavad-Gita*, X-III. 13.

[5] COOMARASWAMY, p. 77.

[6] *Bashya* in *Kena Upanishad*, 9-11. "Non può" può suggerire un sottinteso erroneo, giacché l'espressione normalmente è privativa. Il fatto si è che, come la luce non ha bisogno di risplendere su di sé dato che è di già luminosa, così non c'è né vantaggio né senso alcuno, nella nozione del Brahman come oggetto della propria conoscenza.

[7] Dalla medesima radice di maya, donde provengono le parole inglesi *mensuration* (latino: *mensura*), *mental* (latino: *mens*), *dimension* e l'uomo stesso (*man*) la "misura di tutte le cose". Cfr. anche il latino *mensis* (mese, in inglese: *month*).

[8] *Samyutta Nikaya*, 421.

[9] Oppure se volessimo tradurre *dukkha* con "aspro", potremmo dire che, secondo la dottrina del Budda, la vita è inasprita dall'atteggiamento possessivo dell'uomo nei suoi riguardi, come il latte diviene acido se conservato troppo a lungo.

[10] La struttura dinamica di questa Ruota è chiamata *pratitya-samutpada*, la duodecupla catena del nesso causale, in cui i dodici anelli causali si generano a vicenda, costituendo un circolo chiuso senza principio né fine. Così l'ignoranza (*avidya*) dà origine all'azione (*samskara*), e questa di seguito alla coscienza (*vijnana*), nome-e-forma (*nama-rupa*), sei sensi (*shadayatana*), contatto (*sparsa*), esperienza dei sensi (*vedana*), brama (*trishna*), attac-

camento (*upadana*), vita (*bhava*), nascita (*jati*), e vecchiezza-e-morte (*jara-marana*), che nuovamente dà origine ad *avidya*. Il Budda spiegò che *avidya* fu messa per prima nella lista, non perché fosse l'inizio temporale della serie, ma per semplice convenienza d'esposizione. L'intera serie sorge contemporaneamente, e i suoi termini esistono in reciproca relazione.

[11] Tecnicamente tale azione sarebbe chiamata *akarma*, azione incondizionata, o *asamskrita*, azione non predisposta.

[12] *Majjhima Nikaya*, I. 56.

[13] *Sikshasamuccaya*, 234. In CONZE (2), p. 163.

[14] Il canone pali (*Vinaya Pitaka*, III. 3-6, e *Majjhima Nikaya*, I. 349-352) elenca otto tipi di *jhana* – i quattro *rupa-jhana* e i quattro *arupa-jhana* – gli stati di *jhana* con forma e senza forma. I primi quattro riguardano il progressivo passaggio della concezione (*vitakka*) e del pensiero discorsivo (*vicara*) a uno stato di equanimità (*upekkha*) attraverso la pratica del *samadhi*. In altre parole, come la mente ritorna al suo stato naturale di integrità e di non dualità, cessa di afferrarsi all'esperienza con i simboli del pensiero discorsivo. Essa percepisce senza parole o concetti. Al di là di questo si trovano i quattro *arupa-jhana*, descritti come le sfere dello Spazio illimitato, della Coscienza illimitata, del Nulla, e della Né-Percezione-Né-nonpercezione, che sono stadi della realizzazione da parte della mente della propria natura. Si dice che il Budda, al tempo della sua morte, sia entrato nel *parinirvana* (ossia, *nirvana* finale) dal quarto *rupa-jhana*.

[15] *Anguttara Nikaya*, II. 25.

Capitolo terzo

[1] KEITH, p. 273.

[2] L'asserita oscenità del *maithuna*, com'è chiamata questa pratica, è esclusiva opinione dei missionari cristiani. Di fatto, la relazione con la *shakti* era ben lungi dall'essere promiscua, implicava la nobile e purtroppo rara nozione di un uomo e di una donna che intraprendano in comune la loro evoluzione spirituale. Ciò comprendeva una santificazione della relazione sessuale che avrebbe logicamente dovuto far parte della concezione cattolica del matrimonio come sacramento. Per una completa trattazione si veda S.B. DASGUPTA, *An Introduction to Tantric Buddhism*, Calcutta 1952; e Sir JOHN WOODROFFE, *Shakti and Shakta*, Madras e Londra 1929.

[3] In SUZUKI (3), p. 55. Le "sfere" dei sensi sono le aree o gli aspetti del mondo esterno cui si riferiscono i singoli organi sensoriali.

[4] *Madhyamika Shastra*, XV. 3.

[5] In SUZUKI (3), p. 67.

[6] *Prajna-paramita-hridaya Sutra* (versione cinese).

[7] *Saptasatika-prajna-paramita Sutra*, 232, 234.

[8] *Ashtasahasrika*, II. 38, 40. In CONZE (2), pp. 177-178.

[9] Il lettore interessato a un esame più profondo della filosofia di Nagarjuna dovrebbe consultare la splendida opera del Professor T.R.V. MUR-

TI, *The Central Philosophy of Buddhism* (v. bibliografia). Purtroppo, non esistono che traduzioni frammentarie, in inglese, degli scritti di Nagarjuna, a meno che egli non sia stato davvero l'autore del *Prajna-paramita*, per il quale v. CONZE (2,3).

[10] "La quiddità non è né passata, né futura, né presente", poiché quando si vede che non esiste né passato né futuro non c'è più un presente, l'idea del presente avendo significato solo in relazione al passato e al futuro.

[11] Per un'esposizione generale vedi E. NAGEL and J.R. NEWMAN, *La prova di Gödel*, "Scientific American", CXCVI. 6 giugno 1956, pp. 71-86.

[12] *Lankavatara Sutra*, 154, 29-30, 32-33. In SUZUKI (2), p. 242. Ho citato il *Lankavatara* per i punti di vista sia Madhyamika sia Yogacara, giacché, o entrambe le scuole hanno usato il *sutra*, oppure esso è opera della prima. Dato che l'ordine storico è in questo caso del tutto ipotetico, mi sono limitato a scegliere le fonti che sembrano esprimere più efficacemente le idee in questione.

Capitolo quarto

[1] *Lankavatara Sutra*, II. 14, in SUZUKI (3), pp. 49-51. Secondo la tradizione questo era il *sutra* favorito di Bodhidharma, il semileggendario fondatore dello zen in Cina. La sua connessione con lo zen è trattata a fondo in SUZUKI (2), pp. 44-63.

[2] *Saraha's Treasury of songs*, tradotto da Davide Snellgrove in CONZE (2), pp. 224-239.

[3] L'originale è:

Mi-mno, mi-bsam, mi-dpyad ching,
Mi-bsgom, mi-sems, rang-babs-bzhag.

La traduzione è basata su di un chiarimento del passaggio datomi dal sig. Alex Wayman dell'Università di California. *Mi-mno* a un dipresso equivale ai termini zen *wu-hsin* o *wu-nien*, "non-mente" o "non-pensiero." *Bsam* è l'equivalente del sanscrito *cintana*, ossia, il pensiero discorsivo su quanto s'è udito, e *dpyad* di *mimamsa*, o "analisi filosofica". *Bsgom* è probabilmente *bhavana* o il cinese *hsiu*, "coltivare, praticare", ovvero "intensa concentrazione". *Sems* è *cetana* o *szu*, con il senso di intenzione o volizione. *Rang-babs-bzhag* è letteralmente "stabilire l'autosistemazione" e "autosistemazione" parrebbe equivalere quasi esattamente al taoista *tzu-jan*, "spontaneo", o "naturale".

[4] Citato in FUMO YU-LAN (1), vol. 2, p. 240, da SENG-YU, *Ch'u San-tsang Chi-chi*, 9.

[5] LIEBENTHAL, p. 49.

[6] La stessa idea fu adottata anche prima di Dogen dal maestro zen Ma-tzu (m. 788): "Così per i pensieri antecedenti, i pensieri succedenti e i pensieri mediani: i pensieri si susseguono l'un l'altro senza connessioni. Ciascuno è perfettamente tranquillo". *Ku-tsun-hsü Yü-lu*, I. 4.

[7] LIEBENTHAL, pp. 71-72.

[8] 385-433. La sua *Discussion of Essential* (*Pien Tsung Lun*) è la nostra principale fonte di informazione sulle idee di Tao-sheng. Si veda FUNG YU-LAN (1), vol. 2, pp. 274-284.

[9] Secondo HU SHIH (1) e T'ang Yung-t'ing Bodhidharma potrebbe essere stato in Cina fra il 420 e il 479. V. anche FUNG YU-LAN (1), vol. 2, pp. 386-390, PELLIOT, e DUMOULIN (2).

[10] Le fonti tradizionali sono *Sung-kao Seng-chuan* di TAO-HSÜAN (Taisho 2061), composto fra il 645 e il 667 e *Ching Te Ch'uan Teng Lu* di TAO-YÜAN (Taisho 2076), scritto intorno al 1004.

[11] Le opere attribuite a Bodhidharma si troveranno in SUZUKI (1), vol. I, pp. 165-70 e in SENZAKI e MCCANDLESS, pp. 73-84. Lo stile è sempre indiano e manca di "sapore" taoista.

[12] Il *Tan Ching* di Hui-neng, per esempio, raccoglie parecchi esempi di colloqui del sesto patriarca con maestri *dhyana* che ovviamente non appartenevano alla sua "scuola immediata" di *dhyana*. Inoltre, non fu che al tempo di Po-chang (720-814), o anche più tardi, che la scuola zen ebbe monasteri di sua proprietà. V. DUMOULIN e SASAKI, p. 13.

[13] *Ch'uan Teng Lu*, 3.

[14] SUZUKI (1), vol. I, pp. 170-171.

[15] *Wu-men kuan*, 41.

[16] Nel cinese moderno i primi due caratteri significano qualcosa come "mondano" o "al di fuori della congregazione". Nel presente contesto sono in genere presi per significare che la verità dello zen non può essere espressa in una qualche forma di dottrina, o che un insegnante non può far di più che mostrare come raggiungerla da sé. Comunque, la meravigliosa ambiguità del cinese potrebbe intenzionalmente consentire ambedue i significati. Considerate la forma prevalentemente "secolare" dell'espressione zen, e certe massime come "Strofinati la bocca ogni volta che dici: 'Budda!'".

[17] Alcune traduzioni ai troveranno in SUZUKI (1), vol. I, p. 182, e una revisione in SUZUKI (6), p. 91. Un'altra di Arthur Waley si trova in CONZE (2), p. 295.

[18] Gli ultimi due versi hanno il medesimo significato del colloquio di Hui-k'o con Bodhidharma.

[19] *Ch'uan Teng Lu*, 3.

[20] *Ibidem*.

[21] *Ta-ch'eng Chih-kuan Fa-men*, Taisho, 1924.

[22] *T'an-ching*, I. Il titolo completo dell'opera che riporta la vita e l'insegnamento di Hui-neng è il *Sutra Fondamentale del Sesto Patriarca*, o *Liu-tsu T'an-chin*, Taisho 2008. Per le traduzioni, v. bibliografia sotto WONG MOU-LAN e ROUSSELLE.

[23] Uno stato di confusione totale regna fra gli scrittori dello zen riguardo la denominazione dei grandi maestri T'ang. Ad esempio, il nome completo di Shen-hui è Ho-tse Shen-hui, la cui pronunzia giapponese è Kataku Jinne. Shen-hui è il suo nome monastico, e Ho-tse ne designa la località. Gli scrittori giapponesi fanno riferimento a lui come Jinne, usando il nome monastico personale. D'altro lato Hsüan-chüeh è Yung-chia Hsüan-chüeh, in giapponese Yoka Genkaku. Ma gli scrittori giapponesi di solito

adottano il nome della sua località, Yoka! In definitiva, Suzuki usa i nomi della località e Fung Yu-lan nomi monastici. Suzuki talvolta dà la forma giapponese, e talvolta la cinese; ma latinizza il cinese diversamente da Fung (o piuttosto da Bodde, il traduttore). Lin-chi I-hsüan (Rinzai Gigen) compare in Suzuki il più delle volte come Rinzai e talvolta come Lin-chi, ma in Fung egli è Yi-hsüan! Dumoulin e Sasaki fanno qualche tentativo, per coerenza, di usare soltanto le forme giapponesi, ma così risulta impossibile distinguere a prima vista i personaggi cinesi da quelli giapponesi. In tal modo chiunque studi lo zen da altro che le fonti originali si trova di fronte a difficoltà che rendono problematica la chiarezza storica. Le opere di Suzuki sono in generale così conosciute che la maggioranza degli studiosi occidentali di zen hanno familiarità col suo uso, seppure incoerente, e io non desidero accrescere la loro confusione con un tentativo di coerenza come nominare Hui-neng col nome della sua località, Ta-chien. Tutto quanto posso offrire è un indice che riporta tutti i nomi. A peggiorare le cose, v'è pure confusione riguardo alle date. Shen-hui per esempio è datato da Fung 686-760, da Gernet 668-760, e da Dumoulin e Sasaki 668-770.

[24] Questo periodo è trattato particolareggiatamente in DUMOULIN e SASAKI. DEMIÉVILLE (2) ha tradotto un ms. Tun-huang (Pelliot 4646) riguardante un dibattito tenutosi a Lhasa verso il 792-794 fra un maestro della scuola Ch'an della Subitaneità e un gruppo di dotti buddisti indiani. Il maestro Ch'an è identificato solo con il nome "Mahayana" e non v'è apparentemente nulla che lo leghi alla tradizione discendente da Hui-neng. La sua dottrina sembra un poco più quietistica di quella del sesto patriarca. Il fatto che gli studiosi indiani fossero stupiti e respinti dal suo insegnamento, suggerisce un'origine puramente cinese.

[25] *Shen-hui Ho-chang I-chi*. Il testo cinese è stato curato da Hu Shih, Shangai 1930.

[26] Ossia, il Dharmakaya, per il quale vedi più sopra, p. 71. Traduzioni complete del *Cheng-tao Ke* (in giapponese *Skodoka*) si troveranno in Suzuki (6) e SENZAKI e MCCANDLESS.

[27] *Ch'uan Teng Lu*, 5.

[28] *Ku-tsun-hsü Yü-lu*, 1.6.

[29] Ivi, 1.4.

[30] In SUZUKI (6), p. 123.

[31] *Wu-men Kuan*, 19.

[32] Ivi, 1.

[33] Ivi, 7.

[34] *Chao-chou Yü-lu*, in *Ku-tsun-hsü Yü-lu*, 3.13.

[35] La parola, un poco sviatrice, "monaco" appare l'insostituibile traduzione di *seng*,[x] sebbene *yun shui*,[y] "nube e acqua", sia un termine comune, rivelatore e pittoresco per lo studioso di zen, colui che "si fa trasportare come una nube e scorre come l'acqua". Ma io sono imbarazzato a trovare una concisa espressione per questo termine.

[36] In CHU CH'AN (1), pp. 16 e 18. Un'altra parziale traduzione appare in SUZUKI (6), pp. 132-140.

[37] In CHU CH'AN (1), pp. 42-43.
[38] *Ch'uan Teng Lu*, 12.
[39] *Lin-chi Lu* in *Ku-tsun-hsü Yü-lu*, I.4, pp. 5-6.
[40] Ivi, p. 7.
[41] Ivi, p. 11.
[42] Per una più completa descrizione v. più avanti, a p. 163. Nella forma giapponese di questa parola, le sillabe sono pronunciate separate: *Ko-an*.
[43] *Jen-t'ien Yen-mu*, 2.
[44] Poiché il mio fine è di fare la storia dello zen solo come sfondo per la sua dottrina e la sua pratica, non entro in una estesa trattazione della sua storia in Giappone. L'opera di Dogen, Hakuin, Bankei e altri sarà trattata in un altro contesto.
[45] Un esempio di questa fusione è ritrovabile nel *T'ai I Chin Hua Tsung Chih*, un trattato della dinastia Ming o forse Ch'ing, per il quale v. WILHELM (1).
[46] *Ku-tsun-hsü Yü-lu*, I. I, p. 2.
[47] È vero che un testo noto come *T'so-chan*, o "Direttive per lo *za-zen*" è incorporato nel *Po-chang Ching-kuei* – i regolamenti della comunità zen attribuiti a Po-chang (720-814) – e che i regolamenti stessi prevedono degli orari per la meditazione. Tuttavia quest'opera non è databile prima del 1265 (Suzuki) e forse del 1338 (Dumoulin). La versione esistente mostra l'influenza della setta Shingon, affine al lamaismo tibetano, che fece il suo ingresso in Cina durante l'ottavo secolo.
[48] V. SUZUKI (10), pp. 176-180.

Parte seconda

Capitolo primo

[1] SENG-TS'AN, *Hsin-hsin Ming*.
[2] *Tao Te Ching*, 2.
[3] Che lo crediate o no, esiste un uomo politico a San Francisco che detesta talmente i partiti di sinistra da rifiutarsi di voltare a sinistra con la sua automobile.
[4] Lo *Zenrin Kushu* è un'antologia di circa cinquemila distici, compilata da Toyo Eicho (1429-1504). La sua intenzione era di fornire agli studiosi zen una documentazione poetica da cui scegliere i distici che esprimessero il tema di un nuovo *koan* risolto. Molti maestri domandarono questi versi non appena è stata data la risposta appropriata al *koan*. I distici sono stati tratti da una grande varietà di fonti cinesi (buddiste, taoiste, letteratura classica, canzoni popolari ecc.).
[5] *Mu-chou Lu*, in *Ku-tsun-hsü Yü-lu*, 2-6.
[6] *Zenrin Ruishu*, 2.

[7] *Zen notes*, in "The transcendental World", vol. I, n. 5, First Zen Institute of America, New York 1954.

[8] *Pi-yen Chi*.

[9] *Shobogenzo*, fasc. I. Di questa traduzione sono debitore al mio collega prof. Sabro Hasegawa.

[10] *Ku-tsun-hsü Yü-lu*, I. 2. 4.

[11] *Shobogenzo*, fasc. I. Letto all'autore da Sabro Hasegawa.

[12] *Ch'uan Teng Lu*, 15.

[13] Ivi, 22.

[14] *Chao-chou Lu*, in *Ku-tsun-hsü Yü-lu*, 3.13.

[15] *Pi-yen Chi*, 12, in SUZUKI (1), vol. 2, pp. 71-72.

[16] *Ch'uan Teng Lu*, 25.

[17] SUZUKI (1), vol. 2, p. 263.

[18] *Wu-men ch'uan*, 40. Tuttavia, come commenta Wu-men, egli cadde diritto nella trappola di Po-chang, perché scambiò per difficile una faccenduola da poco!

[19] *Nan-ch'üan Yü-lu* in *Ku-tsun-hsü Yü-lu*, 3. 12.

[20] *Pi-yen Lu*, 20. Il posa-mento è il *ch'an-pan*, una tavoletta per sorreggere il mento durante una lunga meditazione.

[21] *Lien-teng Hui-yao*, 22. [*Only when you have no thing in your mind and no mind in things / are you vacant and spiritual, empty end marvelous*.] Questa è l'elegante traduzione di Ruth Sasaki in DUMOULIN e SASAKI, p. 48, dove essa sottolinea che in questo contesto, "*spiritual*" esprime uno stato che sta al di là dell'espressione parlata.

[22] *Yün-men Kuang-lu*, in *Ku-tsun-hsü Yü-lu*, 4. 16.

[23] *Ch'uan Teng Lu*, 8.

Capitolo secondo

[1] *Ch'uan Teng Lu*, 26.

[2] Non desidero accentuare l'analogia fra mente umana e servo-motore al punto di affermare che la mente-corpo è "nient'altro che" un automa meccanico estremamente complicato. Desidero solo mostrare che il *feedback* coinvolge alcuni problemi che sono analoghi ai problemi dell'auto-coscienza di sé e dell'autocontrollo nell'uomo. In altri termini, meccanismo e organismo mi paiono differenti nella sostanza (cioè, nel loro funzionamento reale), giacché l'uno è costruito e l'altro si sviluppa. Il fatto che si possano tradurre alcuni processi organici in termini meccanici non implica che l'organismo è meccanismo più di quanto la traduzione del commercio in termini aritmetici implichi che il commercio è aritmetica.

[3] Si veda l'affascinante trattazione delle analogie fra contraddizioni meccaniche e logiche e le psiconevrosi di Gregory Bateson in REUSCH e BATESON, *Communication: the Social Matrix of Psychiatry*, New York 1950, in particolare c. 8.

[4] In SUZUKI (7), p. 80.
[5] In CHU CH'AN (1), p. 29.
[6] *Daiho Shogen Kokushi Hogo* di BANKEI. Testo giapponese a cura di Furata e Suzuki, Tokyo 1943. Traduzione letta all'autore dal prof. Hasegawa.
[7] In CHU CH'AN (1), p. 24.
[8] *Orategama*, in SUZUKI (1), vol. I, p. 239.
[9] *Wu-teng Hui-yüan*, 9.
[10] *Bankei Kokushi Seppo*. Letto all'autore dal prof. Hasegawa.
[11] *Cheng-tao Ke*, I.
[12] Commento al *Pi-yen Lu*, 3.
[13] SUZUKI (7), pp. 73-87. Brani di questa lettera compaiono anche in SUZUKI, vol. 3, pp. 318-319.
[14] *Bankei Kokushi Seppo*. Letto all'autore dal prof. Hasegawa.
[15] In SUZUKI (10), p. 123.
[16] *Lin-chi Lu* in *Ku-tsun-hsü Yü-lu*, I. 4. 6, 11-12, 12.
[17] *Shih Niu T'u*, 8.
[18] In *Ku-tsun-hsü Yü-lu*, I. 4. 13.

Capitolo terzo

[1] In SUZUKI (5), p. 99. La regola dice anche: "Quando vi sottoponete al *keisaku* incrociate cortesemente le mani e inchinatevi; non permettete che alcun pensiero egoistico prevalga in voi e provochi ira". Pare dunque che il *keisaku* abbia due usi: uno per il massaggio delle spalle e un altro, per quanto eufemisticamente espresso, per la punizione. È di un certo interesse il fatto che Bankei abolì questa pratica nella propria comunità, sulla base che un uomo non è meno Budda quando dorme di quando sta sveglio.
[2] Capitolo *Zuimonki*. In MASUNAGA, p. 42.
[3] Capitolo *Shoji*. Ivi, p. 44.
[4] Capitolo *Kenbutsu*. Ivi, p. 45.
[5] In SUZUKI (10), pp. 177-178.
[6] Questo prospetto si basa sulle informazioni date da Ruth Sasaki in una sua conferenza all'Accademia americana di studi asiatici.
[7] Grandissima è l'importanza del grande simbolo buddista del *bhavachakra*, La Ruota del Divenire. Gli angeli e i demoni occupano le posizioni più alte e più basse, ossia di perfetta felicità e di perfetta frustrazione. Queste posizioni si trovano alle parti opposte di un circolo, perché le une guidano alle altre. Rappresentano non tanto sostanze in senso letterale quanto i nostri ideali e i nostri terrori, poiché la Ruota è in realtà una carta topografica della mente umana. La posizione umana si trova nel mezzo, ossia alla sinistra della Ruota, e solo da questa posizione l'uomo può diventare un Budda. La nascita umana è perciò considerata come insolitamente fortunata, ma questo non va confuso con l'evento fisico, poiché non si è realmente "nati nel mondo degli uomini" finché non si sia pienamente accettata la propria umanità.

[8] Tradotto da R.H. Blyth in *Ikkyu's Doka*, "The Young East", vol. 2, n. 7, Tokyo 1953.

[9] Ivi, vol. 3, n. 9, p. 14 e vol. 2, n. 2, p. 7.

[10] Per altri particolari, vedi pp. 170 sgg.

[11] In *Ku-tsun-hsü Yü-lu*, I. 4, pp. 3-4.

[12] Un'esposizione particolareggiata ma estremamente confusionaria dei Cinque Ordini si troverà in Dumoulin e Sasaki (1), pp. 25-29.

[13] *Wu-men kuan*, 16.

[14] *Ku-tsun-hsü Yü-lu*, 41.

[15] Vedi Edmund Jacobson, *Progressive Relaxation*, Chicago 1938.

[16] In Suzuki (10), p. 130.

Capitolo quarto

[1] *Keng-tao Ke*, 24.

[2] *Wu-men Kuan*, 24.

[3] Questo e i seguenti *haiku* sono tradotti dalla stupenda versione inglese di R.H. Blyth, *Haiku* in 4 volumi. Cfr. bibliografia, Blyth (2). Blyth ha anche il vantaggio di una sua personale esperienza nell'addestramento zen, da cui ha tratto una speciale sensibilità nella comprensione della letteratura cinese e giapponese.

[4] R.H. Blyth, *Ikkyu's Doka*, "The Young East", vol. 2, n. 7, Tokyo 1958.

[5] Un'impressione particolarmente repulsiva per il gusto poetico della metà del ventesimo secolo. Essa deriva, comunque, da un livello di *haiku* e di altre forme d'arte che corrisponde ai nostri versi per biglietti d'auguri e ai dipinti da scatola di pasticceria. Ma considerate l'immagine quasi surrealista di questi versi dello *Zenrin*:

Sul monte Wu-t'ai le nubi avvolgono il riso di vapori;
Davanti alla sala dell'antico Budda, i cani orinano al cielo.

E vi sono parecchi *haiku* come questo di Issa:

La bocca
Che schiacciò una pulce
Disse: "Namu Amida Butsu!"

[6] Influsso che si può ancora notare nell'antico santuario shinto di Ite, il cui stile fa intensamente pensare alle culture delle isole del Pacifico meridionale.

[7] Poiché di frequente io sono invitato con mio vivo piacere al *cha-no-yu* da Sabro Hasegawa, che possiede un ottimo intuito per proporre questi inviti nei momenti di più cupa ansietà, posso attestare di non conoscere nessuna forma migliore di psicoterapia.

[8] *Ts-ai-ken T'an*, 291. Il libro di Hung sul "discorso della radice vegetale" è una raccolta di osservazioni divaganti di un poeta del sedicesimo secolo, la cui filosofia era un miscuglio di taoismo, zen e confucianesimo.

Bibliografia

La bibliografia è divisa in due parti: (1) Le principali fonti originali consultate nella preparazione di quest'opera. La pronuncia giapponese è fra parentesi tonde. I riferimenti sono all'edizione giapponese del completo Tripitaka cinese, il *Taisho Daizokyo* in 85 volumi (Tokyo 1924-1932), e al *Catalogue of the Chinese Translation of the Buddhist Tripitaka* (Oxford 1883; ristampa, Tokyo 1929). (2) Una bibliografia generale delle opere sullo zen in lingue europee, e di altre opere sulla filosofia indiana e cinese a cui s'è fatto riferimento in questo libro. Nei limiti della mia conoscenza, questa parte comprende ogni libro o articolo erudito di qualche importanza, pubblicato sullo zen fino al giorno d'oggi, luglio 1956.

1. *Fonti principali*

Cheng-tao Ke (*Shodoka*)
Canto della Realizzazione della Via.
Yung-chia Hsüan-chüeh (Yoka Genkaku), 665-713.
Taisho 2014.
Trad. Suzuki (6), Senzaki & McCandless (1).

Ching-te Ch'uan-teng Lu (*Keitoku Dento Roku*)
Annali della Trasmissione della Lampada.
Tao-yüan (Dogen), *c.* 1004.
Taisho 2076. Nanjio 1524.

Daiho Shogen Kokushi Hogo
Sermoni del Maestro Nazionale Daiho Shogen (i.e., Bankei).
Bankei Zenji, 1622-1693.
Ed. Suzuki e Furata. Daito Shuppansha, Tokyo 1943.

Hsin-hsin Ming (*Shinjinmei*)
Trattato sulla Fede nella Mente.
Seng-ts'an (Sosan), *m.* 606.
Taisho 2010.
Trad. Suzuki (1), vol. I, e (6), e Waley in Conze (2).

Ku-tsun-hsü Yü-lu (*Kosonshuku Goroku*)
Detti Memorabili degli Antichi Saggi.
Tse (Seki), Sung dynasty.
Fu-hsüeh Shu-chü, Shanghai, s.d. Anche in *Dainihon Zokuzokyo*, Kyoto 1905-1912.

Lin-chi Lu (*Rinzai Roku*)
Memorie di Lin-chi.
Lin-chi I-hsüan (Rinzai Gigen), *m.* 867.
Taisho 1985. Anche in Ku-tsun-hsü Yü-lu, fasc. I.

Liu-tsu T'an-ching (*Rokuso Dangyo*)
Sutra Fondamentale del Sesto Patriarca.
Ta-chien Hui-neng (Daikan Eno), 638-713.
Taisho 2008. Nanjio 1525.
Trad. Wong Mou-lam (1) e Rousselle (1).

Pi-yen Lu (*Hekigan Roku*)
Memorie della Verde Roccia.
Yuan-wu K'o-ch'in (Engo Kokugon), 1063-1135.
Taisho 2003.

Shen-hui Ho-chang I-chi (*Jinne Osho Ishu*)
Raccolta di Leggende di Shen-hui.
Ho-tse Shen-hui (Kataku Jinne), 668-770.
Tun-huang MS, Pelliot 3047 e 3488.
Ed. Hu Shih. Oriental Book Co, Shanghai 1930.
Trad. Gernet (1).

Shobo Genzo
Tesoro dell'Occhio del Vero Dharma.
Dogen Zenji, 1200-1253.
Ed. Kunihiko Hashida. Sankibo Busshorin, Tokyo 1939. Anche in *Dogen Zenji Zenshu*, pp. 3-472. Shinjusha, Tokyo 1940.

Wu-men Kuan (*Mumon Kan*)
La Barriera senza Cancello.
Wu-men Hui-k'ai (Mumon Ekai), 1184-1260.
Taisho 2005.
Trad. Senzaki & Reps (1), Ogata (1), e Dumoulin (1).

2. *Opere in lingue europee*

ANESAKI, M., *History of Japanese Religion*, Kegan Paul, London 1930.

BENOIT, H., *The Supreme Doctrine*, Pantheon, New York, e Routledge, London 1955.

BLYTH, R.H., (1) *Zen in English Literature and Oriental Classics*, Hokuseido, Tokyo 1948.

(2) *Haiku*, 4 voll., Hokuseido, Tokyo 1949-1952.

(3) *Buddhist Sermons on Christian Texts*, Kokudosha, Tokyo 1952.

(4) "Ikkyu's Doka", *The Young East*, voll. da II, 2 a III, 9, Tokyo 1952-1954.

CHAPIN, H.B., *The Ch'an Master Pu-tai*, "Journal of the American Oriental Society", vol. LIII, pp. 47-52.

CHU CH'AN (BLOFELD, J.), (1) *The Huang Po Doctrine of Universal Mind*, Buddhist Society, London 1947.

(2) *The Path to Sudden Attainment*, Buddhist Society, London 1948.

CH'U TA-KAO, *Tao Te Ching*, Buddhist Society, London 1937.

CONZE, E., (1) *Buddhism: Its Essence and Development*, Cassirer, Oxford 1953. [tr. it. *Il buddhismo*, Mondadori, Milano 1955]

(2) *Buddhist Texts Through the Ages*, a cura di I.B. Horner, D. Snellgrove, e A. Waiey, Cassirer, Oxford 1954.

(3) *Selected Sayings from the Perfection of Wisdom*, Buddhist Society, London 1955.

COOMARASWAMY, A.K., *Who is Satan and Where Is Hell?*, "The Review of Religion", vol. XII, I, pp. 76-87, New York 1947.

DEMIÉVILLE, P., (1) *Hobogirin*, 4 fasc., a cura di S. Levi e J. Takakusu, Maison Franco-Japonaise, Tokyo 1928-1931.

(2) *Le Concile de Lhasa*, vol. I, Imprimerie Nationale de France, Paris 1952.

DUMOULIN, H., (1) "Das Wu-men-kuan oder 'Der Pass ohne Tor'", *Monumenta Serica*, vol. VIII, 1943.

(2) "Bodhidharma und die Anfänge des Ch'an Buddhismus", *Monumenta Nipponica*, vol. VII, 1951.

DUMOULIN, H., & SASAKI, R.F., *The Development of Chinese Zen after the Sixth Patriarch*, First Zen Institute, New York 1953.

DUYVENDAK, J.J.L., *Tao Te Ching*, Murray, London 1954. [tr. it. *Tao Te Ching: il libro della via e della virutù*, Adelphi, Milano 1973]

ELIOT, SIR C., *Japanese Buddhism*, Arnold, London 1935.

FIRST ZEN INSTITUTE OF AMERICA, (1) *Cat's Yawn*, 1940-1941, First Zen Institute, New York 1947.

(2) *Zen* Notes, First Zen Institute, New York, dal gennaio 1954.

FUNG YU-LAN, (1) *A History of Chinese Philosophy*, 2 voll., trad. Derk Bodde, Princeton 1953.

(2) *The Spirit of Chinese Philosophy*, trad. E.R. Hughes. Kegan Paul, London 1947.

GATENBY, E.V., *The Cloud Men of Yamato*, Murray, London 1929.

GERNET, J., (1) *Entretiens du Maître de Dhyana Chen-houei du Hotsò*, *Publications de l'École Française d'Extréme-Orient*, vol. XXXI, 1949.

(2) *Biographie du Maître Chen-houei du Hotsö*, "Journal Asiatique", 1951.

(3) *Entretiens du Maître Ling-yeou du Kouei-chan*, "Bulletta de l'École Française d'Extrême-Orient", vol. XLV, I, 1951.

GILES, H.A., *Chuang-tsu*, Kelly & Walsh, Shanghai 1926.

GILES, L., *Taoist Teachings*, trad. da Lieh-tzu, Murray, London 1925.

GROSSE, E., *Die Ostasiatische Tuschmalerei*, Cassirer, Berlin 1923.

HARRISON, E.J., *The Fighting Spirit of Japan*, Unwin, London 1913. [tr. it. *Lo spirito guerriero del Giappone*, Luni, Milano 2003]

HERRIGEL, E., *Zen in the Art of Archery*, Pantheon, New York 1953. [tr. it. *Lo zen e il tiro con l'arco*, Adelphi, Milano 1975]

HUMPHREYS, C., *Zen Buddhism*, Heinemann, London 1949. [tr. it. *Lo zen: buddhismo zen*, Ubaldini, Roma 1963]

HU SHIH, (1) *The Development of Zen Buddhism in China*, "Chinese Political and Social Review", vol. XV, 4, 1932.

(2) "Ch'an (Zen) Buddhism in China, Its History and Method", *Philosophy East and West*, vol. III, I, Honolulu 1953.

KEITH, SIR A.B., *Buddhist Philosophy in India and Ceylon*, Oxford 1923.

LIEBENTHAL, W., "The Book of Chao", *Monumenta Serica*, Monog., XIII, Peking 1948.

LIN YUTANG, *The Wisdom of Lao-tse*, Modern Library, New York 1948.

LINSSEN, R., *Essais sur le Bouddhisme en général et sur le Zen en particulier*, 2 voll., Editions Etre Libre, Brussels 1954.

MASUNAGA, R., "The Standpoint of Dogen and His Treatise on Time", *Religion East and West*, vol. I., University of Tokyo 1955.

MURTI, T.R.V., *The Central Philosophy of Buddhism*, Allen & Unwin, London 1955. [tr. it. *La filosofia centrale del buddhismo*, Ubaldini, Roma 1983]

NEEDHAM, J., *Science and Civilization in China*, 2 voll. (seguiranno altri 5 voll.), Cambridge University Press, 1954 e 1956. [tr. it. *Scienza e civiltà in Cina*, Einaudi, Torino 1981 sgg.]

NUKARIYA, K., *The Religion of the Samurai*, Luzac, London 1913.

OGATA, S., *Guide to Zen Practice*, trad. parziale di *Mu-mon Kan*, Bukkasha, Kyoto 1934.

OHASAMA, S., & FAUST, A., *Zen, der lebendige Buddhismus in Japan*, Gotha 1925.

OKAKURA, K., *The Book of Tea*, Foulis, Edinburgh 1919. [tr. it. *Lo zen e la cerimonia del tè*, SE, Milano 1993, Feltrinelli, Milano 1997]
PELLIOT, P., *Notes sur quelques artistes des Six Dynasties et des T'ang*, "T'oung Pao", vol. XXII, 1923.
ROUSSELLE, E., "Liu-tsu T'an-ching", *Sinica*, voll. V, VI, & XI, 1930, 1931, 1936.
SASAKI, T., *Zen: With Special Reference to Soto Zen*, Soto Sect Headquarters, Tokyo 1955.
SENGAI, *India-Ink Drawings*, Oakland Museum, Oakland 1956.
SENZAKI, N., *Zen Meditation*, Bukkasha, Kyoto 1936.
SENZAKI, N., & MCCANDLESS, R., *Buddhism and Zen*, Philosophical Library, New York 1953.
SENZAKI, N., & REPS, P., (1) *The Gateless Gate*, trad. del *Mu-mon Kan*, Murray, Los Angeles 1934.
(2) *101 Zen Stories*, McKay, Philadelphia, s.d. [tr. it. *101 storie zen*, Adelphi, Milano 1973]
SIREN, O., *Zen Buddhism and Its Relation to Art*, "Theosophical Path", Point Loma, Calif., October 1934.
SOGEN ASAHINA, *Zen*, Sakane, Tokyo 1954.
SOROKIN, P. (a cura di), *Forms and Techniques of Altruistic and Spiritual Growth*, Beacon Press, Boston 1954.
SOYEN SHAKU, *Sermons of a Buddhist Abbot*, Open Court, Chicago 1906.
STCHERBATSKY, TH., *The Conception of Buddhist Nirvana*, Leningrado 1927.
STEINILBER-OBERLIN, E., & MATSUO, K., *The Buddhist Sects of Japan*, Allen & Unwin, London 1938.
SUZUKI, D.T., (1) *Essays in Zen Buddhism*, 3 voll., Luzac, London 1927, 1933, 1934. Rist., Rider, London 1949, 1950, 1951. [tr. it. *Saggi sul buddhismo zen*, Edizioni Mediterranee, Roma 1989]
(2) *Studies in the Lankavatara Sutra*, Routledge, London 1930.
(3) *The Lankavatara Sutra*, Routledge, London 1932. Rist. 1956.
(4) *Introduction to Zen Buddhism*, Kyoto 1934. Rist., Philosophical Library, New York 1949. [tr. it. *Introduzione al buddhismo zen*, Ubaldini, Roma 1970]
(5) *Training of the Zen Buddhist Monk*, Eastern Buddhist Society, Kyoto 1934. [tr. it. *La formazione del monaco buddhista zen*, Libreria Editrice Fiorentina, Firenze 1984]
(6) *Manual of Zen Buddhism*, Kyoto 1935. Rist., Rider, London 1950. [tr. it. *Manuale di buddhismo zen*, Ubaldini, Roma 1970]
(7) *Zen Buddhism and Its Influence on Japanese Culture*, Eastern Buddhist Society, Kyoto 1938.
(8) *The Essence of Buddhism*, Buddhist Society, London 1947.

(9) *The Zen Doctrine of No-Mind*, Rider, London 1949. [tr. it. *La dottrina zen del vuoto mentale*, Ubaldini, Roma 1968]
(10) *Living by Zen*, Rider, London 1950.
(11) *Studies in Zen*, Rider, London 1955.
(12) "Professor Rudolph Otto on Zen Buddhism", *Eastern Buddhist*, vol. III, pp. 93-116.
(13) "Zen Buddhism on Immortality. An Extract from the Hekiganshu," *Eastern Buddhist*, vol. III, pp. 213-223.
(14) "The Recovery of a Lost MS on the History of Zen in China", *Eastern Buddhist*, vol. IV, pp. 199-298.
(15) "Ignorance and World Fellowship", *Faiths and Fellowship*, Watkins, London 1937.
(16) "Buddhist Symbolism", *Symbols and Values*, Harper, New York 1954.
(17) "Zen and Pragmatism", *Philosofhy East and West*, vol. IV, 2, Hooolidu 1954.
(18) "The Awakening of a New Consciouness in Zen", *Eranos-Jahrbuch*, vol. XXIII, Rhein-Verlag, Zürich 1955.
TAKAKUSU, J., *Essentials of Buddhist Philosophy*, University of Hawaii, Honolulu 1947.
WALEY, A., *Zen Buddhism and Its Relation to Art*, Luzac, London 1922.
WATTS, A.W., (1) *The Spirit of Zen*, Murray, London 1936; 2 ed., 1955. [tr. it. *Lo zen: un modo di vita, lavoro e arte in Estremo Oriente*, Bompiani, Milano 1958]
(2) *Zen Buddhism*, Buddhist Society, London 1947.
(3) *Zen* (lo stesso, ma ampliato), Delkin, Stanford 1948.
(4) *The Way of Liberation in Zen Buddhism*, American Academy of Asian Studies, San Francisco 1955. [tr. it. *La via della liberazione*, Ubaldini, Roma 1992]
(5) *The Problem of Faith and Works in Buddhism*, "Review of Religion", vol. V, 4, New York, maggio 1941.
WENTZ, W.Y.E., *Tibetan Yoga and Secret Doctrines*, Oxford 1935. [tr. it. *Lo yoga tibetano e le dottrine segrete*, Ubaldini, Roma 1973]
WILHELM, R., (I) *The Secret of the Golden Flower*, trad. del *T'ai I Chin Hua Tsung Chih*, commentata da C.G. Jung, Kegan Paul, London 1931. [tr. it. *Il mistero del Fiore d'oro*, Laterza, Bari 1936]
(2) *The I Ching or Book of Changes*, 2 voll., Tr. Cary Baynes, Pantheon, New York 1950. [tr. it. *I Ching: il libro dei mutamenti*, Adelphi, Milano 1991]
WONG MOU-LAM, *The Sutra of Wei Lang* (*Hui-neng*), Luzac, London 1944.

Note cinesi

(Leggere orizzontalmente, da sinistra a destra.)

Parte prima

Capitolo primo

[a]人 [b]自然 [c]道 [d]念 [e]德

[f]道可道非常道 [g]精 [h]爲

[i]無爲 [j]道法自然 [k]玄

[l]有一物上拄天下拄地。

黑似漆。常在動用中。 [m]素

[n]仁 [o]悟 [p]橫心之所念 [q]無心

[r]心 [s]亟 [t]本心 [u]佛心 [v]信心

Capitolo secondo

[a]仁 [b]義 [c]禪

Capitolo terzo

[a]不生不滅 [b]四法界

[c] 事 [d] 理 [e] 理事無礙

[f] 事事無礙

Capitolo quarto

[a] 直指 [b] 頓悟 [c] 格義 [d] 坐禪

[e] 帝問如何是聖諦第一義、師曰廓然無聖、帝曰對朕者誰、師曰不識。 [f] 壁觀

[g] 二祖云、弟子心未安、乞師安心。磨云、將心來爲汝安。祖云、覓心了不可得。磨云、爲汝安心竟。 [h] 問答

[i] 教外別傳、

不立文字、

直指人心、
見性成佛。

[j] 至道無難、唯嫌揀擇。
任性合道、逍遙絕惱、
繫念乖真。勿惡六塵、
六塵不惡、還同正覺、
智者無爲、愚人自縛。
將心用心、豈非大錯。

[k] 來禮師曰、乞與解脫法門、
師曰、誰縛汝、曰無人縛、師
曰、何更求解脫乎。

[l] 身是菩提樹、心如明鏡臺、
時時勤拂拭、莫使惹塵埃。

[m]菩提本無樹、心鏡亦非臺、本來無一物、何處惹塵埃。

[n]來去自由通用無滯即是般若三昧自在解脫名無念行、若百物不思當令念絕即是法縛即名邊見。

[o]住心觀淨是病非禪。長坐拘身於理何益。

[p]起心著淨卻生淨妄。何名坐禪此法門中無障無礙外於一切善惡境界、心念不起名為坐。

[q]若有人問汝義問有將無對。

問無將有對、問凡以聖對、
問聖以凡對。二道相因生
中道義、汝一問一對。

[r]君不見絕學無爲道人、
不除妄想不求真、
無明實性即佛性、
幻化空身即法身。

[s]往問曰、大德坐禪圖什麼、
一曰、圖作佛、師乃取一塼
於彼庵前石上磨。一曰、師
作什麼。師曰、磨作鏡。一曰、
磨塼豈得成鏡耶、師曰、坐
禪豈成佛耶。 [t]喝

[u]道不屬修若言修得修
成還壞即同聲聞若言不
修即同凡 [v]泉云、平常心是
道。趙州云、還可趣向否。泉云、
擬向即乖。 [w]無 [x]僧 [y]雲水
[z]無事 [aa]山僧與麼說意在什
麼處、祇爲道流一切馳求
心不能歇、止他古人閑機
境、道流取山僧見處坐斷
報化佛頭十地滿心猶如
客作兒等妙二覺擔枷
鎖漢羅漢辟支猶如廁穢
菩提涅槃如繫驢橛。

佛法無用功處、祇是平常無
事、屙屎送尿著衣喫飯困
來即臥愚人笑我智乃知。
你且隨處作主立處皆眞境
來回換不得、縱有從來習氣
五無間業自爲解脫大海。
心外無法內亦不可得、求什
麼物、你諸方言道有修有證、
莫錯設有修得者皆是生死
業、你言六度萬行齊修、我
見皆是造業、求佛求法即是
造地獄業。

[bb]五位 [cc]正 [dd]偏

[ee]公案 [ff]疑情 [gg]汝學坐禪爲

學坐佛、若學坐禪禪非坐臥
若學坐佛佛非定相於無住
法不應取捨汝若坐佛即是
殺佛若執坐相非達其理。

[hh]生來坐不臥、
死去臥不坐、
元是臭骨頭。

Parte seconda

Capitolo primo

[a]至道無難、唯嫌揀擇、
但莫憎愛、洞然明白、
毫釐有差天地懸隔、
欲得現前、莫存順逆、
違順相爭、是爲心病。

[b]受災如受福、受降如受敵、

[c]黃昏雞報曉、半夜日頭明、

[d]問終日、著衣喫飯、如何免得著衣喫飯、師云、著衣喫飯、進云、不會、師云、不會即著衣喫飯。

[e]寒即圍爐向猛火、
熱即竹林溪畔坐。

[f]雨中看果日、火裏酌清泉。

[g]樹呈風體態、波弄月精神。

[h]經云但以衆法合成此身、起時唯法起、滅時唯法滅、此法起時不言我起、滅時

不言我滅、前念後念中念念念不相待念念寂滅。

[i]春色無高下、花枝自短長、[j]長者長法身、短者短法身。

[k]老僧三十年前未參禪時、見山是山、見水是水、及至後來親見知識、有箇入處、見山不是山、見水不是水、而今得箇體歇處、依然見山秖是山、見水秖是水。

[l]空劫之時無一切名字佛纔出世來便有名字、所以取相、大道一切實無凡聖、

若有名字皆屬限量、所以江西老宿云、不是心不是佛不是物。[m]汝但無事於心無心於事則虛而靈空而妙。

[n]宗門七縱八橫、殺活臨時、僧便問、如何是殺、師云、冬去春來、僧云、冬去春來時如何、師云、橫擔拄杖、東西南北、一任打野榸。

[o]神通並妙用、運水及搬柴。

Capitolo secondo

[a]如刀能割不自割、

如眼能看不自看。

[b]兀然無事坐、春來草自生。

[c]青山自青山、白雲自白雲。

[d]妙用 [e]不可以有心得、

不可以無心求。

[f]去 [g]不生 [h]若虛空勿涯岸

不離當処常湛然、覓即知君

不可見、取不得捨不得、不可

得中、只麼得、黙時說、說時黙、

大施門開無擁塞。

[i]一擊忘所知、更不假修治、

動容揚古路。

[j]不信只看八九月、

紛紛黃葉滿山川。

[k]相見呵呵笑、園林落葉多。

[l]若是本分人、須是有驅耕
夫之牛、奪飢人之食底手腳。

[m]驀直去 [n]念 [o]任運著衣裳、
要行即行、要坐即坐、無一念
心希求佛果。你諸方言道有
修有證、莫錯 設有修得者皆
是生死業 你言六度萬行齊
修、我見皆是造業、求佛求法
即是造地獄業、求菩薩亦是
造業、看經看教亦是造業、佛
與祖師是無事人。諸方說有
道可修有法可證、何法修何

道、你今用處欠少什麼物、修補何處。

[p] 爭如著衣喫飲、此外更無佛祖。

[q] 識得本心本性、正是宗門大病。

[r] 入林不動草、入水不立波。

[s] 護生須是殺、殺盡始安居。

[t] 一句定乾坤、一劍平天下。

[u] 若人修<u>道道</u>不行、萬般邪境競頭生智劍出來無一物。

Capitolo terzo

[a]本証妙修 [b]體 [c]用 [d]法身

機關、言詮、難透、五位。

[e]孤掌難鳴 [f]有時奪人不

奪境、有時奪境不奪人有

時人境俱奪、有時人境俱

不奪。

[g]移花兼蝶到、達磨道不知。

Capitolo quarto

[a]易 [b]江月照松風吹、

永夜清宵何所爲。

[c]寂 [d]佗 [e]哀 [f]幽玄 [g]風流

[h]風穴和尚因僧問、語默涉離

徽如何通不犯、穴云、

長憶江南三月裏、

鷓鴣啼處百花香。

[i]風定花猶落、鳥鳴山更幽。

[j]破鏡不重照、落花難上枝。

[k]無有生相刹那無有滅相、更無生滅可滅是則寂滅現前、當現前時亦無現前之量乃為常樂。

Indice

In “Universale Economica” – ORIENTE
Una serie tascabile che guarda a Oriente

Ditte e Giovanni Bandini, *Quando buddha non era ancora il Buddha.* Racconti delle esistenze precedenti dell'Illuminato

Bhagavadgītā. A cura di A.-M. Esnoul

Bushidō, La Via del guerriero. A cura di Marina Panatero e Tea Pecunia

Gabriella Cella Al-Chamali, *Yoga-Ratna.* Il gioiello dello yoga

Cheng Man Ch'ing, *Tredici saggi sul T'ai Chi Ch'uan*

Pema Chödrön, *Se il mondo ti crolla addosso.* Consigli dal cuore per i tempi difficili

Pema Chödrön, *Senza via di scampo.* La via della saggezza e della gentilezza amorevole

Stephen Cope, *La saggezza dello yoga.* Una guida alla ricerca di una vita straordinaria

Dhammapada. La via del Buddha. Traduzione e cura di G. Pecunia

Malcolm David Eckel, *Capire il buddhismo*

Kahlil Gibran, *Il giardino del Profeta*

Kahlil Gibran, *Il Profeta*

Kahlil Gibran, *Scritti dell'ispirazione.* Un'antologia

Kahlil Gibran, *Le tempeste*

Matthew S. Gordon, *Capire l'Islam*

Reinhard Kammer, *Lo zen nell'arte del tirare di spada*

Stephanie Kaza, *Consapevolmente verdi.* Una guida personale e spirituale alla visione globale del nostro pianeta

Kenkō, *Ore d'ozio.* A cura di M. Muccioli

Krishnananda, *A tu per tu con la paura.* Un percorso d'amore attraverso le relazioni dalla co-dipendenza alla libertà

Krishnananda, *Uscire dalla paura.* Rompere l'identificazione col bambino emozionale

Krishnananda, Amana, *A tu per tu con la paura.* Vincere le proprie paure per imparare ad amare. Nuova edizione

Krishnananda, Amana, *Fiducia e sfiducia.* Imparare dalle delusioni della vita

Krishnananda, Amana, *Sesso e intimità.* Accogliere e superare paure e insicurezze per vivere al meglio la vita di coppia

Lao Tzu, *Tao Te Ching.* Una guida all'interpretazione del libro fondamentale del taoismo. A cura di A. Shantena Sabbadini

Il Libro dei morti tibetano. Bardo Thödol. A cura di U. Leonzio

Yukio Mishima, *Lezioni spirituali per giovani Samurai*

Noboru B. Muramoto, *Il medico di se stesso.* Manuale pratico di medicina orientale. Nuova edizione completamente rivista

Stephen Nachmanovitch, *Il gioco libero della vita.* Trovare la voce del cuore con l'improvvisazione

Vasudha Narayanan, *Capire l'induismo*

Kakuzo Okakura, *Lo Zen e la cerimonia del tè*. Cura di L. Gentili. Con uno scritto di E.F. Bleiler

Jennifer Oldstone-Moore, *Capire il confucianesimo*

Jennifer Oldstone-Moore, *Capire il taoismo*

Khyentse Norbu, *Sei sicuro di non essere buddhista?*

Osho, *Cogli l'attimo*. Metodi, esercizi, testi e stratagemmi per ritrovare l'armonia dentro di sé

Osho, *La danza della luce e delle ombre*

Osho, *La mente che mente*. Commenti al Dhammapada di Gautama il Buddha 1

Osho, *La saggezza dell'innocenza*. Commenti al Dhammapada di Gautama il Buddha 2

Osho, *L'avventura della verità*. Commenti al Dhammapada di Gautama il Buddha 3

Osho, *Una risata vi risveglierà*. Commenti al Dhammapada di Gautama il Buddha 4

Osho, *Scolpire l'immenso*. Discorsi sul mistico sufi Hakim Sanai

Osho, *Il sentiero si crea camminando*. Lo Zen come metafora della vita

La saggezza dell'Islam. Un'antologia di massime e poesia. A cura di A. Schimmel

Wolf Sugata Schneider, *Tantra*. Il gioco dell'amore

Rabindranath Tagore, *Lipika*. A cura di B. Neroni

Rabindranath Tagore, *Il paniere di frutta*. A cura di B. Neroni

Tsai Chih Chung, *Dice lo Zen*

Alan W. Watts, *Natura uomo donna*

Alan W. Watts, *La via dello Zen*